江河堤防工程建设监理

徐庆河　魏宪田　沈建红
王志远　张思彬　史国超　编著

U0364440

黄河水利出版社

图书在版编目(CIP)数据

江河堤防工程建设监理/徐庆河等编著.—郑州：
黄河水利出版社,2002.12
ISBN 7－80621－603－0

Ⅰ.江… Ⅱ.徐… Ⅲ.堤防－水利工程－施工
监督 Ⅳ.TV871.1

中国版本图书馆 CIP 数据核字(2002)第 072859 号

出 版 社:黄河水利出版社
　　　地址:河南省郑州市金水路 11 号　　邮政编码:450003
发行单位:黄河水利出版社
　　　发行部电话及传真:0371－6022620
　　　E-mail:yrcp@public2.zz.ha.cn
承印单位:黄河水利委员会印刷厂
开本:850mm×1 168mm 　1/32
印张:15.125
字数:380 千字　　　　　　印数:1—2 000
版次:2002 年 12 月第 1 版　印次:2002 年 12 月第 1 次印刷

书号:ISBN 7－80621－603－0/TV·282　　定价:30.00 元

前　言

  建设监理制在我国从 1988 年开始到现在已有 20 余年的时间,监理事业取得了令人瞩目的成绩,基本达到了降低工程造价、提高工程质量、保证施工工期的目的。

  目前,在全国许多水利水电工程建设中,通过建设监理模式进行管理,解决了传统建设管理模式(成立建设指挥部)的不足,为建设监理制的全面推行积累了诸多经验。建设监理制的实施,推动了堤防工程建设管理向社会化、事业化、标准化的管理模式发展,培养高素质的监理人员已显得越来越迫切。为适应近年来我国水利水电事业的持续蓬勃发展,适应工程建设监理工作的需要,我们依据工程建设项目质量控制、工程监理基础理论,并结合堤防工程的特性,把近年来从事黄河、淮河堤防工程建设监理工作的体会编写出《江河堤防工程建设监理》。这本书简明扼要地介绍了江河堤防工程建设、施工、监理单位在施工时应掌握的质量监控要点,系统全面地阐述各类堤防工程施工阶段监理工作的质量检查、控制的基本要求,是一部实用性强、操作性好的工具书。它的出版将为从事江河堤防工程建设的监理人员、管理人员和有关工程技术人员的工作和学习提供帮助。

  水利工程建设监理制全面推行,是我国水利工程建设的一项重大举措。建设监理制是提高建设水平和投资效益的新型建设体制,是综合运用现代管理方式和科学技术所建立的一套有效的质量管理工作体系,是实行全面质量管理的支柱。全面质量管理的特点集中表现在"全面质量管理,全过程管理,全员质量管理"三个方面。

  全面质量管理的基本观点:

质量第一的观点。"质量第一"是推行全面管理的思想基础。工程质量的好坏,关系到国民经济的发展及人民生命财产的安全。因此,工程项目的建设过程中,所有人员都必须牢固树立"质量第一"的思想。

全面质量管理的观点。全面质量管理突出一个"全"字,实行全员、全过程、全企业的管理。因为,工程质量的好坏,涉及到施工的每个部位,每个环节,各项管理既相互联系又相互作用,只有共同努力,齐心协力管理,才能全面保证工程项目的质量。"百年大计,质量第一"是实行全面质量管理的基础,是决定工程建设成败的关键,也是进行建设监理的三大控制目标——质量、进度、投资的重点,是"三控制、两管理、一协调"的首要任务。建设监理是为了加强水利工程建设管理,提高建设水平,充分发挥投资效益。本书阐述了建设监理对质量控制的基本概念和质量控制的任务、方法和程序以及工程项目质量的检验和评定。使全面质量管理工作及工程建设质量不断地提高。

合著同伴在从事多年的水利工程施工工作中,曾担任工程监理总工程师和项目施工总工程师。经长期实践工作中的资料积累和思想升华,把近年来从事黄河、淮河堤防工程建设监理工作的体会融为一体,并依据工程建设项目质量控制、工程监理基础理论、结合堤防工程的特性,不断总结工程监理工作中的经验,并借鉴、参考相关的书籍资料,通过认真搜集、整理、筛选、汇总编写而成《江河堤防工程建设监理》这本书。

由于该书的写作基础是鉴于在实际工作中的实践经验,其内容具体、翔实、易懂,操作性强,并填补了我国在江河水利建筑工程项目监理施工中质量控制规范的空缺。因此具有较普遍的应用价值。

本书可供专门从事江河堤防工程建设监理的工作人员及有关工程技术人员学习、参考,还可作为建设监理培训教材的参考书。

龙振球同志对全书进行了审定，在此表示衷心的感谢。

书中参考和引用了某些规范的内容，谨向这些规范的编著者致以谢意。由于编著者水平有限，书中有不妥之处，恳请读者批评指正。

目　录

第一篇 工程建设监理

第一章 总 则

建设项目的工程质量,是指通过工程建设过程所形成的工程项目。其应满足用户生产、生活所需的功能和使用要求,应符合国家有关法规、技术标准和合同规定。

第一节 质量控制的依据

施工阶段监理工程师的质量控制依据,应按已批准的设计文件、施工图纸及相应的设计变更与修改文件及相关的技术文件、标准、规定进行。

(1)已批准的施工组织设计和监理实施细则。

(2)合同中引用的国家和行业(或部颁)的现行规范、规程及管理办法等。

(3)合同引用的有关原材料、半成品、构配件方面的质量依据。包括:

①有关产品的技术标准:如水泥、水泥制品、钢材、石材、石灰、砂、防水材料、建筑五金及其他材料的产品标准及合格证。

②有关出厂产品的检验单和现场取样方法的技术标准。

③有关材料验收检测、包装、标志的技术标准及使用说明书。

(4)项目法人和承包单位签订的施工工程合同中有关质量的

合同条款。

(5)制造厂提供的设备安装说明书和有关图纸和技术标准。

(6)水利部、各省有关建设工程质量管理的条例和文件。

①《建设工程质量管理条例》(国务院 279 号令)。

②《水利工程质量管理规定》(1997 年 12 月 21 日水利部颁布)。

③《水利工程质量检测管理规定》(水建管[2000]2 号文)。

④《水利水电工程施工质量评定规程(试行)》(SL—176—1996)。

⑤《水利水电建设工程验收规程》(SL—223—1999)。

⑥《堤防工程施工质量评定与验收规程(试行)》。

⑦《水利水电工程施工质量检查评分实施细则》。

(7)项目法人与建设单位及质量监理单位依法签订的合同,在监理过程中项目法人下达的工程变更文件,设计部门对设计问题的正式书面答复,项目法人与设计部门、监理单位等方面联合签署的设计方面的备忘录等。

第二节 工程质量控制方法

建设项目是指通过工程建设过程所形成的工程项目。其应满足用户从事生产、生活所需要的各项要求,应符合国家有关法规、技术标准和各项建设工程质量管理规定。依据工程项目实体质量来定,任何工程项目都由分项工程、分部工程和单项工程所构成,工程项目的建设又是由一系列相互联系、相互制约的工序所构成,而工序质量是创造工程项目实体质量的基础。工程项目实体质量、工序质量、分项工程质量、分部工程质量和单项工程质量之间的相互关系如图 1-1 所示。

生产过程中的工作质量是多单位、多环节工作的综合反映,而

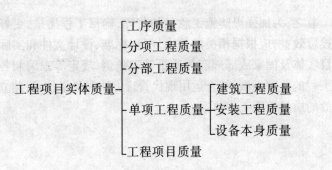

图1-1 工程项目实体质量系统图

工程项目的实体质量和功能又取决于施工操作和管理活动各方面的工作质量。总之,保证工作质量是确保工程项目质量的基础。因此,监理工程师在进行施工过程中的质量控制手段主要是:

(1)旁站检查。旁站是监理人员对重要工序(隐蔽工程质量控制点混凝土浇筑)的施工进行现场监督和检查。注意事故苗头,避免发生质量问题,禁止不合格的产品进入工地,并帮助改正操作工艺。旁站是驻地监理人员的一种主要现场检查的形式,根据工程施工难度、复杂性及稳定程度,在施工过程中可采取全过程旁站或部分时间旁站两种方式。

(2)测量。这是对建筑的几何尺寸进行控制的重要手段,监理过程中要根据设计图纸的几何尺寸,经常进行检查。

(3)试验。是确认各种材料和工程部位内在品质的主要依据。根据有关规定在施工过程中,监理工程师对各部位的抽检点数不少于施工单位自检数目的1/3。

(4)指令文件的应用。指令文件是指开工令、监理工程师通知、工程质量整改通知单、现场指示、工程暂停指令、复工指令、变更,等等。指令文件也是监理工作的一种手段。

(5)有关技术文件、报告、报表的审核。对工程质量文件、报告、报表的审核,是监理工程师进行全面控制的重要手段。

总之，为加强堤防施工质量的监理，确保工程质量，更好地发挥投资效益，应根据相关的技术规范、标准、设计文件和实际工程项目实体及国家或部颁有关质量管理条例、规定等来编制各项分部工程的监理细则，综合运用现代管理方法和科学技术，建立一套有效的质量管理工作体系。

第二章 施工准备阶段的监控要求

监理工程师施工前质量控制的主要任务是:通过施工招投标,协助业主择优选择施工承包商,审核工程的开工条件,包括施工人员、施工所用建筑材料、机械设备、施工组织设计、施工所具备的环境条件和施工技术措施等的审核,并详细审核施工图纸,为施工阶段的质量控制准备必要的条件。为此,堤防工程施工实施监理细则的编写,应严格按照"三控制、两管理、一协调"开展工作,使监理工作规范化、标准化和制度化。

第一节 应遵守的原则

监理单位对工程实施监督管理中,应遵守的原则有:

(1)权、责一致的原则。监理工程师承担的职责应与项目法人所授的权限相一致,这样才能保证监理工程师正常履行职责。

(2)总监理工程师负责制的原则。工程项目监理必须施行总监理工程师负责制,其实质是总监理工程师全权代表监理单位全面履行委托监理合同,承担合同中所规定的监理责任和任务。对外向项目法人负责,对内向社会监理单位负责,即全面负责工程建设的监理工作。

(3)综合效益的原则。即监理单位不仅按合同规定单纯为项目法人谋求经济效益,还要严格遵守国家有关法律、法规,维护社会整体利益,做到既对项目法人负责,又对国家和社会负责。

(4)严格、公正、热情服务的原则。在监理活动中,应严格按合同办事,在处理项目法人与承建单位之间的利益关系时应立场公正,对承建单位应热情服务,使双方的利益都得到维护。

（5）事前控制的原则。在制定监理规划和监理细则时,必须对工程建设项目在施工过程中可能出现的问题进行预测,从技术、组织、经济等方面提出预控措施。

第二节　制定监理规划

监理规划的主要内容有:

（1）监理工程项目概况。

（2）监理工作范围及任务。

（3）监理工作依据。

（4）监理服务总则:①服务总目标;②服务分项目标;③服务准则。

（5）抓机构落实,包括监理组织机构、部门职责及人员配置。

（6）监理工作程序及框架图。

（7）监理工作措施。包括:①"三控制、两管理、一协调"的主要措施;②监理实施细则。

第三节　监理实施细则的编写

监理实施细则包括机构设置、监理人员的职责和权限、工作准则和指导思想。

一、机构设置

项目监理部分工:总监→副总监(监理工程师代表)→分项目监理工程师→监理员。

二、职责和权限

（一）总监

（1）行使监理合同赋予监理单位的权利和义务,全面负责工程建设的监理工作。

(2)负责确定项目监理组织和人员,明确职责分工,主持制定监理工程的运行制度。

(3)主持编制项目监理规划和审核监理工程师编写的监理实施细则。

(4)根据监理规划,组织指导并检查各项监理工作,确保《监理规划》的实施。

(5)组织编写监理月报。

(6)负责审核施工单位的施工组织方案、技术措施和实施方案与开工申请报告。

(7)负责组织工程建设项目实施中有关方面的综合协调工作,主要包括建设单位、设计单位、施工单位之间的协调等,并处理合同履行中可能出现的争议和纠纷。

(8)审核并签署工程开工令、停工令、复工令、工程款的支付申请,主持审核工程结算。

(9)参与处理工程中出现的质量事故、安全事故。

(10)定期或不定期向业主汇报项目实施情况并提出相关意见,组织项目部工作例会,主持编写项目监理报告,审核并签署项目施工资料和项目质量体系的贯彻执行情况报告。

(二)副总监(监理工程师代表)

(1)在总监的领导下全权负责分部或分项工程建设监理工作,并协助总监审查分管项目内承包商提出的施工技术措施、施工进度计划和资金、物资设备计划等。

(2)负责主持分管项目的设计图纸文件审核和组织设计交底,审核不涉及变更初步设计原则的设计变更。

(3)负责分管项目内的施工质量监督管理,编制各种报表,并通知承包商填报。

(4)召集主持有关分管项目内的协调会,及时解决施工中出现的技术问题。

(5)对所分管项目中的工程索赔和新增加工程进行核实并签署意见。

(6)协助总监做好工程计量、工程款支付等工作,经总监授权后,核实分管工程的工程量与支付凭证。

(7)审查分管项目内承包商的竣工图纸,提出相应的报告,并负责编制单项工程结算、监理工作计划和总结报告。

(8)按时向总监汇报工作。

(9)组织分部分项工程的初验,签署相应的质检报告和验收报告。

(三)专业监理工程师

(1)负责分管内外业的工程建设监理工作。

(2)在授权分管的工程部位签署检查承包商的各项施工活动,按技术规范、规程和设计图纸控制施工质量,掌握施工进度,记录工程进展情况及与工程有关的情况,填写监理日志。

(3)参加审查承包商的施工措施、物资、设备、资金计划和材料及工艺试验报告。

(4)参加与自身内业有关的工程或(材料)质量检验和验收工作,核对承包商的(月)日进度、支付申请,提出分管工程质量评价。

(5)特殊情况下,可下达口头停工令,但要尽快向监理工程师代表(副总监)或总监汇报,及时补发文字指令。

(6)负责分管工程合同、文件、资料的整理归档,参加编制单项工程技术和管理总结报告。

(7)按时向监理工程师代表(副总监)或总监汇报和请示工作。

(四)监理员职责与权限

(1)监理员由监理工程师授权,对监理工程师负责。

(2)在授权分管的工程部位,监督检查承包商的各项施工活动及工程质量与安全,掌握施工程序和方法,以及设备材料使用等详细情况,填写施工日报与监理日志。

(3)按照合同文件、图纸、技术规范和技术标准,检查、控制各工程部位及各施工工序的质量,审查承包商的自检报告并签署意见。

(4)参加分部、分项工程和隐蔽工程的检查验收,负责填写有关施工情况说明。

(5)及时向监理工程师汇报工程进展情况、质量情况及问题,并提出建议和意见。

(6)及时向承包商指出违约现象并要求其改正,同时向监理工程师报告。

(7)提供、核对工程量及质量评定资料,作为工程款支付依据。

(8)对索赔提供证明材料。

(9)做好分管项目的技术与管理资料收集整理工作,参加编写单项工程技术与管理总结报告。

三、监理工程师的工作准则和指导思想

监理工程师的工作准则:守法、诚信、公正、科学、服务及时到位,满足设计与规范要求,确保质量,最终使工程达到合格,争取优良。

指导思想:牢固树立"百年大计,质量第一"的思想,强化责任,完善制度,规范管理,把提高工程质量摆在首位,严把工程质量关,确保工程质量。

四、建立健全各种监理工作制度

(一)设计文件、图纸审查制度

监理工程师在收到施工设计文件、图纸后,于开工前请业主会同设计单位及时向承包商、监理单位进行技术交底,监理单位与承包商共同复查设计图纸和有关的技术控制指标和要求,避免图纸中的差错、遗漏,力求参建各方人人明白设计意图和质量要求(施

工要求、质量标准、技术措施),并根据讨论结果写出书面纪要,交
设计单位和承包商执行。

(二)开工报告审批制度

当单位工程的主要施工准备工作已完成时,承包商可提出《工
程开工申请报告》,即承包商已建立领导机构、质量保证体系,并已
落实施工人员,做到满额到位能胜任,责、权明确,上通下达,遇到
问题能迅速采取对策;施工组织计划已编制并批复,施工计划及网
络图已绘制,但必须是合理的、科学的,能满足设计要求,能按期高
质量地完成任务;机械设备、器材物资、原料、检验均已到位且完好
率高,进场材料的各项试验报告、出厂合格证、材质证明、使用说明
书等齐全,施工场地布置图和施工程序流程已编制等,经监理工程
师现场落实后,报总监理工程师审批。对分部工程的开工,经监理
工程师现场落实,具备条件者,由监理工程师审批。

(三)隐蔽工程及工程关键部位检查制度

隐蔽工程是指主要建筑物的地基开挖,地下洞室开挖,地基防
渗、加固处理和排水工程等。

工程关键部位是指对工程安全或效益有显著影响的部位。

对隐蔽工程或工程关键部位完成后,承包商应根据《水利水电
工程施工质量评定规程》、《水利水电建设工程验收规程》进行自
检,并将评定资料报监理工程师。承包商应将所需检查的隐蔽工
程在隐蔽前三天提出验收申请报告(关键部位也同样),监理工程
师应及时安排时间并通知承包商进行隐蔽工程及关键工程检查,
重点部位或重要项目应会同承包商、业主、设计、监督、监理等单位
共同检查签证。

五、工程质量检查检验制度

监理工程师在检查工作中发现的工程质量缺陷和一般的问
题,应随时通知承包商及时改正,做好记录并及时记入监理日志,

指明质量部位、问题的性质及整改意见,限期纠正复验,待改正并重验合格签证后,方可进行下道工序施工。如承包商不及时改正,情节严重的,监理工程师可在报请总监理工程师批准后,发出《部分工程暂停指令》,待承包商改正后报监理单位进行复检合格,发出《复工指令》,方可重新开工。

六、工程质量事故处理制度

设计、施工材料、设备、管理等原因,均能造成工程质量不符合规范、规程、合同规定的质量标准,从而影响工程使用寿命或正常运行。凡在施工过程中,由于设计或施工原因造成工程质量不符合规范或设计要求,或者超出规范规定的偏差范围,需作返工处理的,统称工程质量事故。从原则上讲,工程质量事故是不允许出现的,但由于工程建设在施工过程中影响质量的因素众多,完全避免也是非常困难的。所以,工程事故发生后,承包商必须用书面形式逐级上报,对重大的质量事故,如:①建筑物、构筑物或其他主要结构倒塌;②超过规范规定的基础不均匀下沉,建筑物倾斜,结构开裂和主体结构强度严重不足等,影响结构安全和建筑物寿命,造成不可补救的永久性缺陷;③影响建筑物设备及其相应系统的使用功能,造成永久性缺陷;④经济损失在10万元以上者,监理单位应立即上报项目法人。

凡对工程事故隐瞒不报、拖延处理或处理不当及处理结果未经监理单位同意的,对事故部分不予验收计量,待处理完毕验收合格,再补办验收计量手续。

凡已形成的质量事故,均应进行调查统计、分析、记录,提出处理意见上报主管部门,监理工程师对此负有督查责任。对一般事故,可每月集中汇报一次。对工程事故应做到"三不放过",即质量事故原因不清不放过;质量事故责任者和群众没有受到教育不放过;没有防范措施不放过。对工作失职或违反操作规程造成质量事故的直接责任者,要根据情节给予一定处分。

七、施工进度、投资控制、监理报告、工程竣工验收及监理日志和会议制度

内容包括:

(1)检查施工单位按照合同规定的计划进度组织实施情况,监理单位每旬每月以报告的形式向项目法人汇报各项工程实际进度及计划完成的对比和形象进度。

(2)审查承包商编制的实施性的工程进度是否与实际相符,要求承包商向项目法人报送施工进度日报。

(3)监理单位进场后立即督促承包商报送与施工合同相适应的分期、分工段的资金使用情况和资料,并随时补充变更设计资料,经常掌握投资变动情况,按期统计分析。

(4)对重大变更设计或因采用新材料、新技术而增减较大投资的工程,监理单位应及时掌握并报项目法人,以便控制投资。

(5)监理单位应逐日将所从事的监理工作写入监理日志,特别是设计涉及承包商和需要返工、改正的事项应详细地做好记录。

(6)监理部每周定期或不定期召开监理例会,回顾本周的监理工作,沟通情况,商讨难点问题,布置下周监理工作计划,总结经验,不断提高监理业务水平。

(7)监理单位应编写《监理月报》,并于年末提出年度总结,报项目法人。年度总结和月报应以具体数字说明施工进度、资金使用以及重大安全质量事故和有价值的经验等。

(8)工程竣工验收。承包商按规定编写好全部竣工文件及绘制的竣工图,提供给监理单位审查确认完整后,报项目法人。其内容有:①全部设计文件一份;②全部竣工文件(图表及清单);③各项工程施工记录;④工程总结;⑤主要机械及设备的技术证书一份。

第四节　监理质量控制

一、控制程序

监理部按合同规定在现场从事监理工作,站在独立、公正的立场上,协调建设单位与设计、施工单位的关系,并依据建设单位的授权范围,对工程建设按照"三控制、两管理、一协调"开展工作,按委托合同要求搞好质量控制,从保证工程质量入手,全面履行工程建设合同。监理工程师要熟悉本次建设的情况,掌握工程项目的设计工艺过程,按照质量标准和技术要求实施监理工作,对发现有影响工程质量的问题,应采取措施加以制止。有关责任者拒不接受监理指令的,除按合同规定处理外,还应告知项目法人及质量监督机构。监理单位要建立项目监理制度和监理工作档案,强化基础工作,对每一个质量行为提出监理要求,并对实际发生的质量行为登记造册,保持所有的质量管理资料的整齐完整,做到对工程质量负责、对建设单位负责。

现场监理"四步期",即现场监理、定期巡查、中间检查、竣工验收。

二、控制准则

从保证工程质量入手,全面履行工程建设合同签发的施工图纸,审查施工单位的施工组织设计、保证施工进度,机械设备是否完善,人员是否到位,对进场材料进行抽检,禁止不合格产品进场,审查承包商质量保证体系。

三、监理工程师的质量控制体系

监理工程师的质量控制体系,包括组织机构工作制度、方法、职责和岗位责任等内容,施工阶段要进行有效的质量控制,无论是监理人员的配备、机构的设立，还是各级人员职责的制定等，均需要一个严密完整的组织作保证。监理质量控制组织形式有下列三种：①纵向组织形式；②横向组织形式；③混合组织形式。

第五节　工程控制

一、进度控制

工程建设的进度控制是指对工程项目各建设阶段的工作内容、工作时间和衔接关系进行计划编制，并付诸实施，在实施过程中经常检查时间进度是否按计划要求进行，对出现的偏差分析原因，采取措施进行调整修改，以保证承包商能按工期完成工程施工任务。

(一)进度控制的任务

进度控制的任务主要有：①制定总进度计划；②总进度分解计划；③制定各子项目进度计划；④制定进度控制工作制度；⑤进度目标实现风险分析；⑥制定进度控制方法。

(二)进度控制的内容

工程项目的施工进度控制，从审核承包商提交的施工进度计划开始，直到工期结束为止，其主要工作内容有以下几方面。

1.进度控制监理程序

进度控制的任务主要有：制定工程质量控制计划和措施，确定质量控制点，组织技术交底，核实并签发设计文件、技术标准及施工规程、规范等。

2.编制施工阶段控制工作细则

包括：①施工进度控制目标分解图；②施工进度控制的主要工作内容和制度；③进度控制人员的具体分工与各项工作的时间安排及工作流程；④进度控制法（包括组织措施，技术措施，经济措施,进度报表格式、统计分析方法等);⑤施工进度控制实现的风险分析及尚待解决的问题。

3.编制和审核工程进度计划

其主要内容:

(1)进度安排是否符合工程建设总进度计划中的总目标和分目标的要求,是否符合施工合同中开、竣工的规定。

(2)施工总进度是否有遗漏,分期施工是否满足分批动用的需要和配套动用要求。

(3)施工顺序的安排是否符合施工程序的要求。

(4)劳力、材料、机具和设备、构配件的供应计划是否能保证进度的实现,项目法人的资金是否能满足进度。

(5)进度安排是否合理,是否与设计的图纸供应进度相一致。

(6)按年、季、月编制工程综合控制进度计划。

二、投资控制

(一)施工阶段的投资控制基本原则

把计划投资控制在工程施工过程中,定期地进行投资实际值与投资计划值的比较,通过实际支出额与投资控制目标值之间的偏差,分析产生的原因,并采取有效的措施加以控制,以保证投资控制目标的实现。

(二)投资控制的内容

1.项目施工阶段的投资控制

项目在施工阶段的投资管理的主要任务是造价控制,通过施工过程中对工程费用监理,用实际发生的工程量来确定建设项目的实际工程投资数,使它不超过计划投资额,并在实施过程中,进行费用的动态管理,从而达到控制建设项目总投资的目标。

2.项目竣工后的投资分析(决算)

项目竣工后通过项目决算,控制工程实际投资不突破设计概算,并进行投资回收分析,确保项目获得最佳的投资效益。

3. 工程建设投资

一般指工程项目建设阶段所需要的全部费用的总和。作为监理工程师,在项目施工阶段必须按照合同目标,根据每月完成的实际工程量和工程质量情况,审核分期付款计划。按照合同规定的付款时间及时付款,做到月月按时结算,不要拖延,使资金及时到承包商的账户,以满足施工单位流动资金的需要。

第六节 信息管理

信息管理是监理工程师在监理全过程中使用的主要方法。工程中的文字来往,最好利用电子计算机进行管理,设计变更,监理通知、各种工序验收报验,建设单位、监理、设计、承包商各单位之间的文字来往均要有正式文件,做到有来有往,及时回复,文字有据,并建立监理文档进行管理,根据文件的内容和要求,分类登记,做到信息管理清楚、规范、齐全。

第三章 工程项目施工阶段质量控制

施工阶段是形成工程建设实体的过程,也是形成最终产品的阶段。由于露天作业多,工期长,受多种因素的影响,所以施工过程中的质量控制,是监理工作的重点,以确保施工质量符合合同、设计、规范规程的质量要求。

第一节 堤防工程项目划分原则

一、单位工程

堤身堤岸防护,变更连接建筑物分别列为单位工程。单位工程系指具有独立的施工条件或有独立作用的、由若干分部工程组成的工程。单位工程通常是一座独立建筑物,也可以是独立建筑物一部分,一般按设计划分。

二、分部工程

分部工程是依据设计及施工部署划分的,但在同一单位工程中,同类型的各个分部工程量不宜相差太大,不同类型的各个分部工程投资也不宜相差太大,每个单位工程数目不宜少于 5 个。分部工程,系指组成单位工程的各部分,一般只考虑主要的子目,每一个子目通常是一个分部工程,也有的可以是几个分部工程。

三、单元工程

堤防工程根据施工方法与施工进度划分,每个单元填筑量以 1 000~2 000m³ 为宜,堤防中的大中型建筑物可按照《评定标准》

划分单元工程,小型建筑物以一座或几座建筑物为一个单元工程。单元工程系指组成分部工程的几个工程施工完成的最小综合体。可以依据设计结构、施工部署或质量考核要求划分的层、块、段确定,也可以按工序划分确定。

监理工程师在施工阶段的监理工作中,必须对施工质量控制实行以"工序控制"为基础,以单元工程和分部工程验收签证为手段的程序化管理,才能确保工程质量。

第二节　施工阶段质量控制

一、施工阶段质量控制保证体系

工程质量要得到保证,需要有一套完整有效的质量控制保证体系来实现,施工过程中的质量控制体系包括 3 个方面,即质量控制组织体系、对象体系和过程体系。

(一)施工阶段质量控制的组织体系

组织体系包括施工承包商和监理两个方面。

监理工程师首先要求承包商把质量管理作为第一重要工作,并督促施工承包商建立一套完善的质量管理组织体系,设立质量管理机构和相应的专职质量管理人员。建立健全质量保证体系,开展全面的质量管理工作,在施工中促使承包商内部形成一套完整的质量管理网络,加强自身的"三检制"。

在监理单位内部也建立完善的质量控制组织体系,包括合理设置质量控制机构,科学配置质量控制人员,明确各类专业质量控制人员的职责。施工单位的质量保证体系与监理单位的质量保证体系共同合作,相辅相成,构成施工项目质量监控的组织体系,以保证施工过程质量目标的实现。

此外,还要与建设单位的质量保证体系,以及政府派出的质量监督站配合,统一对质量进行控制。

(二)施工项目质量控制的对象体系

施工项目质量控制的对象体系有两点:一是对对施工有影响的因素进行控制。即主要是对人员素质、材料构成、设备、施工工艺和施工方法及施工环境等因素的控制。二是对施工结果的控制,主要是指对工程产品质量的检查验收结果,评定其构成质量的各项指标是否达到了设计要求和合同规定的质量标准。对不符合工程质量要求的部位必须返工,直到达到质量标准。

(三)施工质量控制的过程体系

施工阶段质量控制是一个由选择施工承包商以及对投入的材料、机械、施工工艺、方法、环境的质量控制开始,通过对各施工过程的把关,最后达到完成工程检查验收为止的全过程的系统控制过程。

二、施工阶段质量控制

施工阶段的质量控制内容可分为三个方面,即事前控制、事中控制和事后控制。

(一)事前控制

事前控制是指施工前进行的质量控制,其内容包括:

(1)审查承包商的技术资质。进入施工阶段后,监理工程师主要对总承包商所选择的分承包商的资质进行审查认可,以确保工程顺利进行。

(2)检查和控制工程所使用的原材料的质量。凡进场材料均应有产品合格证或技术说明书,同时经抽检认定合格后才可用于工程。

(3)对永久性生产设备或装置,应按审批的设计图纸采购或订货,当这些设备到场后应进行检查和验收。

(4)对承包商提出的施工方案、施工工艺和施工组织设计进行审查,从技术措施上保证工程质量。

(5)对工程中采用的新材料、新结构、新工艺、新技术均应审查其技术鉴定书,认可后才能使用。

(6)检查施工现场的测量标桩、水准基点、建筑物的定位放线以及高程水准。

(7)检查和协助承包商完善质量保证体系;完善计量及质量检测制度、质量统计填表制度和质量事故报告及处理制度;完善检测手段和检测技术设备。

(8)对进场所使用的机械设备的完好率进行检查认可。

(9)组织设计技术交底和图纸会审,审核设计变更和图纸设计修改部分的内容。

(10)把好开工关,监理工程师对施工现场的各项准备工作进行检查,具备开工条件后,方可批准其开工。

(二)事中质量控制

事中质量控制是指在施工过程中进行的质量控制,其主要内容如下:

(1)协助承包商完善工序控制,严格控制影响质量的各种因素。建立质量控制点,及时检查和审核承包商提出的有关资料。

(2)严格工序的交接检查,上一道工序只有检查确认后,才能进行下一道工序的施工,对隐蔽工程要会同业主共同检查验收。

(3)对完成的分项分部工程、单元工程,按相应的质量评定标准和办法进行检查和验收。

(4)组织定期和不定期的现场会议,及时分析通报工程质量状况。

(三)事后质量控制

事后质量控制主要是指在完成施工过程形成产品后的质量控制,其主要内容:

(1)按水利水电工程施工质量评定标准和办法,对已完成的分部工程及单位工程进行检查验收。

(2)审核承包商提出的质量检查报告及有关技术性文件。

(3)审核承包商提交的经编目、建档后的竣工工程项目的技术文件等资料。

三、施工阶段质量控制的要求

监理工程师在施工阶段进行质量控制时,要求做到下列几点:

(1)坚持"预防为主"的方针,重点进行事前控制,防患于未然,把质量问题消除于萌芽状态。

(2)"监、帮、促"相结合,即坚持质量标准,严格检查,把好质量关,同时热情帮助和促进承包商建立健全工作制度,完善质量保证体系,想办法,出主意,达到积极有效地进行质量控制的目的。

(3)监理工程师应结合合同条款及工程实际,确定合适的工作范围和深度,选用适当的工作方式,以便于质量控制的实施。

(4)在处理质量问题的过程中,应尊重事实,尊重科学,公正、谦虚、谨慎,以理服人,做好协调工作,树立监理单位的良好形象。

四、施工阶段质量控制的方法

施工过程中质量控制的主要工作,是以工序质量控制为中心。因为对于一个建设工程项目,其施工过程是由一系列相互关联、相互制约的工序所构成。工序质量是工程质量的基础,它直接影响工程项目的整体质量,故在施工过程中,监理工程师只有严格控制工序质量,才能确保整个工程项目的质量,这是根本措施。

(一)确定工序质量控制流程

监理工程师对施工质量进行控制的依据是施工前做出的总体施工计划,在每一分部、分项工程前面,制定详细的施工工序质量控制计划,明确控制流程和要点。即每道工序完成后,承包商根据规范要求进行自检,自检合格后填报施工质量报验单,并报送监理工程师。监理工程师接到报验单后,根据要求,及时在生产班组自检、互检的基础上,进行工序质量的交接检查,必要时进行抽样试验与测验,并根据规范规定,将结果填写到质量评定表中。作为监理人员,对该道工序的质量鉴定,应坚持上道工序不合格就不能转入下道工序的施工原则,只有当监理工程师检查合格后,承包商才能进行下道工序的施工。

(二)施工阶段控制

建设项目实体的形成,需经过若干道工序,为便于控制检查和鉴定每个施工工序的工程质量,需将一个单位工程划分为若干分部工程,每个分部工程又划分为若干个单元工程,以各单元工程的质量来综合鉴定分部工程的质量。在逐级鉴定的基础上,来确定建设项目实体的质量。

第三节 工程质量的评定

一、工程质量评定的依据

工程质量评定的依据主要是国家(或行业部、委)颁发的施工规范、标准、技术规定和等级评定标准,还包括施工图纸及有关设计文件和工程承包合同,有的还依据部门、地区和企业的标准等。目前水利水电工程施工质量评定,是按照水利部颁发的《水利水电工程施工质量评定表(试行本)》(1995年执行)中的规定进行评定,其主要内容包括以下几方面。

(一)保证项目

保证项目是指工程项目中必须确保工程质量的单项工程,这些项目涉及结构工程的安全和重要使用功能。若出现不符合标准者,则影响整个工程。所以保证项目任何一项达不到标准是不允许的,对不合格者必须处理至符合要求,方可继续施工。

(二)基本项目

基本项目是指必须达到基本要求的项目,它对建筑物或构筑物的使用安全、使用功能和美观等都有较大的影响,其重要性仅次于保证项目。其检验评定的主要内容如下:

(1)对允许有一定的偏差,但又不宜纳入允许偏差项目内的项目,应在基本项目中,规定出"优良"与"合格"的标准。

(2)对不能确定偏差而又允许出现一定缺陷的项目,则以缺陷的数量来区分"合格"与"优良"。

(三)允许偏差项目

允许偏差项目是指在操作中容易或必然产生一定偏差的项目;此类项目属结合结构性能使用功能或观感等影响程度,按照一般操作水平给出一定允许偏差范围,它属于实测量项目,其允许偏差数值有下列几种:

(1)偏差数值有"负"要求,如:+、0、-、-1、+2、±3等类允许偏差。

(2)偏差数值无"正"、"负"要求,直接注明数字不按符号,如"5mm"等类允许偏差。

(3)偏差数值要求在一定范围内,如"1~3mm"等类允许偏差值。

(4)偏差数值要求大于或小于某一数值,如:"≥20mm或≤10mm"等类允许数值。

二、返工处理

单元工程(或工序)质量达不到(评定标准)合格规定时,必须及时处理。其质量等级按下列规定确定:①全部返工重做的,可重新评定质量等级;②经加固补强并经鉴定能达到设计要求的,其质量只能评定为合格;③经鉴定达到设计要求,但建设(监理)单位认为能基本满足安全和使用功能要求的,可不加固补强或经加固补强后,改变外形尺寸或造成永久性缺陷的,经建设(监理)单位认为基本满足设计要求,其质量可按合格处理。

三、分部工程的质量评定

(一)合格标准

(1)单元工程质量全部合格。

(2)中间产品质量及原材料质量全部合格,金属结构及启闭机制造质量合格,电机质量合格。

(二)优良标准

(1)单元工程全部质量合格,其中有50%以上达到优良,主要单元工程、重要隐蔽工程及工程关键部位的单元工程质量优良,且未发生过质量事故。

(2)中间产品质量全部合格,其中混凝土拌和物质量达到优良,原材料质量、金属结构及启闭机制造合格,机电产品质量合格。

四、单位工程的质量评定

(一)合格标准

(1)分部工程质量全部合格。

(2)中间产品质量及原材料质量全部合格,金属结构及启闭机制造质量合格,电机质量合格。

(3)外观质量得分率达到70%以上。

(4)施工质量检验资料齐全。

(二)优良标准

(1)分部工程质量全部合格,其中有50%以上达到优良,主要分部工程质量优良,且施工中未发生重大质量事故。

(2)中间产品质量全部合格,其中有50%以上达到优良,主要分部工程质量优良,且施工中未发生重大质量事故。其中混凝土拌和物质量达到优良,原材料质量、金属结构机电产品质量合格及启闭机制造质量合格。

(3)外观质量得分率达到85％以上。

(4)施工质量检验资料齐全。

五、工程项目的质量评定

(一)合格标准
单位工程质量全部合格。

(二)优良标准
单位工程质量全部合格,其中有50％以上的单位工程质量优良,但主要建筑物单位工程质量必须优良。

第四节　工程质量评定工作的组织与管理

工程质量评定工作的组织与管理内容有:

(1)单元工程质量由施工单位质检部门组织评定,建设(监理)单位复核。

(2)主要隐蔽工程及工程关键部位在施工单位自评合格后,由建设(监理)、质量监督、设计、施工单位组成联合小组,共同核定其质量等级。

(3)分部工程(质量)评定在施工单位质检部门自评的基础上,由建设(监理)单位复核,报质量监督机构审查核备。

(4)单位工程的质量评定在施工单位自评的基础上,由建设(监理)单位复核,报质量监督机构核定。

(5)工程项目的质量等级由该项目质量监督机构在单位工程质量评定的基础上进行核定。

(6)质量监督机构应在工程竣工验收前,提出工程质量评定报告,向工程竣工验收委员会提出工程质量等级的建议。

第五节　施工阶段控制

一、进度控制

在认真审批施工组织设计文件的基础上,监理工程师还需特别注意以下几点:

(1)承包商的计划,一般来说范围较窄,内容较单一,而且专业性较强,它所包括的内容和层次有限,难以起到协调和控制作用。

(2)要保证进度计划的落实,就必须有符合实际情况的措施保证。

(3)按合同总工期实行目标分解和控制。

(一)进度控制的方法

(1)严格控制工程。监理工程师必须经常检查对照工程进度计划执行情况,发现问题及时协助解决,以达到施工合同的要求。

(2)掌握工程进度。监理工程师要严格掌握工程进度,深入及时地审批承包商递交的施工月进度计划及工程完成情况;除统计报表以外,还需要在计划管理方面加大力度,在施工过程中随时深入工地现场检查施工计划的执行情况,发现问题及时解决。

(3)科学进行综合进度的衡量,即以完成工程量的百分数来表示工程进度,这个进度便是形象进度,它能比较真实地反映施工进度情况,有利于工程进度的控制。要认真抓好宏观的总体进度控制。

(4)在施工过程中的进度控制。在施工过程中,管理单位应坚持以单元工程为基础,以施工工序为环节,在确保施工质量的前提下推进施工进度。为了了解工程进度的实际情况,监理工程师在现场除了检查具体的施工程序外,还要注意工程变更对进度计划实施的影响,在实施过程中,对每月的施工情况,可进行每月进度检查。通过检查,进行比较,了解实际进度与计划进度是否拖后或超前,还是与计划进度一致,以便科学地进行调整。

(二)进度控制的措施

(1)进度控制的组织措施。建立监理内部的控制体系,落实控制进度人员的任务及职责,建立信息收集和反馈系统,建立进度信息沟通网络系统和控制检查制度,及时办理工程变更和设计变更程序的措施。

(2)控制进度的合同措施。利用合同条款所赋予的权利,检查并促进承包商按期完成工程项目,并利用合同有关规定条款,采取各种手段和措施,组织、协调,以保证合同期的实现。

(3)控制进度的经济措施。制定奖罚措施,对提前完成计划者,给予奖励;对拖延工期的,按合同的规定给予罚款,并按合同规定期限让承包商进行项目检验、计量,并及时和承包商办理预付款及工程进度款手续。

二、投资控制

监理工程师在施工阶段进行的投资控制的基本方法是把计划投资作为投资控制的目标值。在工程施工过程中,定期地进行投资实际值比较,通过在施工中进行跟踪控制,找出投资实际支出值与计划投资值中的偏差,分析产生的原因,采取纠偏措施,经常或定期向项目法人提交项目投资控制及存在问题的报告。

工程投资的原则控制:在水利工程施工过程中,施工承包商对完成工程量的测量和计算以及工程价款的支付,是按实际完成的工程数量来进行计算的。水利水电土建合同条款规定,工程量清单中开列的工程量是该工程招标时的估算工程量,不是承包商为执行合同应当完成的和用于结算的实际工程量。结算的工程量是承包商实际完成的并按合同计量的工程量,承包商应按合同规定的计量方法按月对已完成的质量合格工程进行准确计算,并在每月末随同月支付款审清单,按工程量清单的项目分项向监理单位提交完成的工程量、月报表和有关计量资料。项目工程的计量支付,必须以监理工程师确认的中间计量作为支付的凭证,未经监理工程师确认的任何项目,一律不予认可。

第六节　信息管理

一、建立项目管理信息体系

收集整理和存储各类信息,应用合理手段进行工程投资、工程进度、工程质量控制和管理,定期和不定期提供各种监理报告,建立工程例会制,整理各类会议记录、文件、信息等,及时整理各种相关技术、经济资料,其主要内容有:

(1)建立现场监理常用报告、报表,编制处理系统,如填写监理日志、编写监理月报和年终总结、制定监理制度和编写监理报告等。

(2)建立文件档案管理系统,对监理工程项目的设计施工等工程技术档案、图片、录像等有关资料,进行收集、整理、保管,竣工后按监理合同规定移交给项目法人。

(3)监理机构制定人员岗位职责及监理工作情况。

(4)监理合同中,要求报送的其他资料等。

(5)填写监理日志。监理日志填写包括当日现场施工中各种具体情况的记录与描述、监理工程师对各种问题的描述和处理措施,主要有:①当天的施工内容;②当天投入的机械设备、数量、种类、生产能力、停工机修及完好率等情况;③当天投入的人力,包括每一项工序的人数及工作情况;④当天发生的质量问题及其处理情况和安全管理情况;⑤当天的气温及降雨情况;⑥当天的工程进度情况。

二、编写监理记事的主要内容

监理记事的主要内容包括：

(1)对月工程施工进行形象描述。

(2)已完成月工程量、进度计划执行情况及存在的问题。

(3)工程质量情况及其分析、评价、改进措施。

(4)工程费用支付情况及其分析。

(5)承包商施工设备进场使用状况、完好率;施工材料、劳动力进场情况以及应采取的措施。

(6)对各承包商之间的协调中,涉及的有关问题和处理意见。

(7)重大的质量及安全问题。

(8)合同变更和工程变更情况。

(9)监理工作情况。

(10)其他情况。

第四章 施工测量控制要点

本部分内容适用于堤防工程施工的测量控制工作。其内容包括：控制测量放样的准备工作与方法；开挖工程测量立模与填筑放样；金属结构物与机电设备安装测量要求；涵闸施工测量；堤防的施工测量及其辅助工程测量；施工期间的外部变形监测；竣工测量等。

第一节 施工测量主要控制内容和基本要求

一、主要控制内容

施工测量工作主要控制的内容有：

(1)根据工程施工总布置图和有关测绘资料布设施工控制网。

(2)针对施工各阶段的不同要求,进行各类工程建筑物的放样及验收检查工作。

(3)工程项目的基本测量资料成果,由建设单位提交监理部,再由监理部审查签发给施工单位,并在现场对各测量点进行控制点的交桩。

(4)按照设计图纸、文件要求负责检查施工期间的各项测量工作。

(5)进行测量及工程量计算。

各项工程的单位、分部、单元工程及隐蔽工程完工时,根据设计要求,对建筑物工程的几何图形进行竣工测量。

二、基本要求

(1)施工前施工单位对建设单位所移交的测量控制点进行复核,无误后以书面形式报交监理部审查、签发给施工单位。若有异议,监理部报请建设单位责成原施工测量单位进行核实。核实后的数据由建设单位交监理单位重新以书面形式提供给施工单位。

(2)承包商应加强对控制点的保护措施,并将保护措施报监理部,在施工中控制点需要移动时,必须先向监理部申报,书面写出移动原因和按同等精度进行补测的方案及精度计算,经批准后方可移动补测。

(3)对移交的基本测量控制点,如施工单位发现破坏后,应立即向监理部报告,写出破坏的原因和按同精度的补测方案及精度计算。经监理部批准后,才可使用。监理部将移动补测点结果审核后报建设单位。

(4)在施工测量中发现某控制点数据有变化,超出规定时,由施工单位提出书面报告,监理单位研究后提出处理意见报请建设单位批准后,以书面形式通知承包商。

(5)测量要确保建筑物的位置、形体准确,工程量无误,按规范标准执行,并严守保密规定。

(6)施工前建设单位应向监理单位提交施工图纸及高程控制点资料,由监理单位签发后转交给施工单位。

第二节　施工前的测量控制工作

(1)施工单位开工前应向监理单位反映其测量能力水平。主要内容有:①测量机构设置;②质量保证体系;③人员配备,主要技术人员资历表,包括年龄、学历、职称、技术水平、主要业绩;④仪器设备(含仪器的校验证明),包括仪器名称、单位、数量、制造厂家、型号、精度、用途等。

(2)凡施工用的仪器标尺,必须按规定校验,有合格证并报监理工程师审验,否则,测量放样无效。

(3)施工测量前,施工单位应建立专业组织机构或指定专人负责施工测量工作,并及时准确地将各施工阶段所需要的测量资料报监理单位。

(4)监理工程师对施工单位报送的《施工测量技术设计书》和所有的有关报告文件进行审核,必要时可现场抽校部分数据。对未达到要求的施工测量单位要补充完善:①施工单位在施工前对施工设计图测量成果资料进行全面熟悉;②对分部工程、隐蔽工程、关键部分、单位工程和最终验收,监理人员必须到场,采用旁站、巡查或抽查、复测的手段来确保测量质量。

第三节　施工测量质量控制

一、施工过程的测量资料应整理齐全

主要内容包括:

(1)根据施工图纸和施工控制网点,测量定线并按实际地形测量放开轮廓位置的资料。在施工过程中,测放、检查开挖回填断面及开挖后的竣工建基面等纵横断面及高程等资料。

(2)测绘或收集开挖前的原始地面线、覆盖层资料,开挖后的竣工建基面等纵横断面图。

(3)测绘基础开挖施工场地布置图及各阶段开挖面貌图和回填断面图。

(4)单项工程各阶段和竣工后的工程量资料。

二、施工测量人员应遵守的原则

(1)在各项施工测量工作开始前,应熟悉设计图纸,了解规范所规定的技术要求,选择正确的作业方法,指定具体的实施方案。

(2)对所有的观测数据,应随测随记,严禁转抄、伪造,文字及数字应清晰、整齐、美观。对所用的已知数据、资料均应由两人独立进行检查、核对,确信无误后方可提供使用。

(3)对所有观测记录手簿,必须保持完整,记录中间不得无故留卜空页。

(4)施工测量成果资料(包括观测记录手簿、放样单、放样记录等)、图表(包括地形图、竣工断面图,控制网计算资料)应予统一编号,妥善保管,分类归档。

(5)对于测绘仪器、工具应精心爱护,及时维护保养。

第四节　堤防工程的测量监测

一、平面控制测量

平面控制网的精度指标及布设密度,应根据工程规模及建筑物对放样点位精度要求确定。平面控制等级按 3～5 等平面控制网控制,堤防工程基线相对于邻近基本控制点,平面位置允许误差要求按国家行业标准 SL260—98 堤防工程施工规范来检验,即 $\pm 30 \sim \pm 50$mm。高程允许误差为 $\pm$ 30mm。施工高程系统必须与规划设计阶段的高程系统相一致,并应根据需要就近与国家水准点进行联测,其精度不宜低于国家水准点高程控制要求。

二、堤防工程施工测量

内容包括施工控制系统的建立,堤防中心线定线,细部轮廓点放样。施工过程中的水上、水下、地形、断面测量,工程量计算以及工程的竣工验收测量等。

三、堤防测量的控制要点

一般沿着堤防走向建立施工导线,导线最弱点的点位中误差应不大于±1.0m,高程控制按国家等级标准的要求布设。局部小范围的施工控制,也可以建立独立平面坐标系统,但高程系统必须与国家系统一致。

四、堤防的选线、定线测量

堤防的选线、定线测量的技术要求按《水利水电工程规划设计阶段测量规范》有关规定执行。

五、堤防中心线的测定

中心线测定可采用以下两种方法控制:

(1)在规划设计阶段已有堤防中心线的地区可利用已有中心桩进行加密,中心桩间距在直线段为30～50m,曲线段为10～30m。

(2)在原有中心桩破坏的地区应根据中心桩的设计数据,利用布设的施工导线、原有的控制点、图根点重新进行放样或加密,其点位误差不大于200mm。

六、堤防(身)的边桩放样

边桩放样是将设计横断面与地形横断面的交点标定在实地上,以供开挖、回填之用,边桩放样点的点位中误差(相对于断面中心桩)一般不应超过100mm。

七、竣工验收测量及工程量计算

(1)竣工验收测量,必须以设计图纸及实测的断面资料为依据。断面图上应绘出原始地面线、设计开挖线和施工断面线,必要时还须绘出土、石方分界线等。

(2)竣工测量应整理或上交的资料包括:①规划设计阶段移交的平面高程和中心桩等控制资料;②施工阶段新建立的平面高程控制成果;③工程竣工断面图、平面图、工程量汇总表;④工程量的计算,一般采用平均断面计算法或平均深度计算法。

八、其他监测项目

(1)在有水工建筑物的地段(闸、桥、涵等部位)应埋设固定标志,作为施工放样的控制点,点位误差仅需满足建筑物的相对精度要求即可。

(2)堤防基线的永久标石、标架埋设必须牢固,施工中须严加保护,且施工单位要随时检查维护,定时核查、校正,监理工程师随时进行抽检。

(3)堤身放样时,应根据设计要求预留堤基、堤身的沉陷量。堤身断面放样、立架,填筑轮廓宜根据不同堤型相隔一定距离设立样、立架。其测点相对设计的限制误差:平面为 50mm,高程为 30mm,堤轴线为 30mm,高程负值不得连续出现,并不得超过总测点的 30%。

(4)轮廓点样、架的间隔距离需视堤型线、地形等不同条件区别对待,土堤间隔宜控制在 100~500m,堤线弯曲、地形复杂时,宜选择短距;堤线顺直、地形平坦时,宜选择长距。砌石堤、混凝土堤宜选 50m 左右。

(5)沉降量应根据设计要求确定。如设计未规定而根据经验取值时,施工单位可根据已知预留沉降率及堤顶加宽率计算,其结果要经监理工程师批准。

(6)堤身中心桩确定后,应立即施测堤身纵横断面,其技术标准应符合表 4-1 的规定。

表 4-1 堤身纵横断面技术要求

断面种类	断面间距 (m)	断面比例尺	
		水平(横)	垂直(纵)
纵断面	中心桩	1:200~1:500	1:100~1:500
横断面	20~50	1:200~1:500	1:200~1:500

第五节 涵闸工程的测量控制

一、一般规定

(1)施工单位应建立专业组织或指定专人负责施工测量工作,准确地提供各施工阶段所需的测量资料,并报监理工程师复核批准。

(2)施工平面控制网的坐标系统应与设计规划时的坐标系统相一致。也可根据施工需要建立与设计阶段的坐标系统有换算关系的独立坐标。施工高程控制系统必须与设计的工程系统相一致,施工时应经复核,复核结果报监理工程师批准。

(3)施工测量主要精度指标,应按《水利水电工程施工测量规范》SDJ89—85执行或按表 4-2 精度控制。

(4)各主要测量标志应统一编号并绘于施工总平面图上,注明各有关标志相互间的距离、高程控制及角度等,以免发生差错。施工期间,对测量标志必须妥善保护并定期检测。

(5)中小型工程高程控制测量等级要求按水准测量四等控制,大型水闸按二等控制。

(6)放样后对已有数据、资料和图纸中的任何尺寸必须报监理工程师校核,严禁凭口头通知或签字的草图放样。

表 4-2　涵闸各部分施工测量主要精度指标 （单位:mm）

| 项次 | 项　目 | | | 精度指标 | | 说　明 |
	分部工程	部位	内容	平面位置中误差	高程中误差	
1	混凝土	闸室与底板	轮廓点	±20	±20	平面相对轴线控制点（闸址中心轴标志点）
		岸、翼墙	放样	±25	±20	
		铺盖、消力池	放样	±30	±30	
2	浆砌石	岸、翼墙	轮廓点	±30	±30	高程相对于工程水准点
		护底海漫、护坡	放样	±40	±30	
3	干砌石	底坡、海漫	轮廓点放样	±40	±30	
4	土石方开挖		轮廓点放样	±50	±50	包括土方保护层
5	机电与金属设备安装		安装点	±(1～3)	±(1～3)	相对于建筑物安装轴线
6	外部变形观测		位移测点		±(1～3)	相对于观测基点

二、施工测量监测要点

1)监理工程师应对施工单位所设置的控制点、中心线复测、布设施工控制网进行定期抽检。

2)对施工单位的建筑物及附属工程的点位放样、结构物的尺寸、外部变形观测点要进行检测和复测。施工单位放样后,对已有的数据资料和图纸中的结构尺寸,必须报监理工程师审核批准。

3)平面控制网的布置,以轴线网为宜,如采用三角网时,水闸轴线宜作为三角网的一边。

4)根据现场闸址中心线标志测设轴线控制点的标点(轴线等),其相邻标点位置的中误差不应大于15mm。

5)工地永久水准点宜设地面明标和地下暗标各一座,大型水闸应设明、暗标各两座。基点的位置应在不受施工影响、地基坚实、便于保存的地点,埋设深度应在冰冻层以下0.5m并浇灌混凝土基础。

6)闸室底板上部立模的点位放样,直接以轴线控制点测放出底板中心线(垂直水流方向)和闸孔中心线(顺水流方向),其中误差要求为±2mm。而后用钢尺直接丈量出闸墩、门槽、门轴、岸墙、胸墙、工作桥、公路桥等平面立模线和检查控制线,据此进行上部施工。

7)对闸门预埋件安装高程和闸身上部结构高程的测量应在闸底板上建立初始观测点,采用相对高程差进行测量。

8)闸门、金属结构预埋件的安装放样点测量控制精度应满足表4-3的要求。

表4-3 闸门、金属结构预埋件的安装放样点测量控制精度

(单位:mm)

项次	项目	测量中误差或相对重误差			说明
		纵向	横向	竖向	
1	平面闸门预埋件测点				
2	主轨、反轨、底栏	±2			
3	门楣	±1		±2	
4	弧形闸门埋件测点				
5	底栏侧止水、底板滚轮导板		±2		
6	门坎		±1	±2	
7	铰座钢梁中心		±1	±1	
8	铰座的基础螺旋中心	±1	±1	±1	

注:①纵向中误差系指该孔门槽中心线而言;
②横向中误差系指该孔中心线而言;
③竖向中误差系指对安装高程与控制点而言。

9)金属结构与机电安装测量的控制原则:

(1)一般规定。

金属结构与机电安装测量工作应包括测设要安装轴线与高程基点,进行安装放样和安装竣工测量等。

金属结构与机电安装轴线和高程基点应埋设稳定的金属标志,一经确定,在整个施工过程中不宜变更。

在安装测量的作业中应注意的事项:

必须使用精度相当于或高于 DS2 和 DJS 型的水准仪和经纬仪;测量距离的钢曲尺,必须经过检定并附有尺量方程式;高程测量必须相应地使用水准尺,红黑面水准尺以及有毫米刻度的钢板尺。

(2)安装轴线及高程基点的测设。

一个安装工程部位至少应测设两个高程点。测设安装工程基点相邻近等级高程控制点的高程中误差应不大于 ±10mm。安装点的细部放样为:

安装点的测设必须以安装轴线和高程基点为基准,组成相对严密的局部控制系统。安装点的误差均相对于安装轴线和高程基点而言。

安装点测量的技术要求:

①测设方法:一般采用直角坐标系法或极坐标法进行。

②距离测量以钢尺为主,丈量结果中应加倾斜、尺卡、温度、拉力等校正。距离大,测量次数一般为两次,其同测次的量尺校差为 1mm。

③用光电测距仪测量距离时宜用差分法操作。

④方向线测设要求后视距离应大于前视距离,用细铅笔尖(或垂球线)作为照准目标,经纬仪正倒镜两次定点取平均值作为最后方向。

⑤安装点的高程放样,应采用水准测量点。

(3)铅垂投点。

①在垂直构件安装中,同一铅垂线上的安装点点位中误差不应大于±2mm。

②铅垂投点,可采用垂直投点法、经纬仪投点法、激光投点法及光学投点仪投点法。

(4)安装测点检查控制与资料提交。

①对已测放的安装点,必须按下列要求进行检查:

检查工作应采用与测放时不同的方法;对构成一定几何图形的一组安装测点应检核其与非直接量测点之间的关系;对铅垂投影的一组,必须检查各项投影点间边长的几何关系;由一个高程基点测放的安装高程点或等高线,应用另一高程基点进行检查或用两次仪器高重复测定。

②所有平面与高程安装点的检测值与测放的校差不应大于放样点中误差的$\sqrt{2}$倍,以保证放样点之间严密的几何关系。

③安装构件的铅垂直度检查测量,宜在距构件 10~20cm 的范围内用细钢丝悬挂重锤,然后根据要求在需要检查的位置上,用小钢板尺量取构件与垂线之间的距离,并按一定的比例尺绘制垂直剖面图。

④测量的安置点经检查合格后,应填写安装测量放样成果表提交安装单位使用。

⑤单项工程安装工作结束后,应将安装放样资料竣工检查验收成果以及设计图纸等资料整理归档。

(5)立模放样控制。

①一般规定:立模放样内容:包括测设各种建筑物的立模轮廓点,对已架立的模板、预制(埋)件进行形体和位置的检查,测算工程量等。用于立模放样的高程控制点,其相对于邻近高级高程点的高程中误差不应大于±15mm。

②建筑物的细部放样检查:混凝土建筑物立模细部轮廓点的

放样位置,以距设计线 0.2～0.5m 为宜。

各种曲线:曲面的立模点的放样,应根据设计要求及模板制作的不同情况确定放样的密度和位置。曲线的起止点、中点、折线点,一般均放出。曲面预制模板应酌情增放模板拼缝位置点,曲线、曲面的放样,应预先编制放样数据表始终以该部位的固定轴线(固定点)为依据,采用相对固定的测站和方法。

放样工作开始前,施工单位、监理工程师均应认真阅读设计图纸,验证设计坐标或其几何尺寸,在切实弄清设计数值之后,才能放样。对于放样的轮廓点,必须进行检核,检核方法可根据不同情况而异,检核结果应记入放样资料中,外业检核以自检为主。放样与检核尽量同时进行。

选择放样方法时,应考虑检核条件。没有检核条件的方法(如极坐标法、两点前会法,三方向后交会法等)必须在放样后采用另外的方法进行检查。

放样资料应由两人独立进行计算和编制,若由计算机程序计算放样资料时,必须校对输入数据的正确性。

建筑物基础轮廓点的放样,必须全部采用相互独立的方法进行检核。放样和检核点位之差不应大于 $\sqrt{2}\,m\,(m$ 为轮廓点的测量放样中误差)。

重复测设同一部位的轮廓点位置,可采用简易方法检核。如丈量相邻点之间的长度或检视与已浇建筑物轮廓线的吻合程度以及检视同一直线上的诸点是否在同一直线上等。

对于形体或构造复杂的建筑物,放样和检核应采用同一组放样测站点。

模板检查验收资料中,若发现与设计有较大偏差或存在系统偏差时,应对可疑部分进行复测。

(6)资料整理归档。

①放样工作结束后,必须及时向监理工程师提交"测量放样

单"或"测量检查成果单"。这些资料必须妥善保存,内容有:放样的工程部位、单项工程名称并绘制测点所在部位的草图;注明放样点与设计边线的关系或各放样点的坐标和实测高程值;放样数据的来源和需要特别说明的问题及放样日期,放样者姓名,复检监理姓名等。

②单项工程放样结束后,应及时整理下列资料:单项工程竣工测量资料及图表;竣工测量手簿及实测方法简明报告;放样数据计算资料及测量技术小结。

③闸竣工测量内容及归档资料所包括的内容:施工控制网(平面、高程)的计算成果表;建筑物过流部位测量的资料图表和说明;建筑物基础底面和引河的平面图、断面图;外部变形观测设施的竣工图及观测成果资料;有特殊要求部位的测量资料等。

第二篇　各种堤防工程项目的质量控制内容

第五章　堤防施工质量控制

第一节　堤防施工质量控制的一般要求

对堤防工程质量的控制,一般有以下几点:

(1)为适应堤防工程施工的需要,规范施工程序和施工技术,确保工程施工质量,不留隐患,使修筑的堤防工程达到设计规定的标准,要制定监理细则以利工作。

(2)监理工程师开工前应对合同或设计文件深入研究,督促施工单位做好各项技术准备,如四通一平、临建工程等。各种设备和器材,施工机械,施工工具材料的型号规格、技术性能等。应根据工程施工进度和强度合理安排与调配进行监控。

(3)按照施工进度要求,应事先对进场材料(包括原材料、半成品)质量进行检验。

(4)根据设计文件要求,要求施工单位对划定取土区设立标志,对开挖范围和开采条件及储备量作出估算,并对所用的料场及砂、石料场进行复查。

第二节　筑堤材料的监理控制

一、土堤料选择

(1)普查料场土质和土的天然含水量。采集代表性的土样,按 GBJ 123—88《土工试验方法标准》的要求送到有甲级资质的实验室做颗粒分析、黏性土的液塑限和击实、最大干密度、最优含水量等试验。条件不满足时也可对料场土质做简易鉴别,其方法见表 5-1。

(2)淤泥土、杂质土、冻土块、膨胀土、分散性黏土等特殊土料,一般不宜用于填筑堤身,若必须采用时,应有技术论证并需指定用专门的施工工具,同时须经监理工程师批准。

(3)土、石混合堤,砌石墙(堤)以及混凝土墙(堤)施工所采用的石料和砂(砾)料质量,应符合 SDJ 17—78《水利水电工程天然建筑材料勘察规程》的要求。

(4)拌制混凝土和水泥砂浆的水泥、砂、石料、骨料、水、外加剂的质量应符合 SDJ 207—82《水工混凝土施工规范》的规定。

二、堤料采集的质量控制

(1)料区开采前必须将其表层杂质和耕作土层、植物根系等清除。水下料区开挖前将水排净,将表层稀淤泥土清除后且土壤含水量适宜时才能使用。

(2)土料的开采方式:①土料的天然含水量接近施工控制下限值时,宜采用立面开挖;若含水量偏大,宜采用平面开挖。②当层状土料有须剔除的不合格料层时,宜用平面开挖;当层状土料允许掺混凝土时,宜用立面开挖。③冬季施工采用立面开挖。

(3)采集或选购的石料,除应满足岩性强度等性能指标外,砌筑用石料的形状、尺寸和块重还应符合表 5-2 中的质量标准。

表 5-1 筑堤土料的简易鉴别与适用性汇总

土的基本属性	SD128—84土工试验规范图塑性分类		土工试验(962)三角坐标分类	土在不同条件下的特征					
	符号	土名	土名	湿土用手搓时的感觉	土块的干强度	土块断的状态	土的韧性	摇振反映	可塑性时能搓成土条
少黏性土	SW	良好级配砂	砂土	只有砂粒感觉,细均匀,级配良好	缺乏胶结性		无	流态	无塑性
少黏性土	SP	不良级配砂	砂土	有砂粒感觉,粗细均匀,无黏性	缺乏胶结性		无	快	无塑性
少黏性土	ML		粉砂	手感均匀,细砂粒无黏性	微		无	快	Ø72.5(mm)
少黏性土	ML		粉土	手感均匀,粉砂有面粉感,黏附性弱	微		无	快	Ø72.5(mm)
黏性土	CL		中壤土 中粉质壤土	有砂粒,含黏粒,有塑性和黏附性	中	断口粗糙较疏松	中	慢	Ø1~2.5(mm)
黏性土	CL		重壤土 重粉质壤土	有砂粒,黏粒为主,有塑性和黏附性	中 高	粗糙结构见砂粒	中	很慢	Ø1~2.5(mm)
黏性土	CL CH		砂质黏土 粉质黏土	有砂粒,黏粒为主,有明显塑性和黏附性	中 高	粗糙致密见砂粒	中 高	很慢 无	Ø1~2.5(mm)
黏性土	CH		黏土 重黏土	黏附性大,手搓有滑腻感,塑性强	高 很高	质细、结构致密,看不到砂粒	高	无	Ø<1.0(mm)

表 5-2 石料形状尺寸与质量标准

项目	粗料石质量标准	块石质量标准	毛石质量标准
形状	棱角分明,六面基本平整,同一面上高差小于1cm	上下两面平行,大致平整无尖角,等边	不规则(块重大于25kg)
尺寸	块长大于50cm,块高大于25cm,块长、块高比小于3	块厚大于20cm	中间厚大于15cm

(4)土料场储量应大于填筑需要量的 1.5 倍要求,且土料不得夹有树根、草皮、石块等杂物。

第三节 堤基清理控制要点

一、基本要求

(1)监理工程师根据设计文件、图纸要求、技术规范、堤基情况,审查施工单位提交的基础处理施工方案与细则。

(2)对于施工单位进行的堤基开挖或处理过程中的详细记录,监理工程师均需审核签字。

(3)堤基清理范围,其边界应超出设计基础面边线 300～500mm。

(4)堤基表层的石屑、块石、淤泥、腐殖土、杂填土、草皮、树根以及其他杂物应开挖清除,并应按指定的位置堆放。

(5)堤基清理后,应在第一坯土料填筑前进行平整、压实,质量符合设计要求。

(6)堤基处理完后,报监理工程师与建设单位、设计监督站等单位共同验收后,按隐蔽工程要求填写开仓证,并根据分部工程检测的数量,按堤基处理面积的平均数每200m一个计算,抽检样品,检查合格后,才能进行堤身填筑。

(7)堤基地质比较复杂,施工难度较大或无现成规范可遵循时,应进行必要的技术论证,并应通过现场试验,取得有关技术资料与参数,报监理工程师认可。

(8)当堤基冻结后有明显冰夹层和冻胀现象时,未经处理不得在其上施工。

(9)基础积水应及时抽排,对泉眼分析其成因和对堤防的影响后,予以封堵或引导,开挖堤基较深时应防止滑坡。

二、一般堤基清理质量控制

(1)堤基表层不合格土、杂物等必须清除,堤基范围内的坑槽、井窖、墓穴及动物巢穴等,应按堤身填筑要求进行回填处理。

(2)新老堤结合部的清理、包边盖顶应符合 SL 260—98《堤防工程施工规范》的要求。

(3)基面清理平整后,应要求施工单位及时报验。基面验收后应抓紧施工,若不能立即施工时,应通知施工单位做好基面保护,复工前应经过监理工程师检验,必要时要重新清理。

(4)堤基清理单元工程质量检查项目与标准应符合表5-3的规定。

表5-3　堤基清理单元工程质量检查项目与标准

项次	检查项目	质量标准
1	基面清基	表层不合格土、杂物全部清除
2	一般堤基清理	堤基上的坑、洞穴已按要求处理
3	堤基平整压实	表面无显著凹凸,无松土、弹簧土

三、软弱堤基清理质量控制

(1)采用挖除软弱层换填砂土时,应按设计要求,用中砂或砂砾铺填后及时予以压实;若换壤土,其压实干密度需要满足设计要求。

(2)流塑态淤质软黏土地基上采用堤身自重挤淤法施工时,应放缓堤坡,减慢堤身填筑速度,分期加高。

(3)软塑态淤质软黏土地基上,在堤身两侧坡脚外设置压载体处理时,压载体应与堤身同步分级分期加载,保持施工中的堤基与堤身受力平衡。压载体与堤身同步分级分期加载方案,由施工单位提出,并经监理工程师批准后执行。

(4)抛石挤淤应用块径不小于 30cm 的坚硬石块,当抛石露出土面或水面时,改用小石块填平压实,再在上面铺设反滤层并填筑堤身。

(5)采用排水砂井、塑料排水板、碎石桩等方法加固堤基时,应符合设计要求。

四、透水堤基的施工处理质量控制

(1)用黏土做铺盖或用土工合成材料进行防渗,应按设计要求控制黏土的压实度及干密度。土工合成材料的各项技术指标要达到规范要求,监理工程师应严格控制土工合成材料的材质。铺盖分片施工时,施工单位应编制分片计划,报监理工程师批准,关键是应加强接缝处的碾压和检验。

(2)黏土截渗墙施工时,宜采用明沟排水或井点抽排,回填黏性土应在无水基础上按设计要求进行施工控制。

(3)截渗墙的施工方法:①开槽形孔灌注混凝土、水泥、黏土浆等;②开槽孔插埋土工膜;③高压喷射水泥粉浆等形成截渗墙。不论施工单位采用哪种施工方法,均应编写出施工方案,由施工单位报监理工程师审核批准执行。

(4)砂性堤基采用振冲法处理时,施工方案一定要经监理工程师审核。

五、多层堤基施工质量控制

(1)多层堤基如渗流无稳定安全问题,施工时仅需将堤基的表层土夯实即可,但表层土夯实干密度应符合设计要求。

(2)如采用压重压渗排水、减压沟及减压井等措施处理,应根据设计要求和规范的有关规定执行。

(3)堤基下有承压水的相对隔离层,施工时应保留设计要求厚度的相对隔水层。

六、岩石堤基施工控制

(1)对强风化岩层堤基,除按设计要求清除松动岩石外,浆砌石堤或混凝土堤基面应铺水泥砂浆层,厚度宜大于30mm,筑土堤时基面应涂黏土浆层,厚度宜为3mm,然后进行堤身填筑。

(2)裂缝或裂隙比较密集的基岩,采用水泥固结灌浆或帷幕灌浆进行必要处理时,施工单位应按施工方案,报监理工程师审批,并按 SL 62—94《水工建筑物水泥灌浆施工技术规范》的规定及设计要求控制。

七、堤基清理单元工程质量控制检测项目与标准

堤基清理单元工程质量控制检测项目与标准如下:

(1)堤基清理范围。清理边界超过设计基面边线0.3m。

(2)堤基表层压实。应符合设计要求。

八、堤基清理范围

应根据堤防工程级别,按施工堤线长度,每20~50m检测一次;压实质量检测取样时应按清基面积平均每400~800m² 取样一个。

九、堤基清理单元工程质量评定标准

(1)合格标准:检查项目达到标准,清理范围检测合格率不小于70%,压实质量检测合格率不小于80%。

(2)优良标准:检查项目达到标准,清理范围与压实质量检测合格率不小于90%。

第四节 基础开挖工程质量控制

一、单元划分原则

单元划分应按具体的施工形式来定,一段堤坝(护岸、垛)作为一个单元工程。

二、基础开挖施工控制

基础开挖施工控制要点有:

(1)保证开挖尺寸、基面高程均要符合设计要求。

(2)开挖坡面平顺,基础面平整,基坑内无杂物。

(3)开挖过程中,应选用适宜的机具,不得扰动地基,损坏相邻的建筑物。

(4)开挖弃土(石)等要堆放在指定的区域。

三、基础开挖过程的质量控制标准

(1)开挖高程:允许误差±30mm。

(2)基坑断面尺寸(长、宽):允许误差±50mm。

(3)边坡坡度:允许误差3%。

四、基础开挖质量检测数量

(1)开挖高程和边坡每 10m 一个测点。

(2)开挖长、宽尺寸每 10m 取一个测点。

五、基础开挖单元工程质量评定

质量检测点次合格率不小于 70% 评为合格,不小于 90% 评为优良。

第五节　土堤填筑碾压控制

一、一般的控制内容

主要包括以下内容:

(1)堤身土体填筑工程的全过程。

(2)土堤包边盖顶工程。

(3)土堤坡面植草。

二、土堤身碾压填筑的控制要点

土堤身碾压填筑的控制要点如下:

(1)上堤土料的土质及含水量应符合设计和碾压试验确定的各项指标的要求,在现场以目测、手测法为准,辅以简易试验作参考。如发现料场土质与设计要求有较大的出入时,应取有代表性的土样做土工试验。

(2)土料、砂质土的压实指标按设计干密度值控制,砂料和砂砾料的压实指标按设计相对密度值控制。

(3)土料的碾压试验。施工前应先做碾压试验来验证碾压质量能否达到设计干密度值,并选定最佳的机械碾压遍数、铺土厚度、最佳含水量值。

①碾压试验的要求。碾压试验应在工程开工前,在质量监理、现场管理人员的旁站监理下,由施工单位根据土场的土质情况及施工碾压机械的具体情况来进行。现场所采用的土料要与设计要求一致,并且有代表性。试验前,应将所选择的堤基段清理平整,并将表层压实至填筑设计要求的干密度。碾压试验的场地面积不小于 20m×30m。将试验场地以长边为堤轴线方向划分为 10m×15m 的 4 个试验小区,作不同的碾压试验。

②试验的方法。在场地中线一侧的相邻两个试验小区内铺设不同的铺土厚度,但土料相同,含水量不同。分为大于、等于、小于天然含水量。每个试验小区按试验计划规定的操作要求:碾压机械行走方向应平行于堤轴线,采用进退错距法碾压,搭压宽度应大于 10cm。铲运机兼作压实机械时宜采用轮排压法,轮应搭压轮宽的 1/3。机械碾压时应控制行车速度,以不超过下列规定为宜:平碾为 2km/h,振动碾为 2km/h,铲运机为 2 挡。在小区分别进行不同的厚度、不同的碾压遍数的试验,求出相应土料的含水量时的干密度,以求出最佳值,达到设计值的控制目标。试验应做好详细记录,及时将试验资料进行整理分析,绘制出干密度值与压实遍数的关系曲线、干密度和含水量的关系曲线。正式施工时,各项碾压参数报监理工程师审批。

(4)施工时必须分层填筑、逐坯压实。为此,应控制每层土料铺厚不得超过规定的厚度。铺土面应尽量平整,做到层次清楚,坯面平整、均衡上升。

(5)分段填筑时,分段作业面的最小厚度不应小于 100m,作业面要分层统一铺土,统一碾压,上下层位置要错开,错开距离不小于 3m,各土层之间设立标志,以防漏压、过压和欠压。

(6)碾压时应根据不同的碾压机械采用进退错距法或轮迹排压法,重点控制搭接碾压宽度等。对机械压不到的死角,应采取人工或机械夯实。若发现局部"弹簧土",应及时进行处理。

(7)地面起伏不平时,应按水平分层由低处开始逐层填筑,不得顺坡填筑,堤防横断面上的地面坡度陡于1:5时,应将地面坡度削至缓于1:5。

(8)作业面在软土堤基上筑堤,如堤身两侧设有压载平台,两者应按设计断面同步分层填筑,严禁先筑堤后压载。

(9)相邻施工段的作业面宜均衡上升,严禁出现界沟,若段与段之间不可避免出现高差时,应以斜坡面相接。

(10)已铺土料表面在碾压前被晒干,应洒水湿润至最佳含水量。

(11)用光面碾压黏性土填筑层,在新铺土料前应对压光面做刨毛处理。填筑层检验合格后,因故未继续施工使表面产生疏松层时,复工前应进行复压耙毛处理合格后,报监理工程师复检,方可进行上土作业。

(12)在软基上筑堤或用较高含水量土料填筑堤身时,严格控制施工进度。必要时应在地基、坡面设置沉降和位移观测点,根据观测资料分析结果,指导安全施工。

(13)对占压堤身断面的土堤临时坡道,应作缺口处理,将已板结的老土刨松与新铺土料统一碾压,按填筑要求分层压实。

(14)压实作业的方向应平行于堤坝轴线,分段、分片碾压,相邻作业面的碾压应相互搭接,平行堤坝轴线方向搭压宽度不小于0.5m。垂直堤坝轴线方向搭压宽度不应小于3m。

(15)铺土料的控制要点:①按设计要求将土料铺至规定部位,土堤土料中的杂质应予以清除;②铺料至堤边时,应在设计边线外侧各超填一定余量,人工为10cm,机械为30cm;③铺土厚度与土块粒径通过碾压试验而定或参考表5-4取值。

(16)堤身全断面填筑完毕后应作整坡压实及削坡处理,并对堤防两侧护堤地面的坑洼进行铺土并填平整。

表 5-4　铺土厚度与土料限制粒径　　　（单位:mm）

项次	压实机具	铺料厚度	土块限制粒径
1	人工夯或机械夯	200	50
2	履带拖拉机	250	80
3	斗容 2.5m^3 铲运机、5~8t 振动碾	300	100

第六节　堤身填筑质量检测

一、堤身填筑质量检测的手段

堤身填筑质量检测的手段有环刀法、核子密度仪检测法、灌砂法、灌水法四种。其注意事项:

压实质量检测的环刀容积及核子密度仪应经过有资格的单位进行校正,对细粒土不宜用小于 100cm^3(内径 50mm)的环刀;对砂质土和砂砾料,不宜用小于 200cm^3(内径 70mm)的环刀;当砂砾量多、环刀不能取样时,应采用灌砂法或灌水法测试。所有检测方法均应遵照《土工试验方法标准》进行。若用其他的新测试技术时,应有专门的论证资料,经质量监督部门批准后实施。

质量控制试验所需的仪器及核子密度仪的现场检测调试方法有环刀取样的计算方法及土壤含水量试验方法、灌砂法、灌水法。

1.试验仪器和规格精度

(1)天平:称量 1kg,感量 1g;称量 5kg,感量 0.01g 的电子天平。

(2)烘箱:能使温度控制在恒温(105±5)℃。

(3)蒸发皿。

(4)环刀:内径50mm,体积100cm^3,6～12个。

(5)洗砂用的筒及烘干用的酒精(烘烧含水量法求含水量,购置酒精)。

(6)校正过的核子密度仪。

2.土壤含水量试验方法

定义和适用范围:

①土的含水量是试样在105～110℃下烘至恒温时所失去的水的质量和达恒温后干土质量的比值,以百分数表示。

②本试验以烘干法为室内试验的标准方法,在野外可依据土的性质和工程情况分别采用酒精燃烧法和比重法(用于砂类土),酒精燃烧法采用比较普遍。

③本规程适用于有机质泥炭、腐殖土及其他杂物含量不超过干质量5%的土。有机质含量在5%～10%之间的土仍允许采用,但需注明有机质含量。

1)烘干法

(1)所用设备:

①烘箱可采用电热烘箱或温度能保持在105～110℃的其他能源烘箱。

②天平:称量200g,分度值0.01g。

③其他干燥器,称量盒(可用恒质量盒)。

④仪器设备的检定和标准,天平应按相应的检定规程进行检定。

(2)步骤:

①取代表性试样15～30g放入称量盒内立即盖好盒盖,称量盒加湿土重。

②揭开盒盖将试样放入烘干箱中,在温度105～110℃下烘至

恒重。黏土不少于 8 小时,砂性土不少于 6 小时,对有机质土超过
10%的土控制在 65～70℃的恒温下烘至恒重。

③将烘干后的试样盒取出放入干燥器内冷却至室温称干土
重,准确至 0.01g,按公式计算含水量(含水量允许的偏差见表
5-5)。

$$含水量(\omega)=(湿土质量/干土质量-1)\times100\%=(m/m_1-1)\times100\%$$

式中　　m——湿土质量,g;

　　　　m_1——干土质量,g;

　　　　ω——含水量,%,计算至 0.1%。

表 5-5　含水量测定时的允许差值

含水量	允许平行差值	酒精燃烧法
10%	0.5	仪器设备:称量盒(定期校正为恒值);天平:称量 200g,分度值 0.01g;酒精纯度 95%;其他
10%～40%	1.0	
40%	2.0	

2)仪器设备的检定和校准法

天平按相应的检定标准规程进行检定,步骤如下:

①取代表性土样(黏性土 5～10g,砂性土 20～30g)放入称量
盒内称湿土重。

②用滴管将酒精注入放有试样的称量盒中至出现自由液面为
止,为使酒精与试样充分混合均匀,可将盒底放在桌面上轻轻敲
击。

③点燃盒中酒精烧到火焰熄灭。

④将试样冷却数分钟后,按烘干法称干土重(燃烧 2～3 次)。

⑤准确至 0.01g,取 2 次平均值作为最后结果。

3)干密度试验检测方法

干密度试验检测按 SL 237—1004—1999 规范控制。定义和适用范围：

土的密度是土的单位体积的质量,分湿密度和干密度。湿密度是湿土的单位体积质量;干密度是干土的单位体积质量。

检测的方法有多种,一般采用环刀法、核子密度仪法及灌砂法、灌水法,现分述如下。

①环刀法。引用标准:GB/T 15046—94《土工仪器的基本参数及通用技术条件》第一篇《室内土工仪器 SD 191—86(环刀)》、SL 110—95《切土环刀检验方法》。仪器设备:环刀、天平(称量 500g,分度值 0.1g;称量 200g,分度值 0.01g)、切土刀、钢丝锯、凡士林等。

仪器的检定和校验:天平按相应的检定规程进行检定,环刀应按 SL 110—95 规定进行校验。

操作步骤:按工程需要取原状土或压实土,将环刀内壁涂一层薄凡士林,刃口向下放在土样上取铺土深 1/3 处的土样。

按下式求出湿密度:

$$\rho = m/v$$

式中 ρ——湿密度;

        m——湿土重;

        v——环刀体积。

按下式求出干密度:

$$\rho_d = \rho/(1 + 0.01\omega)$$

式中 ρ_d——干密度;

        ω——含水量;

        ρ——湿密度,计算至 0.01g/cm^3。

进行二次平行测定,取其平均值,两次差不得大于 0.03 g/cm^3。

②核子密度仪的测试。核子密度测试仪用于测量建筑材料和现场土的密度及体积、含水量。仪器内有两种安全密封的放射性物质,其中铯 137 所辐射的射线进行密度测量,镅 241/铍所辐射的中子射线进行体积含水率测量。核子密度仪的测定范围为 $1.12 \sim 2.74 \mathrm{g/cm^3}$,探测深度 $30 \sim 50\mathrm{cm}$。含水量测量最小范围为 $0.1 \sim 0.14$,表面测量深度为 $150 \sim 200\mathrm{mm}$。不平整度误差 $1.25\mathrm{mm}$,空隙率 100%,透射为 $-0.008\mathrm{glc}$,反射为 $-0.064\mathrm{gcc}$,操作温度 $0 \sim 16℃$。

核子密度仪操作程序与注意事项:

打开仪器箱将仪器提手扶正,拧紧连接套,将仪器电源开关打开,仪器进入预备状态,预热 $10 \sim 15$ 分钟(否则测量结果有可能出现较大的误差)。

将聚乙烯标准块放置在支架上,再将仪器设备放在标准块上,在预备状态下,按标准记数键,即显示出仪器所储存的标准计数,将仪器取下,放在需测的地面位置。

将所测的地面铲平,以保证仪器底部与地面有良好的接触,然后造孔,用导向板把钻孔针打入所测材质内,造一个垂直于测量表面的测孔,测孔深度至少大于仪器源杆实际插入深度 $50\mathrm{mm}$。

测量时把仪器的源杆插入测孔内到既定深度,仪器底面应与侧面有良好的接触,并将源杆紧靠射线要穿击的所测材质一侧的孔壁,确定计数时间,按测量键,对土基进行测量。

测量时间一般为 15 秒,如果测得的精度要求高,选择时间要长一些,最好为 60 秒。

③灌砂法。也就是挖坑填砂法,在压实的土基面,挖边长 $50\mathrm{cm}$、深不小于 $30\mathrm{cm}$ 的坑,小心地将土取出并称重量 W,用已知松散容重为 γ 的干燥标准砂将坑填满,填入的砂勿受振动,并用直尺沿坑顶面将砂刮平,由填砂重量 (G) 和松散容重 (γ),可计算出砂坑体积 $V = G/\gamma$,故土的压实容重为 W/V。

二、堤防质量检测取样部位的要求

(1)取样部位应有代表性,且应在面上均匀分布,不得随意挑选,特殊情况下取样须注明部位、高程。

(2)应在压实层厚的下部 1/3 处取样,若下部 1/3 处的深度不足环刀高时,以环刀底面达下层顶面时、环刀取满土样为准,并记录实压厚度。

(3)用核子密度仪检测干密度时,事先应由有资质的证明单位对核子密度仪进行校验,在使用过程中要经常用环刀法与其作对比试验,以确保其精度。

三、堤防质量检测取样数量的规定

(1)每次检测的施工作业面不宜过小,机械筑堤时不宜小于 $600m^2$,人工筑堤或老堤加高培厚时,不宜小于 $300m^2$。

(2)每层取样数量,施工单位自检时,可控制在填筑量每100～150m³ 取样一个;抽检量每层取样(监理)可为自检数的 1/3,但至少应有 3 个。

(3)特别狭长的堤防加固作业面,取样时可按 20～30m 一段取样 1 个。

(4)若作业面或局部有返工部位,按填筑量计算的取样数量不足 3 个时,也应取 3 个。

(5)在压实质量可疑和堤身特定部位取样抽检时,取样数量视具体情况而定,但检测成果仅作为检查参考,不作为碾压质量评定的统计资料。

(6)每一层填筑质量自检合格后,报监理工程师复检、抽检合格后,才准上土;凡取样不合格的部位,应补压或作局部处理,经复检至合格后,方可继续下道工序。

第七节　砂砾料及土工合成加筋
材料填筑控制

一、砂砾料填筑

砂砾料压实时,含水量宜为填筑方量的 20%~40%;中细砂压实的含水量,宜按最优含水量控制。压实机具用不振动碾或振动碾及气胎碾。

二、土工合成加筋材料填筑

填筑土工合成加筋材料时,应注意以下几点:

(1)筋材应垂直堤轴线方向铺展,长度按设计要求裁制,一般不宜有拼接缝。

(2)筋材铺放基面应平整,筋材宜用宽幅规格。

(3)如筋材必须拼接时,应按不同情况区别对待:①编制筋材接头的搭接长度不宜小于 15cm,以细尼龙线双道缝合,并满足抗拉要求;②土工网、土工格栅接头的搭接长度不宜小于 5cm(至少搭接一个方格),并以细尼龙绳在连接处绑扎牢固。

(4)铺放筋材不允许有褶皱,并尽量用人工拉紧,以 V 形钉定位于填筑土面上。填土时筋材不得发生移动。

(5)填土前如发现筋材有破损、裂纹等质量问题,应及时修补或更换。

(6)筋材上可按规定层厚铺土,但施工机械与筋材间的填土厚度不小于 15cm。

(7)加筋土堤压实,宜采用平碾或气胎碾,但在极软地基上开始填筑时,二、三层宜用推土机或装载机铺土压实,当填筑层厚度大于 0.6m 后方可按常规碾压。

(8)碾压应注意事项:①在极软地基上作业时,宜先由堤脚两侧碾压,然后逐渐向堤中心扩展,在平面上是呈凹字形向前推进;②在一般地基上作业时,宜先从堤中心开始填筑,然后逐渐向两侧堤脚对称扩展,在平面上呈凸字形向前推进,随后逐层填筑。

第八节　吹填筑堤的质量控制

根据填筑部位的吹填土质来选用不同的船、泵及其冲挖抽方式。

单元工程质量评定与土料碾压填筑堤相同,逐次抬高的围堰高度,不宜超过 1.2m(黏土团块吹填筑堤高度可为 2m),顶宽宜为 1~2m。土料吹填筑堤的单元工程质量评定可参照土堤规定执行。

土料吹填筑堤方法有多种,最常用的有挖泥船和水力冲挖机组两种,挖泥船又有绞吸式、斗轮式两种形式。不同土质吹填筑堤的适用性差异较大,应按以下原则区别选用:

(1)无黏性土、少黏性土适用于吹填筑堤,且对老堤背水侧培厚更为适宜。

(2)流塑—软塑态的中高塑性有机黏土不宜用于筑堤。

(3)软塑—可塑态、黏粒含量高的壤土和黏土,不宜用于筑堤,但可用于堤身两侧池塘洼地加固堤基。

(4)可塑—硬塑态的重粉质壤土和粉质黏土,适用于绞吸式挖泥船;斗轮式挖泥船以黏土团块方式吹填筑堤。

一、吹填区筑围堰应满足的条件

(1)每次筑围堰高度不宜超过 1.2m(黏土团块吹填时筑围堰高度可为 2m)。

(2)应注意清基,并确保围堰填筑质量。

(3)根据不同土质,围堰断面可采用下列尺寸:黏性土,顶宽1～2m,内坡1:1.5,外坡1:2.0;砂性土,顶宽2m,内坡1:1.5～1:2.0,外坡1:2.0～1:2.5。

(4)筑堰土料可就近取土或在吹填面上取用,但取土坑边缘距堰脚不应小于3m。

(5)在浅水域或有潮汐的江河滩地,可采用水力冲挖机组等设备向透水的编织布长管袋中充填土(砂)料垒筑围堰,并需及时对围堰表面作防护。

二、单元工程质量检查项目与标准

单元工程土料吹填筑堤质量标准如表5-6所示。

表5-6 土料吹填筑堤质量检查项目与标准

项次	检查项目	质量标准
1	吹填土质	符合设计要求
2	吹填区围堰	符合设计要求,无严重溃堤塌方事故
3	泥沙颗粒分布	吹填区沿程沉积的泥沙颗粒级配无显著差异
4	吹填高程	允许偏差0～+0.3m
5	吹填区宽度	吹填区宽<50m,允许偏差±0.5m 吹填区宽>50m,允许偏差±1.0m
6	吹填平整度	细粒0.5～1.2m,粗粒0.8～1.6m
7	吹填干密度	符合设计要求

三、土料吹填筑堤单元工程检测数量要求

(1)按吹填区长度每50～100m测一横断面,每个断面测点不应少于4个。

(2)吹填区土料固结干密度检测数量为 $200 \sim 400 \text{m}^2$ 取一个土样。

四、土料吹填筑堤单元工程质量评定标准

所有检查项目达到标准,吹填高程、宽度、平整度合格率不小于90%,初期固结干密度合格率达到表5-7的规定。

表5-7 不同土堤土料固结干密度值

项次	堤型	土类	质量评定标准	
			1、2级堤防	3、4级堤防
1	新堤	黏性土	85%	80%
		少黏性土	90%	80%
2	老堤	黏性土	85%	80%
		少黏性土	85%	80%
3	吹填高程、宽度、平整度		合格率不小于90%,初期固结干密度合格率超过碾压标准5%以上	

第九节 砂质土堤质量控制

(1)砂质土堤堤顶、堤坡填筑应按分区设计尺寸整形削坡,吹填区整平以后按设计厚度均匀铺料,土堤包边也可随主体填筑一并完成。

(2)包边盖顶的土质要求,迎水坡和堤顶填筑应选择黏性土,背水坡包边土质应符合设计要求。

(3)包边土料应分层填筑压实,压实质量应符合设计干密度指标。

(4)砂质土堤堤坡堤顶填筑单元工程质量检查项目:主要是检查所填土质应符合表5-8的规定。

表 5-8　砂质土堤堤坡堤顶填筑质量检测项目与标准

项次	检测项目	质量标准
1	铺土厚度	允许偏差 0～−5cm
2	铺填宽度	允许偏差 0～+10cm
3	压实干密度	压实干密度符合设计要求

(5)砂质土堤堤坡堤顶填筑单元工程质量检测数量应符合以下规定:①铺土厚度、宽度及压实质量测点数量:包边沿堤轴线每 20～30m 取一个测点;②盖顶每 200～400m² 取一个测点。

(6)砂质土堤堤坡堤顶填筑单元工程质量评定标准符合以下规定:①合格标准:检查项目达到标准,铺筑厚度检测合格率不小于 70%,压实度合格率不小于 80%～85%;②优良标准:检查项目达到标准铺筑厚度、宽度,检测合格率不小于 90%,压实干密度合格率超过 80%～85% 规定的 5% 以上。

第十节　堤防混凝土截渗墙工程质量控制

施工前的水泥土截渗墙试验:按设计要求,在现场选取场地进行水泥掺入比试验,以合理确定截渗墙水灰比。根据以往经验及结合现场实际情况,进行三组水灰比试验 1.5:1、1.7:1 和 2.0:1,根据试验结果计算水泥掺入比,以满足设计要求的水泥掺入比不小于 12%,最终确定最优水灰比进行下一步截渗墙的正式施工。

一、原材料的质量检测

(1)原材料的材质检查项目标准。

①水泥需三证齐全,即水泥厂家资格证,每批水泥合格证,水

泥复验证明(指定有资质的试验单位)。

②监理工程师随机抽查每袋水泥重量,取样标准为每次 3～5 袋,每袋最大误差为－1kg。

③水泥的存放要放在防潮防固结的地方。

④砂、碎石的要求:施工单位应严格按三材材料检测项目和标准进行收料。

(2)施工单位和监理工程师,应随时对原材料进行取样并送到有资质的试验室进行试验,出示试验证明,若发现不合格材料应立即通知施工单位将其清出施工现场。

(3)砂、碎石中的泥含量、云母含量、有机质含量、氧化硫含量、氢化物含量、针片状含量均应满足质量要求。

(4)混凝土的强度及配合比,应根据材料由试验确定。在混凝土配合比中应考虑加入 MNC—P 混凝土防渗剂,坍落度应达到 22cm 左右,扩散度达到 34～40cm。

二、施工测量质量控制要求

(1)根据指定的水准基点,采用闭合回路测量法确定工程施工水准点。闭合差依据下式计算:

$$L_0 = \pm \sqrt{20L}$$

式中 L_0——闭合误差,mm;

L——水准线路的长度,km。

(2)铺轨。①根据设计图纸确定槽孔中心线,要求槽孔中心线距上游坡脚误差±3cm;②依据槽孔中心线和两轨间距,分别在槽孔两边 1.29m 处铺轨(沿槽孔);③控制轨道顶面高程,在符合设计要求的条件下要求两轨顶高差小于 9mm。

(3)CT 管定位。不应以多次浇筑累计长度确定其位置,应以原始桩号测量的长度为准。另外 CT 测管的安放须满足设计要求,检查合格后方能安装入槽。

三、开槽法施工的几个关键控制技术

(1)导孔部分。开孔钻前,审查放线记录(导孔、槽孔位置,轨顶高程等)与设计图纸是否一致;检查现场造浆设施是否完备;造浆原料、黏土(黏粒含量75%,塑性指标20,含沙量<50%)是否合格且足量。

(2)导孔施工及造浆。液压开槽机造孔时,根据设计槽孔的深度尺寸,为实现全断面的前进,首先要用钻机在墙的端部造一个圆孔,其直径和深度应能使力杆进入孔底,基于同样理由,泥浆比重为1.1~1.2。

(3)开槽工艺要求。首先将开槽机械移至导孔处就位,空转测试,各项设备一切正常时,开槽正式工作。力杆的工作或力杆的斜度不小于10%,根据地质条件来控制力杆的频率,从而控制成槽的速度。

(4)槽孔隔离工艺。槽孔虽然连续开槽但混凝土需分段浇筑,预定槽长8m时进行隔离,隔离体选用橡胶材料或土工布隔离体。

(5)混凝土浇筑同射水法。

四、射水法造孔的几个关键控制技术

(1)射水法造孔。如果土质不密实,不均一,则产生漏水漏浆现象,甚至会造成孔壁失稳而坍塌。因此,施工中要严格控制泥浆浓度。泥浆是保持孔壁稳定的重要条件,比重大了,虽有利于孔壁稳定,但易造成浮钻,影响速度;泥浆比重小,则不利于孔壁稳定。根据实践经验,泥浆比重1.1~1.2比较适宜。

(2)混凝土槽板接缝处理。射水法造墙采用平接技术,机械在同一轨道上工作,基础水平稳定,放样对位标志在钢轨上,对位准确。但如处理不当,易造成接头质量问题。操作时,要经常检查轨

道及多层机械手刚性导向的定位。特别是检查形成器的侧向喷嘴,保证侧向水流畅通无阻。如遇黏性较强的土质,则在形成器两侧加绑钢丝绳数根,长度为5~10m。

(3)混凝土浇筑。水下混凝土灌注是防渗墙的最后一道工序,也是关键性的工作之一,施工中应严格按混凝土配合比配料,误差不大于规范要求,同时要求有良好的和易性、均匀性,坍落度应在18~22cm。

五、混凝土截渗墙施工中的质量控制要点

(1)一、二期槽孔孔位中心在任一深度的偏差值不得大于设计墙厚的1/5。

(2)对秸料等透水性强的地层应特别注意造浆质量,防止塌孔。

(3)造孔结束后,应对造孔质量全面检查,经检查结束后,方可进行清孔换浆。

(4)清孔换浆结束后,孔底淤积厚度不大于10cm,同时应保证槽底高程达到设计高程。

(5)接头混凝土孔壁上的泥皮除使用水清洗外,还宜用钢丝刷进行刷洗。

(6)混凝土应保证连续浇筑,导管埋入混凝土的深度不得小于1m,混凝土面上升速度不应小于2m/h。

(7)混凝土终浇顶面宜高于设计高程50cm,如上接土工防渗布,应及时凿除多余高程,并对墙体顶面、侧面进行修整。

(8)对发生接缝不严或墙体断面等质量事故的堤段需采取补钻,或在处理墙段上游侧补贴一段新墙。

六、混凝土截渗墙质量检测要点

(1)检查所需的设备,包括泥浆比重计、黏度仪、量沙仪、计量

工具(包括 50m 钢尺、测量绳、钟表)等,是否齐全有效。

(2)钻孔记录表。不定时检查三项指标,并作记录,泥浆比重<1~3g/cm³,黏度 18~20s,含沙量<5%。

(3)槽孔部分。在开槽中:①检查泥浆池中泥浆的三大指标:密度 1.2~1.3g/cm³,黏度 18~20s,含沙量<5%;②检查力杆垂直度。成孔后,自检(现场技术人员)合格,认真填写报验单报监理工程师;监理人员接通知后到现场复检,复验前必须先审查其开槽原始记录,报验单是否符合设计及规范要求;检查现场所用测量工具有效后,认真复核成孔深度并作记录。

(4)现场办理验收签证,下令开始清孔换浆。换浆后审查清孔记录,清孔验槽报检单;复核清孔后的孔深,要求淤积厚不大于10cm。

七、混凝土墙体浇筑控制细则

(1)施工单位开槽清孔合格后,把报验单报送监理复查,合格后方可进行下一道工序。上道工序不合格,不得进行下道工序施工。

(2)检查所下导管的长度是否符合标准,导管底部与槽底距离15~25cm,导管间距不大于 3.5m。

(3)浇筑之前检查原材料是否按标准配合比配料、拌和,并校核磅秤是否准确,砂、碎石含水率是否有变化,使用车辆必须有标准记号。监理人员在浇筑期间应进行旁站,并随时检查,不允许有多料少料情况。

(4)混凝土拌和后,施工单位质检人员先做坍落度和扩散度试验,坍落度在 20~22cm,扩散度在 38~40cm,监理人员随机抽查,若发现不合格的混凝土,必须倒掉不能使用。

(5)浇筑期间,施工人员应认真检查混凝土的上升情况,上升速度不大于 2m/仓,必须以实测情况为标准。在此期间(埋深在 1~

6m 之间),该单元若发现导管有拔脱或不符合标准,监理人员有权不予认签,在浇筑过程中应及时测量隔离体后槽孔深度,对于意外发生的漏浆现象要及时处理,在浇筑时期要做好随时抽查记录。

(6)取样试验数量,每 30m 取抗压试样一组,试块 R28、抗渗试验每 50m 取一组试块,到龄期后到试验室试验。

(7)浇筑完工后施工单位应在当天把资料整理好报送监理工程师办签证验收。

(8)成墙开挖后,若发现有夹缝,施工单位应及时把情况和处理方法报到监理部。

(9)当浇筑段内的混凝土浇筑完成后,不能立即拆除隔离体,应等到最后一批混凝土产生初凝后 2 小时方可进行,在这期间应根据天气实际情况每半个小时探摸新混凝土初凝情况。

(10)拆除隔离体的工序是首先将充填介质排出后,用吊机将隔离体吊出槽外备用。

(11)在浇筑下一槽段之前,采用专用设备清除截渗墙连接体,做好两段新旧混凝土的结合工作,保证截渗墙的连续性。

(12)二期混凝土浇筑前,除去灰浆至坚硬混凝土,凿毛并经监理工程师检查后方可进行模板安装。模板高程要准确,模板安装要牢固,预埋螺栓要符合设计要求,控制好螺栓柱的高程及水平距离。

八、复合土工膜的铺设质量控制

(1)复合土工膜应自坡顶持续展放到坡底,在坡底要做好与垂直铺塑的连接。

(2)铺设时应尽量在干燥、晴朗的天气进行。

(3)铺设时不要过紧,应留有足够的余幅,以便拼接和适应气温变化。

(4)铺设时随铺随压以防风吹。

(5)接缝应与大拉力方向平行。

(6)铺设现场严禁抽烟,所有施工人员应穿软底鞋。

九、混凝土防渗墙单元工程质量评定标准

(1)槽孔。①中心偏差 ±3cm;②孔深偏差,不得小于设计孔深;③孔斜率不小于 0.4%;④顶宽满足设计要求(包括接头、搭接厚度)。

(2)清孔。①接头刷洗,刷去钻头泥屑使孔底淤积不再增加;②孔底淤积≤10cm;③孔内浆液密度≤1.3g/cm^3;④浆液黏度≤30s;⑤浆液含沙量≤12%;⑥钢筋安装符合设计要求;⑦导管间距与埋深:两导管距离 3.5m,导管距孔端一期槽孔为 1.0~1.5m,二期槽孔为 0.5~1.0m,埋深小于 6m;⑧混凝土上升速度 2m/h 或符合设计要求;⑨混凝土坍落度为 18~22cm,混凝土扩散度为 34~38cm;⑩混凝土最终高度,符合设计要求,施工记录图表齐全、准确、清晰。

十、混凝土防渗墙单元工程质量评定原则

(1)混凝土设计指标:包括抗压、抗渗、弹性模量等指标符合设计要求。

(2)混凝土原材料配合比等符合设计要求。

(3)在单元(槽内)钻孔取芯,混凝土质量符合设计要求。

十一、超声波 CT 检测混凝土截渗墙的质量

超声波 CT 检测技术的原理是:当水泥标号骨料成分和粒径等因素基本稳定时,超声波在混凝土体中的传播速度反映混凝土的质量。波速高的地区,密度大,强度高;波速低的区域,密度小,强度低,甚至可以为夹泥空间等严重缺陷。超声波 CT 是利用超声波信息分析结构内部构造的成像技术。CT 检测管预埋在截渗

墙中,管径 50mm,壁厚 2.5mm。每一组两个测管之间中心距离2.5mm。对射水法布置在奇偶数槽板接头位置。在测管中除了进行 CT 检测外,还要用倾斜仪对墙体的倾斜进行观测,以验证墙体的垂直度能否达到设计指标,各项检测均应有监测分析报告。

第十一节 高压喷射灌浆防渗质量控制

一、一般的技术要求

高压喷射灌浆有摆喷、旋喷及混合喷等多种工艺。也可根据施工条件和土质情况采用微型摆喷,这种布孔型式的特点是板墙体连接可靠而且厚度大,摆角 15°。因在喷射过程中容易发生串孔,影响邻孔的板墙体形成,所以高压喷射采用隔孔喷射,即单号孔喷射的灌浆初凝后的第二天喷双号孔。

二、质量控制指标

(1)位置。根据设计要求,布设防渗刺墙,墙高按设计标准,墙厚与设计要求一致。孔距一般为 2.0m,有效半径达 1.8m,摆角一般为 15°(与钢盘堤接触处喷射摆角增大为 26°左右)。提升速度一般为 10cm/min。喷嘴型号为 2mm,气嘴 7mm,水压为 29.4~34.3MPa,空气压 735kPa。

(2)测压管的要求:管口为 2 英寸的 PVC 管,管底 1.1m 高为透水部分,外用 400g/m² 土工布包裹,管子四周用黄沙做漏层。

三、检测方法及控制要求

(1)挖检查孔,进行取样试验。试块强度应满足设计标准,试块渗透系数应满足设计要求。

(2)检查水泥的进浆比重及回浆比重是否满足规范要求。

(3)注意检查地下水位观测结果,藏流是否明显。

四、施工中质量控制注意事项

(1)在实际施工中应根据不同土层采用不同提升速度,造孔应比设计深 1m,孔底静喷 5min,保证防渗墙嵌入不透水层且衔接可靠,同一孔口如因故停喷,再继续喷射时应注意防渗墙的连续性,用高压水枪将原刺墙冲成企口并将喷杆下插 1m,防止出现断层。

(2)定位放线:根据设计孔距和测量依据,沿高喷轴线每 2.0m 放出高喷孔位,反复测量,用木桩定位。定位放线误差必须符合设计要求和有关规范。

(3)钻机就位钻孔,将钻机移至高喷孔位,对准木桩,调平钻机开始钻进,钻孔孔位偏差不大于 5cm,钻孔垂直度偏差不大于 1.0%。钻孔采用泥浆护壁,至设计深度后可停止造孔,移至下一个孔位。

(4)高喷台车就位。将高喷台车移机至已造好的孔上,调整高喷台车,以高喷管能够自由下落至孔内为止。

(5)下喷射管。下喷射管前进行地面水气试喷,水气试喷满足设计要求后,可边送浆边下管,至设计深度。

(6)提喷管成墙。高喷管下至设计深度后,送高压水、压缩气、水泥浆液。检查各项参数,满足规范及设计要求后,可边旋摆边提升直到设计高度。

(7)补浆回灌。高喷结束后,由于水泥浆析水沉淀,会造成水泥浆液面下降,为保证高喷板墙质量,要及时补充水泥浆,从而保证板墙墙顶高程。

(8)冲洗管路移机。高喷结束后冲洗管路移机。

第十二节　黏土防渗体填筑的质量控制

(1)黏土防渗体填筑单元工程质量检查项目与标准符合:①铺料厚度,允许误差 0~−5cm;②铺筑宽度,允许偏差 0~+10cm;③压实指标,符合设计要求。

(2)黏土防渗体填筑单元工程检测项目与标准如下:

1、2 级堤防工程:干密度合格率为 90%;3 级堤防工程:干密度合格率为 85%。

(3)铺料厚度、铺筑宽度检测及压实度取样,可按堤轴线长度每 20~30m 取一个测点和填筑面积每 100~200m² 取一个样进行控制。

(4)黏土防渗体单元工程质量评定标准应符合下列规定:①合格标准:检查项目达到标准,铺料厚度及铺筑宽度合格率不小于70%,土体压实干密度合格率不小于 85%~90%;②优良标准:检查项目达到标准,铺料厚度及铺填宽度合格率不小于 90%,土体压实干密度合格率超过 85%(3 级堤防)或 90%(1、2 级堤防)的5%以上。

第十三节　堤防生物防护林的质量控制

一、防浪林、行道林、生态林的栽植标准控制

(1)按照"临河防浪、背河取材、乔灌结合、收益显著"的原则,实行生物系统工程防护。

(2)堤防绿化应遵循有利于防洪抢险的原则:堤脚外预留10~20m 宽的堤防加固距离,做到统一规划、统一植树、统一砍伐,达到规格化、标准化、制度化。

(3)选定优良苗种和引进优良品种,如三倍体毛白杨、白蜡、柳树、银杏等。

(4)消除隐患,除树植草,取消堤防临背河堤肩行道林种植,根除因洪水、风暴毁树时所引发的险情,并消除因腐烂树根所造成的隐患。加高加固堤防。

二、堤防"三林"质量控制的技术要点

质量控制的内容有选苗、挖坑、栽培、浇水、封坑、管理等六大栽培要点。

(一)"三林"的栽培方法及布置和树种选择

(1)防浪林。临河堤脚 30m 工程保护地种植以防浪林为主的片林树木,目的是起到防洪水漫滩顺堤行洪,保护堤防和发挥其消浪促淤的作用。种植时,堤内种高柳,堤外种低柳。高柳株行距为 3m×2m,低柳株行距为 2m×2m,常用的树种为 172 速生柳等喜水性树种,一般防浪林宽为 30~50m。

(2)生态林。是栽植在淤背区和护堤(坝)地内用于改善生态环境,保护工程的片林。株行距一般为 2m×3m~2m×4m 或 2m×8m,生态林常用树种为三倍体毛白杨、白蜡、柳树、银杏等。

(3)行道林。顺大堤栽植于临背侧各两行,用于绿化美化堤防工程的树木。株行距 2m×1m,交错布置,常用树种为杨树、槐树、白蜡等。

(二)"三林"的栽植方法控制内容

防浪林、生态林和行道林的栽植方法大同小异,其主要环节可分为选苗、挖坑、栽培、浇水、封坑、管理等。

(1)选苗及处理。根据不同的栽植部位、用途和绿化要求,选择不同的树苗。常用的树种有三倍体毛白杨、白蜡、杨树、柳树、国槐、冬青、塔松、马尾松等。另外还有银杏、冬枣、苹果、梨、杏、桃等经济树种。

(2)选苗出圃栽植前,树苗的处理是一个不容忽视的环节。该期间要对树苗进行集中根系保护,灭菌、防风干脱水处理,并事先把树苗的侧枝与主干顶梢部分剪除。顶梢截除一般是自主干上端的一个饱满芽处,胸径在 2～3cm 的树苗保持主干高 2.5～2.8m。

(3)挖坑穴:坑穴开挖是否得当是栽好"三林"的前提,要严把坑穴尺寸关,打好树株成活的基础,并充分考虑种植属性和土地条件,确定好坑穴长、宽、深尺寸。防浪林坑穴尺寸为 0.6m×0.6m×0.5m,生态林坑穴的尺寸为 0.8m×0.8m×0.8m。

(4)特别注意事项:

①防浪林栽植部位为临时工程保护地,其坑穴尺寸大小要适中,尺寸准确,特别注意深度不宜太浅或太深。

②生态林大部分栽于淤背区内,特别近年来多种植三倍体毛白杨树种,挖坑造穴要大,以利保水存肥等。种植回填要将肥沃壤土或黏土多回填一些,以确保树株成活率。

③行道林初春时节栽植,因其种植在大堤两肩,土质含水量小且土质坚实,不利于树扎根,需要挖大坑并多浇水,以利树株成活生长。

④应对设计规定的树种结构和株行距进行布局,提前准备各类优质苗木,开挖树坑适时,确保树株的成活率。

⑤栽培:按设计要求和树苗、树坑已备好的情况下,则进入栽植树木、培土封穴的关键步骤。树苗放入坑中时要注意纵横向的布放合理,填土时将树苗提拔规定标准高度,其埋深一般为 40～50cm,并超过原地面 10～15cm。

⑥浇水:树苗植好后要千方百计浇水,并且要一次性浇足浇透。

⑦管理:管理是保障树株存活率的重要手段,应加强和重视,管理要落实到人,要责、权、利联系起来。

⑧植树时间:因地适时把握时机至关重要,试验证明,冬季植

树比春季效率要高,一般利用冬季的农历十一月下旬至十二月中旬较好。

三、堤防植草控制要求

(1)选择生命力强、叶茂根系大、适应环境能力强的品种,如葛巴草和铁板牙等。

(2)草皮护坡质量控制要点:草皮的厚度不宜小于 3cm,铺砌时要铲草,所贴坡面土壤含水量适宜,若土壤干则事先洒水湿润,铺设时贴紧拍平(堤坡陡于 1:2.5 时宜采取措施加以固定),并洒水养护。不宜草皮生长的土堤土质应先铺一层腐殖土。

(3)检查草皮护坡和防浪林的草、树品种和铺种质量是否与设计相符。

第十四节　土堤填筑单元工程质量评定标准

一、单元工程划分

筑堤宜按工段内长 200～500m 划分一个单元,老堤加高培厚可按工段每 5 000m 划分一个单元。

二、单元工程质量评定

单元工程质量评定是对单元堤段内全部填土质量的总评价,由单元分层检测的干密度成果累加统计得出,合格率样本总数应不少于 20 个。

三、干密度检测

检测干密度不小于设计干密度值的为合格样。

堤防工程应按具体施工时的堤段划分单元工程,每段(层)为一个单元工程。堤岸防护及河道整治工程中的土体填筑应按堤垛的填筑层划分,每一个联堤、坝段、丁坝垛的每一层为一单元工程。

四、碾压土堤单元工程的压实质量总体评价

碾压土堤单元工程的压实质量总体评价标准参照表 5-9 执行。

表 5-9　碾压土堤单元工程的压实质量合格标准

堤型		筑堤材料	干密度值合格率	
			1、2 级土堤	3 级土堤
均质堤	新筑堤	黏性土 少黏性土	≥85 % ≥90 %	≥80 %
	老堤加高培厚	黏性土 少黏性土	≥85 % ≥85 %	≥80 % ≥80 %
非均质堤	防渗体	黏性土	≥90 %	≥85 %
	非防渗体	少黏性土	≥85 %	≥80 %

注:总测点数的比值达到表中要求的为合格,超数值 5 %以上的为优良;不合格样干密度值不得低于设计干密度值的 96 %;不合格样不得集中在局部范围内。

五、堤防土体填筑单元工程质量

堤防土体填筑单元工程质量检查项目及标准应符合表 5-10 的规定。

六、土堤竣工后的外观质量合格标准

土堤竣工后的外观质量合格标准及方法见表 5-11。

表 5-10　堤防土体填筑单元工程质量检查项目及标准

项次	检查项目	质量标准
1	用手搓湿土的感觉检查土料	符合设计要求
2	用钎测方法抽查坯层厚度	符合施工设计要求
3	作业面划分和作业程序	符合规范要求
4	铺土边线超出设计边线	人工>100m 机械>300mm
5	堤坡线与设计边线超出堤顶宽度允许误差	人工-50～+100mm 机械-50～+300mm
6	堤顶高程允许误差	+50mm,不许低于设计堤顶高程

表 5-11　外观质量合格标准及检测方法

检查项目		允许偏差	检查频率	检查方法
堤轴线偏差		15cm	每200m测4点	用经纬仪测
高程	堤顶	0～+15cm	每200m测4点	用水准仪测
	平台顶	-10～+15cm		
宽度	堤顶	-5～+15cm	每200m测4点	用皮尺量
	平台顶	-10～+15cm		
边坡	坡度	不陡于设计值	每200m测4点	用水准仪和皮尺量
	平顺度	目测平顺		

第十五节　堤防工程质量评定标准及验收程序

一、分部工程质量评定标准

(1)合格标准:①单元工程全部合格;②原材料及中间产品质量全部合格。

(2)优良标准:①单元工程全部合格,其中有50%以上达到优良,主要单元工程、重要隐蔽工程及关键部位的单元工程质量优良,且未发生过质量事故;②原材料和中间产品质量全部合格。

(3)进行分部工程质量评定时,应对工程原始施工记录、工程质量检验等资料进行核实。评定人员必须在质量等级评定意见后签名,如有保留意见应明确记载。

二、单位工程质量评定

(1)合格标准:①分部工程质量全部合格;②原材料及中间产品质量全部合格;③外观质量得分率达到70%以上;④施工质量检验资料齐全。

(2)优良标准:①分部工程全部合格,其中有50%以上达到优良,主要部分工程质量优良,且施工中未发生过较大及其以上质量事故;②原材料及中间产品质量全部合格,其中混凝土拌和物质量必须优良;③外观质量得分率达到85%以上;④施工质量检测资料齐全。质量监督机构在进行单位工程质量等级核定时,应结合其对本单位工程质量的监督检查过程、质量抽检及材料检查等情况进行综合评价。

三、工程项目质量评定

（1）评定标准：①合格标准：单位工程质量全部合格；②优良标准：单位工程质量全部合格，其中有50%以上的单位工程质量优良，且主要单位工程质量优良。

（2）质量监督机构依据上述标准，结合施工过程中对工程质量的监督情况进行综合评价，提出质量等级评定意见，由竣工验收委员会确定工程项目质量等级。

四、堤防工程验收程序

（1）堤防工程验收：包括分部工程验收、阶段工程验收、单位工程验收和竣工验收。

（2）验收工作按照 SL 223—1999《水利水电建设工程验收规程》执行。

（3）工程验收前，项目法人应委托省级以上水行政部门议定的水利工程质量检测单位对工程质量进行一次抽检，工程质量抽检所需费用由项目法人支付。

（4）工程质量检测单位应通过技术质量监督部门计量认证，不得与项目法人、监理单位、施工单位隶属同一经营实体或同一行政单位的直接管辖范围，并按有关规定提交工程质量检测报告。

（5）工程质量检测（抽检）主要项目和数量由质量监督机构确定。

（6）土料填筑工程质量抽检主要内容为干密度和外观尺寸，并满足以下要求：①每200m堤长至少抽检一个断面；②每个断面至少抽检2层，每层不少于3点且不得在堤防顶层取样；③每一单位工程抽检样本点数不得少于20个。

（7）浆（干）砌石工程质量抽检主要内容为厚度、密实程度和平整度，必要时应抽检摄（图）像资料，并满足以下要求：①每2 000m

堤长至少抽检 3 点;②每个单位工程至少抽检 3 点。

(8)堤防土石填筑工程量,凡超过允许值的部位均属无效方;欠填筑方量,应从标准断面中扣除;欠填筑超过允许值时,应返工处理。

(9)混凝土预制块砌筑工程质量抽检的主要内容为预制块厚度、平整度和缝宽,并满足以下要求:①每2 000m 堤长至少抽检一组 3 点;②每个单位工程至少抽检一组。

(10)垫层工程质量抽检主要内容为垫层厚度及垫层铺设情况,并满足以下要求:①每2 000m 堤长至少抽检 3 点;②每个单位工程至少抽检 3 点。

(11)堤脚防护工程质量抽检主要内容为断面复核,并满足以下要求:①每2 000m 堤长至少抽检 3 点(3 个断面);②每个单位工程至少抽检 3 点(3 个断面)。

(12)混凝土防洪墙和护坡工程质量抽检的主要内容为混凝土强度,并满足以下要求:①每2 000m 堤长至少抽检一组,每组 3 个试块;②每个单位工程至少抽检一组,每组 3 个试块。

(13)堤身截渗堤处理及其他工程质量抽检主要内容及方法由工程监督机构提出方案,报项目主管部门批准实施。

(14)凡抽检不合格工程,必须按有关规定进行处理,不得进行验收,处理完毕后,由项目法人提交处理报告连同质量检测报告一并提交竣工验收委员会。

(15)工程竣工验收时,竣工验收委员会可以根据需要对工程质量再次进行抽检,内容和方法由竣工验收委员会确定。

(16)堤身填筑验收测量应由施工单位进行。其断面位置、测量精度与成图比例尺,应与清基填筑放样断面相一致,并应绘制出设计轮廓线及堤轴线(包括沉陷超高),提供控制性轮廓点实测高程与设计高程比较表。建设单位应对上述验收资料进行抽样复测。

(17)施工单位应按照《水利水电建设工程验收规程》中的规定提供有关资料,还应提供测量控制网布置图和取土区地形图(1:2 000～1:5 000)以及控制点坐标和高程成果表。如设计规定有变形观测网时,亦应提供该项资料。

第六章　堤防防护工程监控

第一节　柳石工程质量监督控制

一、柳石枕

(一)柳石枕的物料要求

1.柳枝

以枝条长而柔韧的低柳和生长旺盛的树头柳为好。一般干枝直径 2～2.5cm,长 2～3m。老的树头柳,多取多岔、柔韧性差的,可去掉其中的粗枝掺杂一部分使用。其捆扎要求:一般每 5～7cm 捆扎一道,老树头为 4～5cm 捆扎一道。

柳枝应随砍随用,在砍下后三天之内用完。或先捆成直径 15～20cm 并有适当长度的柳把,并在柳把上铺石捆枕。

2.石块

大块、小块兼备,最大石块宜不大于 50kg,去掉非棱虚角石,小的石块应有 1kg,不要薄片石。

3.土捆枕

捆枕的土以黏性较大未经风化的大块淤土为好,并具有适当的水分。如用散淤土可用塑料袋或草袋装好以免被水冲失。

4.绳缆、捆枕腰绳

以 12 号铅丝为好,水下麻绳比蒲绳经济,龙筋绳比竹缆经济,底勾绳可用三股 12 号铅丝绳或竹绳,留绳可使用吊绳或棕麻绳。

(二)捆枕前的技术要求

(1)捆枕前位置要平整,在枕后面打桩,并在拉桩前面铺设垫装。

(2)垫装要直,以长 1.67m 的木桩为宜,桩间距和腰绳间距相同,梢头朝前不可削尖,两端用横枝做成 1/10 的斜坡,桩头和横木要捆扎结实,以免铺柳推枕时活动。

(3)柳石枕的体积:石柳体积比应为 1:1.6～1:2.5。外层柳根部向上游头一搭一搭地铺向下游头,里层柳的根梢方向与外层相反,次一搭夯压前一搭柳的长度一般应在 1/2 以上至 3/5,铺好后两端根部向外面各铺一搭,以加厚两头便于封口。石要排放成中间宽、上下窄、直径约 60cm 的圆柱体。排时要分层,大石块小头向里大头向外排紧,用小石填严空隙和缺口,一般留长 4～5cm 不排石,以便盘扎枕头。

(4)捆枕的质量要求:①用绞棍或其他方法绞紧,把腰绳捆扎结实,保证推滚入水不断腰、不漏石;②柳把长度最好和枕长一样,铺底柳把 5～6 个,用麻绳或小蒲绳把它挤紧成铺子形状,然后再在其上排石,盖柳把捆枕;③推抛柳枕之时,保证不扭折、不下败、沉放位置适宜,避免枕与枕交叉、裂肚、搁浅、悬空和坡度不顺等现象。

二、柳石搂厢

(一)柳石搂厢的技术控制要点

1. 石料

比重在 2.6 以上的石灰石、砂石、花岗石等都能使用。一般块石(形状不规则的乱石),每块重 15～75kg。

2. 土料

一般含黏土成分较多的两合土,水下最好用大块淤土、含黏土成分较多的两合土。

3. 桩

顶桩长 1.5m,直径 7～8cm,埽内的桩以顺直细长为好,不宜过粗。

4.绳

底勾绳用大麻绳或 12 号三股铅丝或竹缆,家伙绳与底勾绳相同。练子绳以 12 号、10 号单股铅丝为宜,核桃绳也可用。

(二)施工的控制要点

(1)先探明河水深浅和河床土质情况,以决定施工方法及铺底宽。

(2)根据水流自然形式,把坍塌不齐的岸坡铲削平整,使埽体紧贴堤岸不致悬空。

(3)在一般情况下应搭好搂厢支架,要预先安排好捆厢船,便于稳定施工地点。

(4)顶桩桩距为 1m,梅花形布局。

(5)铺设底勾绳要注意的事项:①底勾间距 1m 左右,不宜过大或过小;②用练子绳连 3~4 道,以固定底勾绳。

三、柳压石

铺柳压石有如下控制要点:

(1)铺底宽度。一般在 1.5m 左右,最宽不宜超过 2m。

(2)每坯铺柳虚厚应在 1m 以上,但最厚不超过 1.5m,柳枝应分层铺设、上下交错,压石内部斜抛 1~2 层柳,以增加牵拉力量。

(3)压石应前重后轻,即以前六后四或前七后三的比数排在前沿,石以能被包住为度,一般距铺柳边沿 2~3cm,不得后退过多。

(4)每坯压石重量,第一坯压石重应小于或等于石下铺柳重×(1－柳的比重);第二坯压石重应小于或约等于石下总的柳重×(1－柳的比重)减去第一坯压石重×(石的比重－1)。

(5)每坯埽的收分愈小愈好,一般不宜超过 1:0.3。

四、石笼及网护

(一)石笼的技术控制要点

(1)铅丝笼一般以 3 号铅丝作经条,用 12 号铅丝结成各种大小的长方形网片,网孔大小不宜大于 2cm²,装石容积 1~3m³。

(2)荆条笼。应采用坚韧而较长的条类,如红柳条、白蜡条。经条绳直径 10~15cm,长约 1.5m,纬条绳直径 6~9cm。梢部可拧结起来,编成直径 0.5~0.6m,长 2.5~5m 的圆筒型式,并在中部适当开口以便装石。

(3)石料以一般石块或小块石为准。

(4)石笼应自下而上层层上抛,尽量避免笼与笼接头不严的现象,由下游而上游抛完第一层再抛第二层,上下笼头互相间错、紧密压茬,笼抛完后应摸洞一次,将笼顶部分和笼接头不严处,用大石块抛填整齐。

(二)网护的技术控制要点

(1)铅丝网护,编成 34cm 或 46cm 的长方形网片,并用 12 号三股铅丝作底勾绳以加强联系。

(2)网护部位:应在低水面以下、根石冲揭走失较严重的处所。其护坝面的长度一般 3~4m,最多不宜超过 6m。

(3)摸清根石压坡面情况,必要时先抛一部分散石,铺平坡面,然后下网。

(4)网片最好单独使用,以免部分损坏影响整体。

(5)下网自下游头开始,网与网交压 3~5cm(裹头部分可做成下宽上窄的网片),个个相压护至上游头。

(6)网内抛石均衡,使坡面平顺无坠破网片现象,坡度最好和原有根石坡度相同。

(7)网片和底勾绳必须紧贴在石坡上,以免挂单兜流,遭受破坏。

五、石笼饺子厢

(一)石笼饺子厢的施工控制要点

(1)在坍塌段沿全线用自卸汽车抛打石笼若干(最好在船上离岸边几米处抛下)。

(2)沿坍塌位置,全线把用绳拴着的自锁装置的锚锚在石笼的铅丝网片上。

(3)将拴在锚上的绳分成两组,其中一组拉上岸固定在铁锚上,把该网片在垂直于水面的方向上拉上来,形成一个与坍塌段相对应的网片围墙。

(4)将自卸车上用铅丝网包着的柳石混合笼推入网片围墙内,直到柳石混合、露出水面,塌体稳定为止。

(5)将网片上水平方向的余绳作为束腰,绳搂回来固定在顶桩上,并在面上打一批硬家伙桩,最后将网片上余下的竖直方向的余绳从底到顶固定在腰桩上即可。

(二)石笼饺子厢的机械化施工的质量控制

(1)因目前已有较成熟的机械化编织各种网片的设备,石笼及网片围墙均可实现机械化编织,平时各防汛仓库中也备有各种网片。

(2)装石笼时,将现成的网片铺在自卸车里,用装载机直接装石料和柳料装填,然后人工把网片拧好。

(3)装着石笼的自卸车自如地将石笼束腰绳、底勾绳搂起即可。

(4)网片内的石笼抛移时,只需打一批硬家伙桩并将束腰绳、底勾绳搂起即可。

(三)石笼饺子厢的优点

因石笼饺子厢扩展抢险作业面,较大程度地实现了机械化,所以极大地提高了抢险速度,省出了中间的一些手工劳动环节,大大地提高了工作效率。由于石笼饺子厢先护的是堤岸的底部,使其免受淘底之害,从而提高了抢险效果。

第二节 土工织物软体沉排的质量控制

一、做排的技术要求

(1)一般用聚丙烯(聚乙烯)编织布缝成 2m×10m 的排体。

(2)在排体的下端横向缝制 0.4m 宽横袋。

(3)在排体中央及两边再缝制 0.4~0.6m 宽的竖袋,两竖袋间距一般为 4m 左右。

(4)每个竖袋两侧排体上分别缝结一条直径 1cm 的聚乙烯纵向拉筋绳,其下端从横袋底部兜过,纵向拉筋绳应预留一定长度,并与定桩连接。

(5)在排体上下两端,横向缝结一直径 1cm 的聚乙烯挂排绳。

(6)在排体上游侧应尽量另拴两根拉活绳,分别连接软体排底部的挂排绳鹰嘴上侧的拉筋绳。

(7)排体长度应大于所抢护段堤(岸)坡长度与淘刷深度之和,不足时可用两个排体相接。

二、软体排沉放的质量控制

(1)在需要沉护的堤岸段的岸边展开排体,先将土装入横袋内,装埋后封口。

(2)在上游侧岸边顶打一桩,将与软体排下端拉筋绳连接的拉活绳拴在顶桩上,并派专人控制其松紧。

(3)将排体放入水中,在软体排展开的同时向竖袋内装土,直到横袋沉至河底。

(4)软体排上游侧竖袋充填土(砂)必须密实,必要时可充填碎石。

(5)软体排沉放过程中要随时探测,如发现排脚下仍有冲刷坍塌,应继续向竖袋内加土,并放松拉筋绳,使排体紧贴岸边整体下滑,贴覆整个坍塌面。

(6)两软体排搭接时,上游侧排体应搭接在下游侧排体上,搭接宽度不小于 50cm,并将搭接处压实。

第三节 浆丁扣坦石工程的质量控制

浆丁扣坦石砌筑工程按一段堤(护岸、垛)的面石和填腹石分别作为一个单元工程。

一、浆丁扣坦石砌筑面石和填腹石

除了满足于干扣面石工程和填腹石工程标准要求外,尚应遵守以下原则和要求:

(1)工程砌筑采用坐浆法施工。

(2)砂浆的配比,一定要经过试验,要满足设计要求。

(3)砂浆拌和应按配比要求使用机械设备拌和,砂浆随用随拌,不能停置过久,如砂浆达到初凝时则不能使用。每个部位均应取样做 R28 抗压试验。

(4)面石勾缝。所用水泥砂浆应采用较小的水灰比,勾缝前要先剔缝,缝深 20~30mm,用清水洗净,不得有泥土、灰尘等杂物,缝内砂浆分次填充压实,直到与堤面平齐,然后抹光、勾齐,洒水养护不少于 3 天。

二、浆丁扣坦石工程质量检测内容和标准

(1)浆丁扣坦石检测项目同干丁扣坦石检测项目(见本章《堤防土方工程初步验收》一节)。

(2)浆丁扣填腹石检测项目同干丁扣坦石检测项目(见本章《堤防土方工程初步验收》一节)。

(3)浆砌石勾缝检查项目要符合表6-1规定。

表 6-1　浆砌石勾缝标准

项目	检查项目	质量标准
1	原材料与砂浆配合比	符合规范标准
2	砂浆抗压强度	符合规范标准
3	勾缝	无裂缝、脱皮现象
4	浆砌	空隙不得用砂浆填塞,要用小石填塞

三、浆丁扣面石单元工程质量检测数量

(1)浆丁扣面石单元工程质量检测的位置与数量:沿堤轴线每10m 不少于 1 个点次,堤前头、堤上、下跨角、堤起止处应分期设一检查点次,其他检测项目每 $2m^2$ 作为一个单元,测点不少于 3 个。

(2)浆填腹石单元质量检查数量及位置:沿堤轴线每 10m 为一个单元,每一项检查 3~5 个点次。

(3)砂浆质量检查:每 $100m^3$ 砂浆取一组,进行 R28 抗压强度试验。

四、质量评定标准

检测项目合格率不小于 70% 的评为合格。检查项目达到标准且合格率为 90% 的评为优良。

第四节 砌石筑堤(墙)监理控制

一、砌筑技术控制

(1)砌筑前应在砌体外,将石料上的泥垢冲洗干净,砌筑时保持砌石表面湿润和清洁。

(2)砌筑时应采用坐浆法分层砌筑。铺浆厚宜为 3~5cm,随铺浆随砌石,砌缝需用砂浆填饱满,不得无浆直接贴靠,砌缝内砂浆应采用扁铁捣实,严禁先堆砌石再用砂浆灌缝。

(3)上下层砌石应错缝砌筑,砌体外露面应平整美观,外观(露)面上的砌缝应预留约 2cm 深的空隙,以备勾缝处理,水平缝宽应不大于 2.5cm,竖缝宽应不大于 2cm。

(4)勾缝前必须清缝。用水冲净并保持缝槽内湿润,砂浆应分次向缝内填塞压实,勾缝砂浆标号应高于砌体,砂浆应按实有砌缝勾平缝,严禁勾假缝、凸缝,砌筑完毕后,应保持砌体表面湿润,做好养护。

(5)砂浆配合比、工作性能等应按设计标准通过试验确定,施工中应随时取样检测。

二、浆砌石单元工程质量检测及评定标准

(1)浆砌石单元工程质量检查内容和标准应符合表 6-2 规定。

表 6-2 浆砌石勾缝工程质量检查项目与标准

项次	检测项目	质量标准
1	原材料	符合规程标准
2	砂浆配合比	符合设计要求
3	勾缝	无裂缝、脱皮现象
4	砌筑	空隙用小石填塞,不得用砂浆填充

(2)浆砌石单元工程质量检测项目应符合表6-3的要求。

表6-3　浆砌石单元工程质量检测项目质量标准

项次	检测项目	质量标准
1	砌石厚度	允许偏差为设计厚度的±10%
2	坡面平整度	用2m靠尺测量,凹凸不超过5cm
3	沿堤轴线方向每10～20m	应不少于一个点次

(3)每单元工程砂浆取成型试样数目为1～2组,进行砂浆抗压强度试验。

(4)浆砌石单元工程的质量评定标准应符合以下规定:

①合格标准。质量检查项目达到标准且水泥砂浆的R28抗压强度不小于设计强度的80%。

②优良标准。质量检查项目达到标准且水泥砂浆的R28抗压强度不小于设计强度的90%。

第五节　防护工程质量控制要点

一、重点控制检查的内容

(1)检查防护工程使用的材料品种、规格、性能是否符合设计要求。

(2)抽检施工所用布袋、柴枕(柳捆)、石笼、土工织物、软体沉排等物料的尺寸、重量、结构等是否与设计要求相符等。

(3)完工后,检查水上、水下抛护体的范围、高程、厚度以及不同类型防护工程的施工质量,是否与设计要求相符。

(4)检查草皮护坡和防浪林的草、树品种及铺种质量是否与设计要求相符。

二、一般规定

(1)护坡护岸、砌石护岸、抛石、堆石体所用石料及加工分筛清洗好的反滤料、垫层料,到工地后应进行质量检测,应分工筛选,合格料分规格堆放在干净场地上,严防泥土杂物混入,并标明使用部位、规格数量、检验结果等,反滤及垫层料转运中应防止料粒离析。

(2)铺设护坡垫层、反滤料及防渗铺盖等,均应在基面上或前一填筑层施工完毕并经检验合格后方可进行。

(3)与反滤料、排(泄)水管等接触的地基,宜用挖除法修整,如必须回填则须用同样地基土料,并压实到高于自然状态,也可用第一层反滤料回填。各种削坡挖沟,必须有足够的稳定边坡,弃土堆放在指定地点。

三、各单项防护工程的质量控制

(一)干砌石护坡质量控制

(1)脚槽开挖一定要按设计要求进行,槽的尺寸与高程(底高、顶高)均应符合要求。

(2)石块要用锤加工打击口面,不得使用有裂纹的石块及风化石,形状要大致整齐。块石以 30～50kg 为宜,不得夹杂泥土污物。

(3)在砌筑时,不得破坏垫层或反滤设施,并自下而上错缝竖砌,大面朝下,排紧密实,大块封边,表面平整,小石嵌缝。严禁出现通缝叠砌浮塞、小石集中充填、架空等现象。

(4)干砌石护坡单元工程质量检查标准如表 6-4 所示。

(5)干砌石护坡单元工程质量检测的数量要求,厚度及平整度沿堤轴线方向每 10～20m 应不少于 1 个点次。

(6)干砌石护坡单元工程质量评定标准:检查项目达到标准,检测项目合格率不少于 70% 为合格;检查项目达到标准,检测项目合格率不少于 90% 为优良。

表 6-4　干砌石护坡单元工程质量检查标准

项次	检查项目	质量标准
1	面石用料	大小均匀,质地坚硬,不得使用风化石料,单块重25kg,最小边长不小于20cm
2	腹石砌筑	排紧填严,无淤泥杂质
3	面石砌筑	禁止使用小石块,不得出现通缝、浮石、空洞
4	缝宽	无宽度在1.5cm以上、长度在0.5m以上的连续缝。
5	砌石厚度	允许偏差为设计厚度的±10%
6	坡面平整度	用2m靠尺测量,凹凸不超过5cm

(二)浆砌石护坡质量控制

1.浆砌石护坡质量控制

浆砌石护坡除应符合干砌石工程的施工质量要求外还应符合以下要求:

(1)砌筑采用坐浆法施工,每层铺砂浆的厚度,料石宜为2～3cm,块石宜为3～5cm,块石缝宽超过5cm时应填塞小片石并坐浆饱满。

(2)砂浆原材料配合比强度应符合设计要求,砂浆应随拌随用。

(3)浆砌勾缝要求:浆砌料石、块石、卵石和石板宜在砌筑砂浆初凝前勾缝,勾缝前要先剔缝,缝深2～4cm,用清水洗净,洒水养护不少于3天,勾缝应自上而下,用砂浆充填压实并抹光。浆砌料石、块石宜勾平缝,浆砌卵石宜勾凹缝,缝面宜低于砌石面1～3mm。

(4)浆砌石单元工程质量检查内容和标准除符合干砌石的标

准外,浆砌石勾缝检查还应符合表6-2规定。

2. 浆砌石单元工程质量检测

浆砌石单元工程质量检测数量要符合规范规程规定,每单元工程砂浆取样为1~2组,进行R28抗压强度试验。

3. 单元工程质量评定标准

(1)合格标准:质量检查项目达到标准且水泥砂浆的R28抗压强度不小于设计强度的80%。

(2)优良标准:质量检查项目达到标准且水泥砂浆的R28抗压强度不小于设计强度的90%。

(三)混凝土预制块护坡控制质量细则

(1)混凝土预制块护坡的技术控制要求:

①混凝土预制块强度应符合设计要求。

②混凝土预制块铺砌应平整稳定,缝隙应紧密,缝线应规则。

(2)混凝土预制块护坡质量控制的单元工程检查项目与标准如下:

①预制块外观:尺寸准确,整齐统一,表面清洁、平整,强度合格。

②预制块铺砌:平整稳定,缝线规则紧密。

③坡面平整度:2m靠尺检测凹凸不超过5cm。

(3)混凝土预制块护坡单元工程检测数量:坡面平整度质量检测,沿堤线每10~20m应不少于一个点次。

(4)混凝土预制块护坡单元工程质量评定标准。

合格标准:检查项目达到标准,坡面平整度合格率不少于70%。

优良标准:检查项目达到标准,坡面平整度合格率不少于90%。

四、堤脚防护的质量控制要点

(1)抛沉排枕护脚:石料不宜过大,不得使用薄片。柳枝要整理铺设均匀,前后要搭接过半,排时要分层排实,捆扎要紧牢,抛枕时要定位准确(考虑位移),上游枕首应先入水,由上游而下游逐个搭接,由远而近逐个贴岸,防止漏脱、交叉吊裆,抛足后及时抛枕石。

(2)堤脚防护的技术要求:

①各种防冲体的形式、结构质量、强度符合设计要求;

② 抛投防冲体过程中应采取措施保护堤防护坡;

③抛投防冲体应按设计程序进行不同防冲体抛投,位置、数量应符合设计要求。

(3)堤脚防护单元工程检查项目与标准:

①抗冲体质量、强度、抛投速度、抛投位置、数量均符合设计要求。

②各种抗冲体体积允许偏差为 0~±10%。

③护脚坡面相应位置高程允许偏差为 ±0.3m。

(4)堤脚防护单元工程检测方法与数量:应沿堤轴线方向每20~50m 测量一横断面,测点的平均间距宜为 5~10m,并宜与设计横断面套绘,以检查护脚坡面相应位置的高程差,丁坝应检测纵断面裹头部分的横断面不少于 2 个。

(5)堤脚防护单元工程检测项目与标准。

合格标准:检查项目达到标准,坡面平整度合格率不少于70%。

优良标准:检查项目达到标准,坡面平整度合格率不少于90%。

第六节　耐特龙石枕的质量控制要求

一、耐特龙材料、规格的质量控制要求

(1)材料。所用材料应具有强度高、抗腐蚀、易扭曲的特点,其抗拉强度符合规范要求,即 $4.82\sim5.17kN/m$;伸缩率符合规范的要求,其扭曲特性强。

(2)规格。其规格要符合规范要求,即平网规格为 $2.5m\times30m(550g/m^2)$,网空大小为 $60mm\times60mm$,网厚 $5.9mm$。树脂种类为高密度聚乙烯(黑色)。

二、耐特龙石枕施工质量的控制

(1)耐特龙石枕外形尺寸及护底尺寸要求。外形尺寸:直径 $0.75m$,长 $5m$。护底尺寸:宽 $1.5m$,高 $1.5m$,直径 $0.75m$。单枕长 $5m$,按 $1:1.5$ 坡度,分上下两层并列排放,底部高程按设计要求。

(2)耐特龙石枕现场制作要求。将网片截成 $2.5m\times5m$ 并卷成直径 $0.75m$ 的圆柱,两端用 $0.84m\times0.84m$ 网片经尼龙绳缝合后封堵,做成敞开(纵缝)柱状半成品备用。

(3)施工时的质量控制。用时将半成品石枕放于设计开挖位置后,人工填石排整后用尼龙绳接缝即成石枕。根据实践经验,为使内外、上下枕免出直缝、通天缝,增加 $2.5m\times7.5m$ 类型石枕,有利于耐特龙石枕的最佳结合,起到更好的固基效果。

第七节　护坡护岸工程质量控制要点

一、一般的规定

(1)护坡护岸砌石、护岸抛石、堆石体所用石料以及加工分筛清洗好的反滤料、垫层料,到工地后均应进行质量检验,合格料应分规格堆放在干净场地上,严防泥土杂物混入,并标明使用部位、规格、数量、检验结果等。反滤及垫层料转运中应防止料粒离析。

(2)铺设护坡垫层、反滤料及防渗铺盖等,均应在基面上或前一填筑层施工完毕后并经检验合格方可进行。

(3)与反滤料、排(泄)水管等接触的地基,宜用挖除法修整。如必须回填,须用同样地基土料,并压实到高于自然状态,也可用第一层反滤料回填。各种削坡挖沟,必须有足够的稳定边坡,弃土堆放指定地点。

二、护坡护岸工程质量控制

(1)脚槽开挖及砌石应及时掌握水情,在最枯水位时,突击完成,石块宜稍大,并不得提高槽顶与槽底的高程。

(2)护坡护岸砌石宜待堤防沉陷稳定后进行,施工时应符合下列要求:

①砌筑前,应复测样桩高程及其位置有无变动,并应做到认真挂线。

②护坡石块的形状要大致整齐,峰边尖角应敲去,块重30~50kg为宜,不得夹带污物。

③砌筑时,不得破坏垫层或反滤设施,并应自下而上,错缝竖砌,大面朝下,紧靠密实,大块封边,表面平整,小石嵌缝应在工段完成后或远于工作面5m处进行,严禁出现通缝叠砌、浮塞、小石

集中充填、半坡起砌、架空等现象。

④如用砂浆勾缝,须留出排水孔。勾缝砂浆应按配合比要求拌制,已初凝砂浆不得使用。砂料宜用细砂,水泥宜用普通硅酸盐水泥。清缝深度不得小于2cm,砂浆应分次填充压实并养护7天。

⑤应按设计要求做好截流沟、排水沟、滩唇便道等细部工程。

(3)现浇混凝土堤岸护面所用滑模浇筑:预制混凝土板护坡护岸施工,均应按照有关标准执行。有防渗要求的护面应做好接缝防水。

(4)护坡砌石应根据设计断面尺度和分期实施程序组织施工,并宜在枯水期进行,施工时要符合下列要求:

①抛护前,应复测抛护断面,如出入较大,可提请设计部门修正,并应得到监理工程师批准。一般可采用方格定位法抛护,工段按10m左右间距分块(1:500施工图)列表计算方量,作为制定施工方案和抛投控制依据。

②抛护时,应加强现场指挥,逐船检查验收,按实验收方量,船只要准确测控定位,计入抛石位移。抛投应按由上游而下游、由远而近、先点后线、先深后浅的顺序渐进,分层抛匀,不得零抛散堆。施工过程中应按时测量施工河段水位、流速,检验抛石位移,随抛随测,抛石高程不符合要求者应及时补足。

③石块尺寸,应考虑近岸流速小,所以块重不宜小于30kg(小径不宜小于20cm)。抛投时要大小均匀搭配,面层要用大块石,不宜用片石。

④石场应设质检小组监控石料质量和块石粒径。

⑤水上抛石应由下而上随抛随排,逐层排整紧密,坡面无浮石。

(5)抛沉排枕护脚:石料不宜过大,不得使用薄片。柳枝要整理铺设均匀,前后要搭接过半,排时要分层排实,捆扎要紧牢,抛枕时要定位准确(考虑位移),上游枕应首先入水,由上游而下游逐个搭接,由远而近逐个贴岸,防止漏脱、交叉吊裆,抛足后及时抛枕石。

(6)堤顶 0.5～1.0m 厚的填筑层宜用中重壤土料,堤顶有路面和防浪墙时,为避免堤防的不均匀沉陷,可在堤身填成后 1～2 年再施工。

(7)反滤排水防渗的质量控制方法。

反滤层和垫层的结构层数、铺筑顺序、铺筑位置和厚度,应按设计要求严格控制,施工应符合下列要求:①铺筑前,应有足够的备料,每 10m 至少设样桩一排;②铺筑应自底部向上逐级铺填,不得从高处顺坡向下侧倒,分段铺筑时,各层工作面之间应留出足够距离,使之呈阶梯状,不得发生层间错位截断,砂石料应适当洒水,层面抽打平实;③已铺工段不准人车通行,防止污染和损坏;④雪天应停止铺筑,雪后复工应防止冰冻土、积雪混入料内。

(8)作为反滤层、垫层、排水孔等所用的土工织物应符合下列技术要求:①土工织物的孔径特征、物理力学性能应经质检合格,如有扯裂、穿洞、侵蚀等情况,均不得使用;②土工织物铺设前,必须将基面清理整平,不得有局部凹凸;③土工织物的连接与防滑措施,应按设计要求进行施工,位于上游的织物,应搭接在下游的织物上,上面铺砂的织物不宜用搭接法连接,织物长边宜顺河铺设,铺设中应避免发生张拉受力、折叠、褶皱等情况;④织物表面不得长期裸露曝晒,应尽快铺设保护层。

(9)防渗铺盖应在截水槽回填后铺筑。其基础处理铺筑,要求接缝应按设计及规范要求处理。铺盖宜与堤身防渗部分同时铺筑,并尽量减少接缝。填筑完后,应及时铺设保护层,并加强保护。铺盖开洞必须经监理工程师及项目法人批准,并在事后作妥善处理,凡确定天然铺盖的区域,应严禁取土,并妥为保护。

(10)减压井的位置、井深、井距、结构尺寸及所用材料均应符合设计要求。钻井时,宜用清水固壁,并随时取土样进行地质鉴定,绘制柱状图。钻孔结束经验证合格后,方可安装井管。缝壁、管底回填滤料及抽水洗井等工序,应按有关标准执行。整个建井过程中要做好井口保护,每井应建立技术档案,加强质量控制。

第八节　铰链式模袋混凝土沉排的质量控制

一、一般的技术要求

模袋材料:　要求有足够的强度,二要求有一定渗透系数,三要求孔径不能过大。基本要求:单层重量 340g/m², 单层厚度 0.55mm,顶坡强度 1 618.7N,有效孔径 0.088mm,渗透系数 0.86×10^{-3}。

二、铰链式模袋混凝土沉排的工程结构

单个块体平面尺寸,纵、横分别为 50cm 和 100cm,厚 25cm,模袋内预埋两根或两组直径不同的锦纶绳,纵向两根、10mm,横向 1 根、8mm。将块体连接成为整体,每单元块体间隔 10cm,块体间留有灌注混凝土的通道,通道直径为 10cm,混凝土灌注成型后即为铰链式模袋混凝土沉排。

三、基本要求

(1)铰链绳的选定:选用目前国内较好的锦纶绳纵横向铰链,每个块体沿水流方向布设一根断裂强度为 10.71kN 的 8mm 的锦纶绳。

(2)混凝土配合比:应根据设计要求,通过有资质的试验单位进行试验确定,一般水灰比采用 0.66,坍落度为 26±1cm,为一级配。抗压强度的标号为 200 号,水泥采用普通硅酸盐水泥(425 号或 325 号),水泥、砂、石子比例为 1:2.2:1.9,每立方米混凝土水

泥用量为378kg。为了提高混凝土的和易性与抗冻性,有利于泵送和在模袋内流畅扩散,应加适量的加气剂和减水剂,但必须经过试验后确定。

四、铰链式模袋混凝土沉排的施工质量控制要点

(1)场地平整的技术要求:水中施工时,对地形起伏过大且河床接近设计枯水位的河床需要进行平整,如出现断流,在对河床按沉排设计铺设的条件下,适当降低平整度(不平度应为±20cm),以增加反滤布与排体的摩擦系数,但一般情况下沉排可直接铺在河床上。

(2)反滤布铺设注意事项:①水中铺设反滤布,在水深较大的部位应用船定位,在铺设反滤布的上下游位置、垂直水流方向放置两只船,把反滤布折叠好后放于下游船的迎水一侧,边缘配重,将配重一边沉入水中,然后在上游船的控制下缓缓向下游移动,在水流和自重的作用下使反滤布均匀沉入河床;②水深小于1.5m的部位可在水中直接铺设。

(3)模袋布铺设原则:①模袋布的水下铺设较为复杂,既要考虑模袋定位准确,还要考虑模袋的充填过程中纵向和横向的收缩;②模袋布铺设一定要注意充填质量,铺放要展开,同下一块模袋的搭接一定要按设计要求;③为了使铺设的模袋布在整个充填过程中保持平整,需要在岸边布设定位桩5个,上面各挂一个水葫芦。当水深较小时,可在水中直接铺设,水深较大时模袋布后端穿钢管,拉到岸边靠近护岸一侧上游(留足锚固部分机收缩量),固定在葫芦上,每个模袋灌注口处设浮标一个,模袋前端配重,沉入水中,模袋铺设从下游向上游,充填完一块铺设一块。

(4)模袋充填的技术要求。①用泵送泵输送水泥砂浆或细骨料混凝土充入铺设好的模袋中,模袋充填方法采用从下往上充填的方式,水深大于1.5m的部位,采用流动度较好的砂浆充填。因

模袋块体之间的通道较细,碎石容易在此被堵塞,从而影响下一块充填。为此每个通道处要有专人负责踩压,以使混凝土顺利通过通道。插入灌注口的喷管左右移动,使模袋充灌均匀,质量饱满。充填时还需要调整模袋压力,以免胀破模袋。②每充完一排灌注孔后,由于模袋布纵向收缩,张拉大,这时需适当放松顶部控制布的手拉葫芦。③每天施工完后,对已完工的岸上模袋护坡应浇水养护,泵车停泵后必须用水将管道、泵车冲洗干净。

(5)铰链式模袋混凝土沉排的锚固要求:为了增加排体安全,在铰链及模袋上端增加锚固措施,即在开挖的锚钩内布设铆钉,并用混凝土浇筑锚钩,以增加抗滑力。

第九节　混凝土灌注桩护岸质量控制

混凝土灌注桩形成过程中,可根据地质条件选择回转、冲击、冲抓或潜水等钻机,各种钻机的使用范围要符合设计要求。

一、护筒的埋设

(1)用回转钻机时,护筒内径宜大于钻头直径 20cm,用冲击、冲抓钻机时宜大于 30cm。

(2)护筒埋置应稳定,其中心线与桩位中心的允许偏差不应大于 50mm。

(3)护筒顶端应高出地面 30cm 以上,当有承压水时,应高出承压水位 1.5～2.0m。

(4)护筒的埋设深度要求:在黏性土壤中不宜小于 1.0m,在软土或砂土中不宜小于 2.0m,护筒四周应分层回填黏性土,对称夯实。

二、泥浆护壁和排渣

(1)在黏性土和壤土中成孔时,可注入清水,以原土造浆护壁,排渣泥浆的比重控制在 1.1~1.2。

(2)在砂土和夹砂土层中成孔时,孔中泥浆比重应控制在1.3,在砂卵石或易塌孔的土层中成孔时,孔中泥浆比重应控制在 1.3~1.5。

(3)泥浆宜选用塑性指数 $I_p \geqslant 17$ 的黏土调制,泥浆黏度控制指标在 18~22s,含沙率不大于 4%~8%,胶体率不小于 90%。

(4)在施工中应经常在孔内取样测定泥浆的比重并做好记录。

(5)钻机安置应平稳,不得产生沉陷或位移,钻进时应注意土层变化情况。

三、终孔检查

(1)孔壁土质较好且不易塌孔时,可用空气吸泥机清孔。

(2)用原土造浆的孔,清孔后泥浆比重应控制在 1.1 左右。

(3)孔壁土质较差时宜用泥浆循环清孔,清孔后的泥浆比重应控制在 1.15~1.25,泥浆含沙率控制在 8% 以内。

(4)清孔过程中,必须保持浆面稳定。

(5)清孔标准,摩擦桩的沉渣厚度应小于 30cm,端承桩的沉渣厚度应小于 10cm,其质量标准应符合:①孔的中心位置偏差,单排桩不大于 100mm,群桩不大于 150mm;②孔径偏差为 + 100~ - 50mm;③孔斜率≤1%;④孔深不得小于设计孔深。

(6)钢筋骨架的焊接。其固定以及保护层的控制,应按下列规定:

①分段制作钢筋骨架时,应对各段进行预拼接,做好标志,放入孔中后侧,钢筋对称施焊,以保持其垂度。

②钢筋骨架的顶端必须固定,以保持其位置稳定,避免上浮。

③控制钢筋混凝土保护层的环形垫块宜分层穿在加强箍筋上,加强箍筋与主筋焊接。

(7)灌注水下混凝土的导管应符合下列要求:①每节导管长为 2m,最下端一节为 4m,导管底口不设法兰盘并配有部分调节用的短管;②导管应做压水试验,并编号排列,且写出试验报告,经监理工程师批准;③拼装前应检查导管是否有缺损或污垢,拼接时,应编号,连接紧密;④每拆一节应立即将其内外壁清洗干净;⑤隔水栓宜用预制混凝土球塞。

(8)配制水下混凝土应符合:①水泥标号不应低于 425 号,水泥性能除应符合现行标准要求外,其初凝时间不宜早于 2.5 小时;②粗骨料最大粒径应不大于导管内径的 1/6 和钢筋最小间距的 1/3,并不大于 40mm;③砂率一般为 40%~50%,应掺入外加剂,水灰比不宜大于 0.6;④坍落度和扩散度分别以 18~22cm 和 34~38cm 为宜,水泥用量一般不宜少于 350kg/m³。

(9)灌注水下混凝土应符合:①导管下口至孔底间距宜为 30~50cm;②初灌混凝土时宜先灌少量水泥浆,导管和储料斗的混凝土储料量应使导管埋入深度不小于 1.0m;③灌注应连续进行,导管埋入深度应不小于 2.0m,但不大于 5.0m,混凝土进入钢筋骨架下端时,导管宜深埋并放慢灌注速度;④终灌时,混凝土的最小灌注高度应能使泥浆顺利流出,以保证桩的上端质量;⑤桩顶灌注高度应比设计高程高 50~80cm。⑥随时测定坍落度,每根桩留取试块不得少于一组。当配合比有变化时均应留试块检验。

(10)桩的质量可用无损检验法进行初验,必要时可对桩体钻芯取样检验。

第十节　土工合成材料施工质量监理

一、土工合成材料的划分

(1)土工织物。分机织、编织和针织三种。

(2)土工膜。

(3)土工复合材料。分复合土工膜、复合土工织物、化学粘织物三种;按其用途又可分为:复合排水材料、排水带、排水管、排水防水材料等。

(4)土工特种材料。土工格栅、土工带、土工格室、土工网、土工模袋、土工网垫、土工线织物膨润土垫(GCL)、聚苯乙烯板块(EPS)等。

二、施工前需控制的指标资料

(1)所有材料应具有国家或部门认可的测试单位的测试报告,材料进场后应进行抽检,抽检项目如下:①物理性能:单位面积质量、厚度(及其与法向压力的关系)、材料的比重、孔径等;②力学性能:条带拉伸、拉伸撕裂、顶破、刺破、直剪摩擦、蠕变等;③水力学性能:垂直渗透系数、平面渗透系数、淤墙防水性等;④耐久性能:抗紫外线能力、化学性质稳定性和生物稳定性等均符合规范和设计要求。

(2)材料应有标志牌、商标、产品名称、代号、等次、规格、厂名、生产日期、毛重、净重等。

(3)材料运料过程中应有封盖,现场存放时应通风干燥,不得日光照射并远离火源。

三、施工过程中的质量控制

(1)土工编织布分层铺设,加固土体的质量控制。采用土工编织布分层铺设措施,以加固土体的抗剪强度,降低土体的渗透变形,坡面土层的多余水分通过土工布滤除排走,而土颗粒被土工布包裹免于流失。为防止土工布包裹的坡面土体整体下滑,应采取加长土工布长度的措施,即由局部的土工布与土体间所产生的摩阻力来克服前部土体的下滑,保持坡面稳定。

(2)采用土工布袋砌筑,结合聚丙烯土工带拉固锚定的技术要点,即采用拉锚结构防止滑坡措施。

(3)土工布砂袋砌筑,结合聚丙烯土工带拉锚固定措施:要求砂袋在坡面形成贴坡式排水,降低土壤含水量,减少边坡土体的流失作用。

(4)用土工布砂袋砌筑的,砂袋浅层砌筑措施的技术要求:将砂袋体插入边坡内的长度视施工实际情况决定,其机理是使堤坡土壤能够排除土体内多余水分和阻止地下水大量向坡面聚集,防止坡面发生滑坡。

(5)土工织物反滤措施的技术要求:采用铺设土工织物滤层,利用土工织物保土和过滤的特性,排除土体中多余的水分,使堤防边坡保持稳定。

(6)在堤坡脚埋设土工布砂袋镇脚,主要起稳定坡脚的作用,同时又构成了一条排水暗沟,坝坡面排出的水输送到下游沟中,此种结构形式可防止坡脚的不均匀沉陷。

四、检查验收的方法与程序

(一)方法

(1)根据设计要求检查土工编织袋及其锚拉长度是否满足要求,即编织袋装土(或砂)后,其长、宽、高及堤边坡系数是否符合要求,对锚拉长度进行复核,看是否合格。

(2)对坡面拉带长度与塑料编织袋选用情况:每根拉带的强度、伸长率是否符合规定,编织袋的型号,袋装重量是否符合设计及规范要求。

(3)检查土工布合成铺设层间距离、土工布坡面包裹砂(土)的尺寸是否符合设计要求。

(二)工序

(1)主要内容包括清基、材料、铺设方向和材料的接绳或搭接、材料结构尺寸、结构的连接、回填料压重和防护层等。

(2)施工时应有专人抽检,每完成一道工序应按设计要求及时验收合格后,方可进行下道工序的施工,并检查埋设的观测设备是否完好。

(三)土工织物反滤及排水工程质量验收标准

对反滤材料的检测。反滤材料必须具有的功能:①保土性:防止被保护的土粒随水流流失;②透水性:保证渗流水排泄畅通;③防堵性:防止材料被细土粒堵塞失效。

(四)施工技术控制标准

(1)施工工序的检查。①土表面为粗料时,应先铺薄砂砾层再铺土工织物,土工织物顶面应设防护层;②坡顶部与底部的土工织物应锚固,水下坡脚处土工织物应采取防冲措施。

(2)施工过程中的技术检测。场地平整,织物备料铺设回填和表面养护要达到设计要求,即平整碾压场地应清除地面一切可能损伤土工织物的大、尖、冷、硬物。填充凹坑、平整土面或修好坡面。备料按工程设计要求裁剪拼幅,应避免织物被损伤,保持其不受脏物污染。

(3)铺设应符合以下要求:①力求平顺,松紧适度,织物应与土面密贴,不留空隙;②发现织物有损,应立即修补和更换;③相邻织物块拼接可用搭接或缝接,一般可用搭接。平地搭接宽度可取30cm,不平地区或极软土地区应不小于50cm,水下铺设应适当加宽;④预计织物在工作期间可能发生较大位移而使织物拉开时,应采用缝接,接缝形式符合设计要求,也可采用平接、对接、十字形接、蝶形接四种方法;⑤有往复水流时,宜在织物下铺厚5~10cm砂层,此时不宜用搭接,以免砂进入夹缝,使织物分离,有动力荷载作用时亦应先铺砂层;⑥流水中铺设时,搭接处上游织物块应盖在下游织物块之上;⑦坡面铺设一般自下而上进行,坡顶坡脚应以锚固沟或其他可靠方法固定,防止其滑动;⑧铺设人员穿软底鞋,以免损伤织物,织物铺好后应避免受日光直接照射,随铺随填或采取保护措施;⑨坡结构物的连接处不得留空隙,结合良好。

(4)回填应符合以下要求:①回填料不得含有损于织物的物质;②回填时不得破坏土工织物,土工织物上至少有厚 30cm 的松土层方允许压实,不得使用重型机械或振动碾压实;③回填料的压实度应符合设计要求。

(5)反滤料的准则。对于编织型土工织物,保土性准则可以采用下列规定:①黏粒含量大于 10% 的黏壤土,在覆盖保护层块大(0.4m×0.6m)、缝隙小(如预制件)的条件下,可采用 $Q_{90} \leqslant 10d_{90}$;②黏粒含量小于 10% 的砂性土,在覆盖保护层块大(0.4m×0.6m)、缝隙小(如预制块)的条件下,可采用 $Q_{90} \leqslant (2 \sim 5)d_{90}$(浪高小于 0.6m 时取最大值,否则取小值)。$Q_{90}$ 表示编织土工织物的等效孔径。

(6)施工控制要点:①有往复流时,织物后的土料不易形成天然滤层,需要铺厚砂层予以改善;②土工织物是聚合材料,紫外线直接照射才会引起降解等破坏作用,故应尽早覆盖保护。

第十一节　水泥土防渗质量控制

一、水泥土配合比

水泥土配合比应通过试验确定,并应符合下列要求:

(1)温和地区水泥土的抗冻标号不宜低于 D_{12},允许最小抗压强度与允许最小干密度应满足表 6-5,表 6-6 的要求,水泥土用量宜为 8%～12%。

(2)塑性水泥土的含水率应按设计要求经过试验确定。当土料为微含细粒土块和页岩风化料时,水泥土的含水率宜为 20%～30%,当为细粒土时,水泥土的含水率宜为 25%～35%。

(3)水泥土防渗层厚度宜采用 8～10cm,水泥土预制板的尺寸应根据预制板抗压实功能、运输条件和堤防断面尺寸等因素按设计要求确定,每块预制板的重量不宜超过 50kg。

表 6-5　水泥土允许最小抗压强度

水泥土种类	运行条件	R28 抗压强度(MPa)
干硬性水泥土	常年过水	2.5
塑性水泥土	季节性输水	4.5

表 6-6　水泥土允许最小干密度

水泥土种类	最小干密度(g/cm³)			
	含砾土	砂土	壤土	风化页岩渣
干硬性水泥土	1.9	1.8	1.7	1.8
塑性水泥土	1.7	1.5	1.4	1.5

(4)耐久性要求高的堤防水泥土防渗层,宜用塑性水泥土铺筑。表面用水泥砂浆、混凝土预制板、石板等材料做保护层。水泥土水泥用量可适当减少,但水泥土 28 天的抗压强度不应低于 1.5MPa。

(5)水泥土的渗透系数不应大于 1×10^{-6} cm/s。

(6)干硬性水泥土含水率应按下列方法确定:土料为细粒土时,水泥土的含水率宜为 12%～16%。

二、施工前的质量控制

(1)就近选定符合设计要求的取土场。

(2)根据施工进度要求,选定土料的风干、粉碎、筛分、储料等场地。

(3)将施工材料分批运到现场,水泥应采取防潮防雨措施。

(4)根据施工方式、工艺,准备好运输、粉碎、筛分、供水、称量、搅拌、夯实、排水、铺筑、养护等设备和模具。

(5)土料应风干、粉碎并过孔径5mm的筛。

三、施工过程中质量控制

(1)水泥土防渗层现场铺筑应按下列步骤进行：

①进行水泥土拌料与铺设或装模成型,时间不得大于60分钟。

②铺筑塑性水泥土前,应先洒水湿润堤基,安设伸缩缝、模板,然后按先堤坡后堤底的顺序铺筑,水泥土料应摊铺均匀,浇捣拍实,初步抹平后,宜在光面撒一层厚度1～2mm的水泥,随即揉压抹光。铺筑时应连续铺筑,每次拌和料从加水至铺筑,宜在1.5小时内完成。

③铺筑干硬性水泥土,应先立模,其保护层应在水泥土初凝前铺完。后分层铺料夯实,每层铺料厚为10～15cm,层面间应刨毛、洒水。

④铺筑保护层。塑性水泥土其保护层应在塑性水泥土初凝前完成。

(2)水泥土预制板的生产和铺砌,应按下列步骤进行：① 按规范要求进行拌制混凝土;②将水泥土料装入模具中,压实成型后拆模,放在阴凉处静置24小时后,洒水养护;③将堤基修正后,按设计要求铺砌预制板,板间应用砂浆挤压、填平并及时勾缝与养护。

第十二节　堤防土方工程初步验收

一、一般的要求

(1)审查监理单位、设计单位、施工单位的工作报告,质量监督项目站向建设单位提供单项工程质量报告。

(2)检查监理单位、施工单位的内业资料,重点检查单元工程、分部工程及隐蔽工程验收签证,对施工中发生的质量缺陷或质量事故处理情况。

(3)检查工程质量,项目法人应委托水利工程质量检测单位对工程质量进行一次抽检。

(4)对工程质量作出评价,起草初步验收工作报告。

(5)检查工程结算情况,是否按合同条款进行。

(6)提出竣工验收日期。

二、堤防工程土方工程初步验收的程序

(1)组织初步验收工作组成员,成立初步验收工作组。

(2)听取项目法人、设计、施工、监理、质量监督项目站等单位工作报告。

(3)看工程声像文件资料。

(4)检查工程现场。

(5)召开初步验收工作组会议,讨论并形成初步验收工作报告一式六份,待竣工验收后分送各有关单位。

(6)抽检工程。

三、各项工程检测的具体抽检办法

(1)土方填筑工程。土方填筑工程主要抽检干密度和外观尺寸,每2 000m抽检一个断面(单项工程不得少于3个断面)。每个断面抽检堤轴线、堤顶高程、堤顶宽度、戗台高程、戗台宽度、堤坡坡度,每个断面的干密度指标抽检2层,每层不少于3点,且不得在顶层取样,每个单位工程抽检样本点数不得少于20个。如表6-7所示。

(2)机淤固堤工程。单项工程全部完成后进行验收,每2 000m抽检一个断面(单项工程不得少于3个断面)。每个断面抽检淤区顶高程、淤区宽度、淤区平整度、盖顶厚度、包边厚度。抽

检结果如表 6-8。

表 6-7　土方工程验收抽检质量评定表

单位工程名称				施工单位			
主要工程量				抽测时间		年　月　日	
抽测断面	序号	检测项目	允许偏差	检测结果			评定结果
				测点数	合格点数	合格率	
	1	堤轴线	15cm				
	2	堤顶高程	0~15cm				
	3	戗台宽度	-10~15cm				
	4	戗台高程	-10~15cm				
	5	堤坡坡度值	0~0.05cm				
	6	堤顶宽度	-5~15cm				
	7	干密度	大于设计值				
总监测点数				合格率			
检测人			记录人			检测审核人	

表 6-8　机淤固堤工程验收抽测质量评定表

单位工程名称				施工单位			
主要工程量				抽测时间		年　月　日	
抽测断面	序号	检测项目	允许偏差	检测结果			评定结果
				测点数	合格点数	合格率	
	1	淤填高程	0~+30cm				
	2	淤区宽度	1.0m				
	3	淤区平整度	在 50m² 范围内高差小于 0.3m				
	4	包边盖顶厚度	人工运土±30mm 机械运土±50mm				
总监测点数				合格率			
检测人			记录人			检测审核人	

(3)干丁扣坦石工程(含干丁扣险工改建工程)。①抽测不少于1/2的堤段数,每段堤抽检 1～2 个断面,每个断面抽检砌体总高、砌体总宽(封顶石宽度)、坡度;②对工程外观应检查石料大小、缝宽等项目。记录结果如表 6-9 所示。

表 6-9　干丁扣坦石工程验收抽测质量

单位工程名称				施工单位			
主要工程量				抽测时间		年　月　日	
抽测断面	序号	检测项目	允许偏差	检测结果			评定结果
				测点数	合格点数	合格率	
	1	砌体总高	±10cm				
	2	砌石总宽	±5cm				
	3	坡度	±3%				
	4	石料	长 30cm 宽 20cm 连续不超过 4 块				
	5	缝宽	2m² 内 15mm,不超过总长 30%				
总监测点数				合格率			
检测人			记录人			检测审核人	

(4)乱石粗排坦石工程验收。①抽检不少于 1/2 的堤段,每段堤抽检 1～2 个断面,每个断面抽检砌体总高、砌体总宽(封顶石宽度)、坡度;②检查石料大小、缝宽等项目;③检测工程的裹护长度、围堤长。记录结果见表 6-10。

(5)散抛乱石护坡工程验收。①抽检不少于 1/2 的堤段,每段堤抽检 1～2 个断面,每个断面抽检砌体总高、砌体总宽(封顶石宽度)、坡度;②检查石料大小、缝宽等项目;③检测工程的裹护长度、围堤长。记录结果见表 6-11;散抛乱石位移查对表见表 6-12。

表 6-10 乱石粗排坦石工程验收抽测数量评定表

单位工程名称				施工单位			
主要工程量				抽测时间	年　月　日		
抽测断面	序号	检测项目	允许偏差	检测结果			评定结果
				测点数	合格点数	合格率	
	1	砌石总高度	10cm				
	2	总宽	5cm				
	3	坡度	平顺,在 $2m^2$ 内不大于 10cm				
	4	石料	单块重不小于 20kg,且厚不小于 15cm				
	5	缝宽	一般 2cm,最大 3cm,在 $2m^2$ 内总长不超 30%				
	6	裹护长度、围堤长	不小于设计值				
总监测点数				合格率			
检测人			记录人			检测审核人	

(6)截渗墙工程。因工程竣工验收时,只能检测回填土方工程的外观尺寸,执行土料填筑工程抽检内容,对抽检数量规定为每 300m 抽测 1 个断面,单项工程不得少于 3 个断面。检测记录结果见表 6-13。

表 6-11 　散抛乱石护坡工程验收抽测数量评定表

单位工程名称				施工单位			
主要工程量				抽测时间	年　月　日		
抽测断面	序号	检测项目	允许偏差	检测结果			评定结果
				测点数	合格点数	合格率	
	1	砌石总高度	水上 10cm 水下 25cm				
	2	砌石总宽	10cm				
	3	坡度	大致平顺无明显凸凹坑				
	4	石料	单块重不小于25kg				
	5	裹护长度、围堤长	不小于设计值				
总监测点数				合格率			
检测人			记录人			检测审核人	

表 6-12 　散抛乱石位移查对表　　　　　　（单位:m）

块石重 (kg)	水深(m)											
	10				15				20			
	流速(m/s)											
	0.5	0.8	1.1	1.4	0.5	0.8	1.1	1.4	0.5	0.8	1.1	1.4
30	3.6	5.7	7.9	10.0	5.4	8.6	11.8	15.1	7.2	11.4	15.7	20.1
50	3.2	5.2	7.2	9.2	4.9	8.0	10.8	13.8	6.6	10.5	14.4	18.5
70	3.1	5.0	6.9	8.7	4.7	7.5	10.3	13.1	6.3	10.0	13.8	17.4
90	3.0	4.6	6.6	8.4	4.5	7.2	9.9	12.5	6.0	9.6	13.1	16.7
110	2.9	4.6	6.4	8.1	4.4	7.0	9.6	12.2	5.8	9.3	12.7	16.2
130	2.8	4.5	6.2	7.9	4.2	6.8	9.3	11.8	5.6	9.0	12.4	15.8
150	2.7	4.4	6.0	7.7	4.1	6.6	9.0	11.5	5.5	8.8	12.1	15.4

表 6-13　混凝土截渗墙单元工程质量评定表

承建单位　　　　　　　　　合同编号：　　　　No：

单元工程名称				单元工程量			
分部工程名称				检验日期			
单元工程名称、部位				评定日期			

项次		项目名称	质量标准	检验结果			评定
检查项目	1	导管间距(m)	符合设计要求				
	2	隔离体垂直情况	符合设计要求				
	3	槽端混凝土面刷洗情况	符合设计要求				
检测项目	1	造孔 槽孔中心偏差(cm)	≤1.5	总测点数	合格点数	合格率	
	2	槽孔深偏差(cm)	≤30	总测点数	合格点数	合格率	
	3	孔斜率	≤0.4%	总测点数	合格点数	合格率	
	4	槽孔宽	22(+2cm)	总测点数	合格点数	合格率	
	5	清孔 孔底淤积(cm)	≤10	总测点数	合格点数	合格率	
	6	孔内浆液密度(g/cm³)	1.1~1.2	总测点数	合格点数	合格率	
	7	浆液黏度(s)	18~25	总测点数	合格点数	合格率	
	8	浆液含砂量(%)	≤5	总测点数	合格点数	合格率	
	9	隔离体 下入深度	符合设计要求	总测点数	合格点数	合格率	
	10	填充材料量	符合设计要求	总测点数	合格点数	合格率	
	11	混凝土浇筑 混凝土面上升速度(m/h)	≥2	总测点数	合格点数	合格率	
	12	导管埋深(m)	1~6	总测点数	合格点数	合格率	
	13	混凝土坍落度(cm)	18~22	总测点数	合格点数	合格率	
	14	混凝土扩散度(cm)	34~40	总测点数	合格点数	合格率	
	15	混凝土浇筑最终高度(m)	符合设计要求	总测点数	合格点数	合格率	

承建单位自评意见	评定质量等级	监理单位复核意见	核定质量等级

承建单位名称			监理单位名称	
初检人	复检负责人	终检负责人		
			核定人	

(7)堤防道路工程验收。①每2 000m抽检一个断面(不得少于3个断面),检测断面密度、坡度、平整度、堤轴中心线高程;②检测沥青混凝土压实度、沥青厚度;③检查道路路缘石单块尺寸、平顺度。验收抽检见表6-14。

表6-14 堤防道路工程验收抽检表

单位工程名称						施工单位			
主要工程量						抽测时间		年 月 日	
抽测断面	序号	检测项目	允许偏差	检测结果					评定结果
				测点数	合格点数	合格率			
	1	中心高程	0～15cm						
	2	宽度	±5cm						
	3	坡度	±3%						
	4	平整度	3m 直尺顺堤测10 个点						
	5	压实度	大于 2cm 的缝隙不超过 3 处,压实度达到94%						
	6	沥青厚度	±5cm						
	7	路缘石尺寸	宽度、高度±5mm 长±5mm						
	8	路缘石安装	直顺度 20m 接线缝隙 150mm						
总监测点数				合格率					
检测人			记录人				检测审核人		

第七章 机淤填筑工程质量监控

第一节 进度控制实施

施工阶段进度控制实施是施工阶段监理人员实施进度控制的一个指导性文件,它是以监理规划中有关进度控制的总部署为基础编制的。其内谷包括:

(1)施工阶段进度目标分解图。

(2)施工进度控制的主要工作内容和深度。

一、编制或审查施工进度计划

进度计划分为控制性进度计划和实施性进度计划。控制性进度计划由监理工程师编制,实施性进度计划由施工单位负责编制。

控制性计划用于确定工程总进度目标以及关键项目的进度控制目标,是审查施工单位提交的各类计划和施工措施的依据,也是监理工程师分析和调整施工进度及审核工程项目投资计划、材料、设备供应计划的依据。

实施性进度计划是施工单位按照合同工期目标,安排生产、组织施工,编制施工材料、设备计划和申请工程支付的依据。

实施性进度计划是施工组织设计的主要内容之一,也是总监理工程师审批是否具备开工条件的主要依据,应在工程项目开工的前5天报送监理部(或以施工合同约定的天数控制),同时将详细的施工组织设计文件报送总监或监理工程师审查。

二、施工组织设计方案的审批

(1)施工组织设计文件经施工单位项目负责人签署后,报送监理部,提供份数应按一式四份要求。

(2)监理工程师对报送的文件经认真审查,如能满足控制性进度的要求且计划合理,予以批准执行,否则,要求施工单位修改进度计划。

(3)监理工程师按照施工合同条款约定的时间予以批复或提出修改意见,逾期未批,将会视为已经批准此方案。

(4)适时下达工程开工令。

三、施工进度计划的实施和检查

(1)工程开工后,监理工程师对审查准确的施工计划执行情况进行跟踪监督检查。监督检查内容:①完成工程及形象进度;②材料设备的供应、施工设备的数量、规格、状况;③施工人员工种及数量;④施工、停工、窝工的情况及原因。

(2)分析施工单位向监理工程师提交的施工进度报表,基本内容应包括:①施工部位、项目、内容;②本月完成量、累计完成量及形象进度面貌;③材料耗用量、施工设备及劳动力运行投入情况;④存在的主要问题和有可能影响施工进度计划的因素,以及采取的措施。

(3)不能按合同条款约定的时间开工,施工单位应按要求提前5天向监理工程师提出延期要求及理由,监理工程师应在3天内按施工合同的约定答复乙方,逾期不答复将被视为已经批准。

(4)监理工程师如发出暂停施工指令,必须在48小时之内提出处理意见并报总监理工程师确认。

(5)协助施工单位实施施工进度计划,随时注意施工进度计划的关键控制点,了解进度实施的动态。

(6)及时检查和审核施工单位提交的统计分析资料和进度控制报表。

(7)监理工程师必须进行现场跟踪检查,检查现场工作和实施完成情况,为进度分析提供可靠的数据资料。

(8)做好施工进度记录,将计划与实际情况比较,从中发现偏差所在。

(9)分析原因,提出改进措施。

(10)重新调整实施性进度计划并实施。

(11)组织定期的现场会议,及时分析施工进度情况,并通报建设单位。

(12)严格控制关键线路上的关键工序、关键分部分项工程或单位工程工期的实现。在分期进度管理上要以月进度保工程总工期,在分项工程进度管理上要以分项进度保总体进度,在具体施工过程中,要根据总体计划、人力、物力、材料和设备供应以及其他客观条件的变化,及时搞好工程进度的综合平衡。

(13)及时核实完成工程量,签发工程进度款支付凭证。

(14)及时组织单位工程验收及分项分部工程验收,并签署施工验收意见。

第二节　质量控制实施

监理单位主要任务是监督施工单位是否按已批准的施工详图及有关规范进行施工;施工单位的检测人员及设备是否到位;对建筑材料、设备及施工工序进行督察。

一、施工测量控制

(1)本办法适用于防洪工程,包括:河道整治、砌石护岸、根石加固、丁坝施工等。

（2）在施工期间,国家或有关部门若颁布新的专业技术标准或规范,在新规范生效后应执行新规范。衔接中出现的问题,由监理部和施工单位讨论,提出解决意见报建设单位批准后执行。

（3）施工测量主要包括合同及有关技术文件规定的以下内容:施工控制网(平面位置、高程)的建立;施工放线;施工测量;竣工测量。

（4）施工测量资料运行中的具体要求:

①工程项目的基本测量控制资料成果由建设单位提交监理部,再由监理部审查签发给施工单位,并在现场对各控制点进行交桩。

②施工单位对上述控制点资料进行复核无误后,以书面形式报告监理部。若有异议,监理部报请建设单位责成原施测单位进行核实。核实数据资料由监理部重新以书面形式提供给施工单位。

③在施工测量中发现某控制点数据有变化,变化超过规定时由监理部研究后提出处理意见,报请建设单位批准后,以书面形式通知施工单位。

④施工单位应加强控制点的保护措施,并将保护措施报监理部。在施工中控制点确要移动时,必须先向监理部申报,书面写出移动原因和按合同精度补测的方案及精度估算,经批准后方可移动补测。

⑤移交的基本控制点被破坏,施工单位应立即向监理部报告,写出破坏的原因和按合同精度补测的方案及精度估算,经监理部批准后执行。监理部将移动补测结果报建设单位。

⑥监理工程师要确保建筑物的位置、形体准确、方量真实、依据无误并严守保密规定。

（5）对施工单位测量工作的要求:

①施工单位在开工前 10 天内,应向监理部反映施工单位测量

能力水平和承包单项工程的测量技术设计书。监理部应在 7 日内完成审核工作,批准后交由施工单位执行。

②凡施工使用的仪器、标尺必须按规定检验,合格证报监理工程师审验,否则测量放样无效。

(6)施工测量的监理工作:

①对施工单位报送的《施工测量技术设计书》和所有的报告文件进行审核,必要时可现场抽检部分数据。对未达到要求的,施测单位要补充完善。

②在开工前必须对施工设计图、测量成果资料进行全面熟悉。约定设计测量单位在开工前 7 天内向施工单位现场交桩。

③检查施工单位建立健全测量工作组织保证体系,健全测量精度,规范测量作业,完善内部测量程序和制度。

④监理工程师采取旁站、巡查、抽检、复测等手段控制测量质量。

⑤对于分部工程、单位工程和最终验收,监理人员必须到场。

二、建材、施工机械设备和施工人员控制

本办法适用于黄河防洪工程的建筑材料、施工机械、施工人员和料场的监理工作。监理工程师根据招标文件要求,审批施工单位提交的建筑材料、施工机械、施工人员和料场报告。

现场监理工作的主要内容和要求:

(1)建筑材料:检查建筑材料进场后的堆放和保护措施。

(2)筑堤材料:

①检查施工单位采用的筑堤料场,是否为建设单位在招标文件中所指定的料场。

②根据设计要求检查施工单位对料场土质,天然含水量,运距和开采条件等复测内容。

③根据设计要求,上堤土料一般不宜采用淤泥土、杂质土、冻

土块、膨胀土、分散性黏土等特殊土料,若必须采用,施工单位应有技术论证和专门施工工艺论证报告。

④对于采集或选购的石料,除应满足岩性、强度等性能指标外,还应检查其具体形状、尺寸和块重是否满足设计要求。

(3)施工机械设备:检查施工单位进场设备,是否满足招标文件和设计要求。如有变动,施工单位应以书面形式阐明变动理由,并论证变动后其设备能否满足施工要求。

(4)施工管理人员和施工人员:

①根据施工单位所报的施工管理人员和施工队伍清单,检查其是否为投标书中所报的项目经理、管理人员和施工队伍。

②如施工单位进场人员有变动,施工单位应以书面形式报送监理工程师批准,由监理工程师报建设单位(业主)同意。

三、基础处理控制

(一)总要求

监理工程师根据勘测设计文件及堤基的实际情况,审查施工单位提交的基础处理施工方案。对于施工单位进行的堤基开挖或处理过程中的详细记录,监理工程师均需审查签字。基础处理作为分部工程,监理工程师组织初验,然后由建设单位或监理工程师组织验收合格后,方能进行堤身填筑及石方施工。基础处理除按本细则控制外,还应符合有关规定。

(二)现场监理工程师的具体控制原则和要求

(1)堤基清理的范围应包括堤基地面、前戗和后戗的基面、机淤压戗的基面,其边界应超出设计基面边线 300~500mm,老堤加高培厚,其清理范围应包括堤顶及堤坡。

(2)堤顶表层的砖石、淤泥、腐殖土、杂填土、草皮、树根以及其他杂物应开挖、清除。并应按规定位置堆放。

(3)地基上的水井、坟坑、树坑、淤泥坑及其他坑塘和洞穴,可按照土堤填筑的要求进行分层回填处理;软弱堤基、透水堤基应按照《堤防工程施工规范》SL 260—98 等有关基础处理规范进行处理。

(4)堤基清理后,应在第一坯土料填筑前进行平整、压实。压实后的干密度应与堤身设计干密度一致。

(5)老堤加高培厚时,应将原堤顶防汛路铺层清除,再将表面耕松 200~300mm。

(6)堤基处理单元工程质量检查数量按堤基处理面积平均每200m² 一个计算。

(7)有关堤基处理、单元工程质量检查、检测的项目和标准,参见《黄河防洪工程施工质量评定规程》执行。

四、土方填筑控制

(一)土方填筑项目

土方填筑项目主要包括:

(1)堤坝土体填筑工程。

(2)土堤防渗体或坝体防淘刷层(黏土胎)填筑。

(3)机淤固堤工程。

(4)土堤包边盖顶工程。

(二)现场监理工作的内容

1)测量放样

(1)工程施工前应根据批准的工程设计进行测量放样。具体按《施工测量控制细则》要求执行。

(2)工程施工前要埋设临时水准基点,水准基点必须牢固,且在施工期内定期复测校正,在工程竣工验收前不得拆除,在工程的端点、转弯处加控制点(平面桩点和高程桩点)。

(3)工程放线控制点精度:平面允许误差 5cm,高程为 ±3cm。

2)清基

清基要求具体按第十章第五节中的要求执行。

3)整坡

(1)堤胎(新回填结合坡面)土坡应按设计清理整平,表面不得有杂物和凹凸不平的情况,如有坑洞和水沟浪窝应彻底翻挖,回填夯实。

(2)坝坡清理出的杂草、浮土、碎石应运至施工场地以外的指定地点堆放。

(3)整平后的坝坡应采取保护措施。

4)堤坝土料

土料场验收,建设单位将设计选择的土料场试验资料和开采方案提交监理工程师,再由监理工程师签发给施工单位。

监理工程师应验收施工单位土料场的开采规划,并核查土料场。具体内容如下:

(1)土料场储量是否具备大于填筑需要量1.5倍的要求。

(2)在土料场的开采中,应保护好堤防两侧的护堤地或表层的天然防渗铺盖,严禁在该范围内取土。在临水侧滩地取土时,应遵循由远而近,取土坑宜宽浅不宜窄深的原则。

(3)土料中不得夹有树根、草皮、砖石块等杂物。

(4)控制土料含水量,若含水量偏大,宜采用平面开采或翻晒的措施;若含水量接近施工控制下限值时,宜采用立面开采或洒水等措施,使含水量达到最优。

5)堤坝土体填筑

(1)堤坝土体填筑作业应遵循的原则和要求:

①严格控制铺土厚度和土块粒径尺寸,具体要求如表7-1。

②土堤或坝垛土体填筑单元工程质量应按照填筑层次逐层评定。堤防工程应按照具体施工时的堤段划分单元工程,每段每层为一个单元工程;堤岸防护及河道整治工程中的土体填筑应按坝、垛的填筑层划分,每一个联坝坝段、丁坝、垛的每一层为一个单元

工程。

表7-1 铺料厚度及土块粒径尺寸限制表

项次	压实机具	铺料限制厚度 (mm)	土块限制粒径 (mm)
1	人工夯或机械夯	200	50
2	履带拖拉机	250	80
3	斗容 2.5m³ 铲运机、碾重 5～8t 振动碾	300	100

③填筑作业应按水平层次铺填,不得顺坡填筑。分段作业长度:筑新堤不应小于100m,老坝加高培厚不应小于50m。作业面应尽量减少接缝,严禁留有界沟。

④压实作业的方向应平行于堤坝轴线。分段、分片碾压作业,相邻工作面的碾压应相互搭接。平行堤坝轴线方向搭压宽度不应小于0.5m,垂直堤坝轴线方向搭压宽度不应小于3m。若属旧堤加厚,老堤坝坡要逐层开磴,切成台阶,台阶高度要与压实后的土层厚度一致,以利新老结合。

⑤施工中若发现填土中有橡皮泥、松土层,监理工程师应通知其停工,根据情况进行处理,并经检查合格后,方准铺填新土。

⑥用光面碾压实黏性土填筑层,在新土层铺料前,应对压光层面作刨毛处理。填筑层检验合格后,因故未继续施工或因搁置较久及经过雨淋干湿交替使表面产生疏松层时,复土前应进行复压处理。

⑦堤坝土体填筑尺寸允许误差应符合表7-2的规定。

⑧堤顶土体填筑压实标准不小于表7-3规定的压实干密度。不合格样不得集中在局部范围内,且干密度值不得低于规定(或设计)干密度值的96%。具体见表7-3。

(2)监理工程师对于压实作业应按照以下要求控制：

①施工前应先做碾压试验,验证碾压质量是否达到设计干密度值。

表7-2　堤坝土体填筑尺寸标准

项次	检测项目	质量标准
1	铺土边线超出设计边线	人工＞100mm;机械＞300mm
2	堤坡线与设计轮廓线堤顶宽度允许误差	人工－50～＋100mm;机械－50～＋300mm
3	堤顶宽度允许误差	＋50mm,不允许低于设计堤顶高程

表7-3　压实干密度值标准表

土的基本属性	压实干密度(t/m³)	
	1、2级堤防工程	3级堤防工程
少黏性土	1.56	1.53

②分段填筑应防止漏压、欠压和过压,上下层的分段接缝位置应错开。

③碾压机械行走方向应平行于堤轴线。

④拖拉机带碾磙或振动碾压作业,宜采用进退错距法,碾迹搭压宽度应大于10cm;铲运机兼作压实机械时,宜采用轮迹排压法,轮迹应搭压轮宽的1/3。

⑤机械碾压时应控制行车速度:平碾为2km/h;铲运机为2挡。

⑥机械碾压不到的部位,应采用夯实,夯实时应采用连环套打

法,夯迹双向套压,夯压夯 1/3;行压行 1/3。分段、分片夯实时,夯迹搭压宽度应不小于 1/3 夯迹。

(3)监理工程师对每单元压实质量的检测和要求:

①新老坝结合部、堤防与涵闸等建筑物结合部、作业面接头部位应进行压实质量检测;其他取样部位不得挑选,严禁任意舍弃不合格检测成果。

②取样部位在压层下部 1/3 处。

③堤坝土体填筑按作业面积每 $200m^2$ 检测 1 个点次。

④堤坝土体填筑尺寸检测按堤坝轴线长每 $10\sim20m$ 取 1 个测点。

⑤监理工程师在施工单位自检的基础上进行抽查,抽检量应不小于每 400m 3 个点次。

⑥每一个单元工程凡自检、抽检不合格的部位,监理工程师应通知其进行处理,经复验至合格后方可继续下道工序施工。

五、机淤填筑质量控制

(1)铺工放样。工程开工前要按照设计要求及施工测量控制细则进行铺工放样。

(2)清基。要将淤区原始地面的农作物及杂草清除,有拆迁房屋时,要将所有的废渣清除干净。机淤压戗的基面,其边界应超出设计基面边线 $300\sim500mm$。

(3)基础围堰。填筑区的基础围堰顶高程应满足施工详图设计要求,顶宽 2m,临水坡 1:2.5,背水坡坡比与同一侧的堤坡相同,筑堰土料可就近取土或在机淤面上取,但取土坑边缘距离堰脚应大于 3m。质量控制参照碾压式土方工程施工要求进行。

(4)出水口放置。出水口要安置在原堤脚以外的淤区,避免冲蚀原坝身。

(5)机淤填筑单元工程划分。应按照具体施工时的堤段划分,每一施工时的堤段为一个单元工程。对于每一个单元工程质量检查表，监理工程师要复核签字。

(6)选用设备、施工方式。根据填筑部位功能所确定的机淤土质来选择不同的船、泵及冲、挖、抽方式。该方式应由监理工程师签字后进行。

(7)机淤控制指标要求。淤区尾水含砂量小于 $3kg/m^3$。淤区不宜有很大坡降。

(8)机淤填筑单元工程检测质量标准。①淤填高程不低于设计高程，允许误差 $\pm0.3m$；②淤区宽度符合设计要求，允许误差 $\pm1.0m$；③淤区平整度在 $500m^2$ 范围内高差 $<0.3m$。

机淤填筑单元工程质量检测按淤区长度每 $50\sim100m$ 测一横断面，每个断面的测点不应小于 4 个，检测结果由监理工程师复核签字。监理工程师在施工自检的基础上进行抽查，抽检量为自检量的 1/3。

第三节　土堤工程质量控制

一、防渗体或坝体防淘刷层(黏土胎)填筑质量控制

堤岸防护及河道整治工程中黏土胎应按坝(垛)划分，每一个坝(护岸、垛)为一个单元工程。

(1)黏土胎填筑应遵守以下原则及规定：

①填筑土料应采用黏性土。

②必须按水平层次分层填筑，铺土厚度不应大于 200mm，土块粒径不大于 50mm。

③须逐层人工或机械夯实，在同一单元内不得分段施工。

(2)黏土胎填筑单元工程质量检查：主要检查土料及坯土厚度，应当满足设计要求。

（3）黏土胎填筑的压实干密度不应小于 1.5t/m³,黏土胎厚度误差应控制在 −50~+100mm 范围内。

（4）填筑的压实干密度检测应按长度 50m 取 3~6 个测点,填筑尺寸检测应按 10~20m 取一个测点。

（5）黏土胎单元工程质量评定,应在检查项目基本符合标准,填筑尺寸满足质量标准要求的前提下,压实干密度合格率:河道整治工程不小于 85% 的评为合格,超过 90% 的评为优良。

二、包边盖顶工程质量控制

土堤包边盖顶单元工程划分:土堤包边盖顶单元工程应按新堤修筑、老堤加高培厚或机淤填筑的具体施工时的堤段划分,每一施工时的堤段为一个单元工程。监理工程师根据以下质量要求和技术规定进行质量控制。

包边盖顶材料选用黏性土,质量应达到设计要求。

包边盖顶应在堤顶、堤坡按设计尺寸整理及淤区整平以后,分层均匀铺料。要求黏土厚度不小于 50cm,边坡黏土垂直厚度不小于 30cm;用夯具夯实,压实度应符合设计要求。

包边盖顶单元工程检测质量标准:

土体厚度:顶面>50cm,允许误差 5cm(机淤)或 3cm(机械人工运土)。

土体厚度:边坡>30cm,允许误差 5cm(机淤)或 3cm(机械人工运土)。

包边盖顶质量检测数量基本要求:厚度检测点数,土堤每 30~50m 取 3~6 个测点,淤区 100~200m² 取一个测点。

压实质量检测点数量为每 200m² 取一个测点。检测先由施工单位进行自检,监理工程师再按自检量的 1/3 进行抽查。检测结果由监理工程师复核签字。

第四节　石方施工质量控制

一、总要求

(1)石方施工包括黄河大堤施工的干丁扣坦石,散抛乱石护坡工程及根石工程、浆丁扣坦石工程等。

(2)石方施工质量和要求除应满足设计文件要求外,还应满足《黄河防洪工程施工质量评定规程》、《堤防工程施工规范》SL 260—98等有关规程、规范的要求。

二、现场施工监理工作主要内容

测量、放样、清基和石料质量控制,参照施工测量控制细则,建材、施工机械设备和施工人员控制细则,基础处理控制细则和《黄河防洪工程施工质量评定规程》执行。

三、干砌石工程

干砌石工程包括干丁扣坦石工程、散抛乱石工程、根石工程及水中进占工程等。

(1)干丁扣坦石工程划分应按一段(护岸、垛)的面石和腹石分别作为一个单元工程。

(2)干丁扣面石施工,监理工程师主要根据以下原则进行质量控制:

面石应从乱石中选出。每块石块要用手锤加工,打击口面,并大致达到方正。如石块中间有裂缝,则必须打开,否则不得使用。长度在300mm以下的石块,连续使用不得超过四块,且两端必须加丁字石。一般长条形应丁向砌筑,不得顺长使用。

(3)干填腹石施工,监理工程师主要根据以下原则和要求进行质量控制：

①干填腹石要通过抛石投放。面石每扣砌1~2层投入一次，随砌随填，腹石应低于面石尾部，禁止倾倒成堆。

②干填腹石要逐层填实，用大石排紧，小石塞严，以脚踏不动为准，其空隙直径不超过110mm，并把较大石块排放前面，较小石块排放后面。

③上下坯应很好地结合，每2m² 内要设立石。立石可高出平面200mm。

(4)干丁扣面石单元工程质量检查标准，应符合表7-4规定。

表7-4　干丁扣面石单元工程质量检查标准

项次	检查项目	质量标准
1	石料	质地坚硬、单块重量不小于20kg、厚度不小于200mm
2	基层砌筑	无淤泥杂质、乱石铺底，大石排紧、小石填严
3	面石	禁止使用小石、重垫子，不得出现通天缝、对缝、虚棱石、燕子窝

(5)干填腹石单元工程质量检查，应符合表7-5规定。

表7-5　干填腹石单元工程质量检查标准

项次	检查项目	质量标准
1	上下坯结合	每2m² 内设一立石
2	密实情况	空隙直径不大于110mm
3	腹石牢固情况	无活石
4	面石与腹石结合	咬茬严紧，连接牢固

(6)干丁扣面石及腹石单元工程质量检测标准，应符合表7-6规定。

表 7-6 干丁扣面石及腹石单元工程质量检测标准

项次	检查项目	允许误差	
		（＋）	（－）
1	铺底高程(mm)	100	50
2	砌体总高(mm)	100	100
3	铺底宽(mm)	100	100
4	砌体顶宽(mm)	50	50
5	坡度(%)	3	3
6	缝宽	要求 10mm,最大 15mm,在 $2m^2$ 内缝宽 15mm 的缝不得超过总缝长 30%	
7	咬牙缝	应尽量避免,在 $2m^2$ 内不得超过 1 条	
8	坝面洞	严禁出现面积大于 $0.003m^2$ 的坝面洞,面积 $0.002\ 5\sim0.003m^2$ 的坝面洞在 $2m^2$ 内不得超过 3 个	
9	悬石	每 $2m^2$ 不得超过 1 块	

(7)干丁扣面石单元工程质量检测的位置和数量应符合以下要求:沿坝轴线每 10m 应不小于一个点次,坝前头,坝上、下跨角、坝起止处应分别设一检查点次,其他检测项目每 $2m^2$ 作为一检测单元。每一单元中的每一项检测点次不得少于 3 个。

(8)干填腹石单元工程的质量检查、检测数量:沿坝轴线每 10m 长为一个检查单元,检查单元中的第一项至少检查 3~5 个点次。

(9)质量检查先由施工单位自检,监理工程师再按自检量的 1/3 抽检。检查结果由监理工程师复核签字。

四、乱石粗排坦石工程

(1)乱石粗排坦石工程单元划分应按一段坝(护岸、垛)作为一个单元工程。

（2）乱石粗排坦石工程坦面要做到丁向用石、层层压茬、结合平稳，禁用小石、平石。前半部不得使用垫子石。尽量避免对缝，不得有通天缝；坡面平顺大体一致，坦面无里出外拐情况。

（3）乱石粗排坦石单元工程质量检测项目和标准应符合表7-7的规定。

表7-7 乱石粗排坦石单元工程质量检测标准

项次	检查项目	允许误差	
		（＋）	（－）
1	铺底高程(mm)	100	50
2	砌体总高(mm)	100	100
3	铺底宽（mm）	100	100
4	砌体顶宽(mm)	50	50
5	缝宽	缝宽一般20mm，最大30mm，在$2m^2$内缝宽30mm的缝不得超过总缝长30％	
6	坦面	严禁出现面积大于$0.01m^2$坝面洞，面积$0.008\sim0.01m^2$的孔洞在$2m^2$内不得超过3个	
7	坡度	坦面坡度平顺，在$2m^2$内凹凸不大于100mm	

（4）乱石粗排坦石单元工程质量检查应符合表7-8规定。

表7-8 乱石粗排坦石单元工程质量检查

项次	检查项目	质量标准
1	石料	质地坚硬、单块重不小于20kg，且厚度不小于150mm
2	基层砌筑	无淤泥杂质，铺底用大石排紧，小石填严
3	面石砌筑	禁用小石、平石，不得有通天缝

（5）乱石粗排单元工程质量检测的位置和数量应符合以下要求：每10m应不少于1个检测点次；坝前头、坝上下跨角、坝起止

处应分别设一检查点次。其他检测项目每 $20m^2$ 作为 1 个检测单元。每一检测单元中的检查点次不少于 3 个。根据其要求,先由施工单位自检,再由监理工程师按自检量的 1/3 抽检。检查结果由监理工程师复核签字。

五、散抛乱石护坡工程及根石工程

(1)堤身内散抛乱石结构的抛筑工程及根石工程的单元划分应按一段坝(护岸、垛)作为一个单元工程。

(2)乱石抛筑及根石工程,监理工程师根据以下原则和要求进行质量控制:

①抛石过程中应采用相应保护措施,不得损坏黏土坝胎;散抛根石过程应不损坏坝坡。

②水上、水下施工位置准确,抛石厚度均匀一致,抛护尺寸符合设计要求。

③水上部分要逐坯排整(一坯排整一次),做到里外石块咬茬,厚度均匀一致,大石在外,小石在内,不准存在凸肚凹坑。坡面大体平顺。不得有突出无靠的孤石和易于滑动的游石。

④水下抛石要用较大石块,尽量掌握大石在外、小石在内的原则。主流顶冲之处,尽量加抛大块石。要求坡度一致,大体平顺,不得有过高过低的现象。

(3)乱石抛筑工程及根石工程、单元工程质量检测检查内容和标准应符合以下规定。如表 7-9、表 7-10。

表 7-9　工程质量检查项目和标准

项次	检查项目	质量标准
1	石料	质地坚硬、单块重不小于 25kg
2	坡度	大致平顺,无明显凸肚凹坑现象
3	坦面排列	无游石、孤石、小石

表 7-10　工程质量检测项目允许误差

项次	检查项目	允许误差	
		水上	水下
1	铺底高程(mm)	100	200
2	抛石总高(mm)	100	250
3	铺底宽 (mm)	100	100
4	砌体顶宽(mm)	100	

（4）乱石抛筑工程及根石工程单元工程质量检查：按每 10m 长为 1 个检查单元，检查单元中的每项至少检查 3 个点次。先由施工单位自检，再由监理工程师按自检量的 1/3 抽查。检查结果由监理工程师复核签字。

六、水中进占工程

（1）水中进占工程应按每道丁坝(垛)为一个单元工程。

（2）水中进占工程施工，监理工程师控制的原则和要求：

①水中进占工程所采用的桩、绳材料应符合设计的直径和强度要求，进占料场应准备充足。

②捆厢船必须满足设计要求的吨位和作业的场地要求。

③捆厢作业应按照传统的程序进行，根据作业需要应选用不同的桩绳拴系方法。

④搂厢的软料、土(石)的比例应符合设计要求，应做到一层软料一层土(石)。

⑤占体应按设计尺寸施工，占体轴线应经常检测，占体在河底稳固石(土)后，应及时在迎水面抛枕抛石，背水面填筑土坝基。土坝基填筑应滞后于占体 5～10m，防止回溜淘刷。

（3）水中进占单元工程质量检查或检测应分坯进行。

①工程质量检查项目和标准应符合设计及施工的要求。

②工程质量检测项目和标准见表 7-11。

表 7-11　水中进占单元工程质量检测项目和标准

项次	检测项目	质量标准
1	占体材料	软料与土(石)的比例(重量)误差不大于设计比例的 10%
2	占位宽度	不小于设计宽度,但不大于设计宽 1.0m
3	坝轴线偏差	允许误差 0.5~1.0m

③检测点按每坯 1~2 个点次进行。

④每个单元工程在施工单位自检的基础上,监理工程师按自检量的 1/3 抽查。检测结果由监理工程师复核签字。

第八章　根石加固工程质量控制

第一节　进度控制

一、编制或审查施工进度计划

(1)进度计划分为控制性进度计划和实施性进度计划。控制性进度计划由监理工程师编制,实施性进度计划由施工单位负责编制。

(2)控制计划用于确定总进度目标以及关键项目的进度控制目标,是审查施工单位提交的各类计划和施工措施的依据,也是监理工程师分析和调整施工进度以及审核工程的项目投资计划、材料、设备供应计划的依据。

(3)实施性进度计划是施工单位按照合同工期目标,安排生产、组织施工,编制施工材料、设备计划和申请工程支付的依据。

(4)实施性进度计划是施工组织设计的主要内容之一,也是总监理工程师审批其是否具备开工条件的主要依据,应在工程项目的开工前5天报送监理部(或以施工合同约定的天数控制)。

二、施工组织设计方案的审批

(1)施工组织设计文件经施工单位项目负责人签署后,报送监理部,提供份数应按一式四份要求。

(2)监理工程师对报送的文件经认真审查,如能满足控制性进度的要求且计划合理,予以批准执行,否则,要求施工单位修改进度计划。

（3）监理工程师按照施工合同条款约定的时间予以批复或提出修改意见，逾期未批，将会被视为已经批准此方案。

（4）适时下达工程开工令。

三、施工进度计划的实施和检查

（1）工程开工后，监理工程师对审查批准的施工计划执行情况进行跟踪监督检查。监督检查的内容：①完成工程及形象进度；②材料设备的供应及施工设备的数量、规格状况；③施工人员工种及数量；④施工、停工、窝工的情况及原因。

（2）分析施工单位向监理工程师提交的施工进度报表，基本内容应包括：①施工部位、项目、内容；②本月完成量、累计完成量及形象进度图；③材料消耗用量、施工设备及劳动力运行投入情况；④存在的主要问题和有可能影响施工进度计划的因素，以及采取的措施。

（3）不能按合同条款约定的时间开工，施工单位应按要求提前5天向监理工程师提出延期要求及理由，监理工程师应在3天内按施工合同的约定答复乙方，逾期不答复将被视为已经批准。

（4）监理工程师如发出暂停施工指令，必须在48小时之内提出处理意见并报总监确认。

（5）及时检查和审核施工单位提交的统计分析资料和进度控制报表。

（6）始终了解施工进度记录，将计划与实际情况比较，从中发现偏差所在，分析原因，提出改进措施。

（7）组织定期的现场会议，及时分析施工进度情况，并通报建设单位。

（8）及时核实完成工程量。

（9）及时组织单元工程验收及分部工程验收，并签署施工验收意见。

第二节 质量控制

一、施工测量控制

(一)基本要求

(1)工程项目的基本测量控制资料成果由建设单位提交监理部,再由监理部审查签发给施工单位,并在现场对各控制点进行交桩。

(2)施工单位对上述控制点资料进行复核无误后,以书面形式报告监理部。

(3)在施工测量中发现某控制点数据有变化,变化超过规定时由监理部研究后提出处理意见,报请建设单位批准后,以书面形式通知施工单位。

(4)施工单位应加强控制点的保护措施,并将保护措施报监理部。在施工中控制点确要移动时,必须先向监理部申报,并书面写出移动原因和按合同精度补测的方案及精度估算,经批准后方可移动补测。

(5)监理工程师要确保建筑物的位置,做到形体准确、工程量真实、依据无误并严守保密规定。

(二)对施工单位测量工作的要求

(1)施工单位在开工前应向监理部反映施工单位测量能力、水平。主要内容有:①测量机构设置;②仪器设备(含检验设备)必须按规定检验合格后报监理工程师审验,否则,测量放线无效。

(2)施工测量的监理工作。

①对施工单位报送的《施工测量技术设计书》和所有的报告文件进行审核,必要时可现场抽检部分数据。对未达到要求的要补充完善。

②在开工前必须全面熟悉设计图、测量成果等资料。

③检查施工单位建立健全测量工作组织保证体系,督促施工单位提高测量精度,规范测量作业和测量,健全和完善内部测量程序和制度。

④监理工程师采取旁站、巡查、抽检、复测等手段控制测量质量。

⑤监理工程师必须参加所有分部工程、单位工程等的验收工作。

二、基础处理控制

(1)监理工程师根据图纸和现场实际情况,审查施工单位提交的基础处理施工方案。

(2)根石加固之前,对有落淤的段落需要先将其清除,必要时用高压水冲洗,使根石露出新茬,便于新老根石结合。

(3)对施工单位的清基资料,监理工程师需审查签字。

三、抛根石工程

(1)抛根石工程的单元划分应按一段坝(护岸、垛)作为一个单元工程。

(2)抛根石工程应符合以下原则和要求:

①抛石过程中应采取相应保护措施,不损坏坝坡。

②水上、水下施工位置准确,抛石厚度均匀一致,抛护尺寸符合设计要求。

③水上部分要逐坯排整(一坯排整一次),做到里外石块咬茬,厚度均匀一致,大石在外,小石在内,不准有凸肚凹坑,坡面大体平顺,不得有突出无靠的孤石和易于滑动的游石。

④水下抛石,要用较大的石块。尽量掌握大石在外,小石在内的原则。主流顶冲之处,尽量加抛大块石或铅丝笼。要求坡度一

致,大体平顺,不得有过高或过低的现象。

(3)抛根石工程单元工程质量检测检查内容和标准应符合表7-9、表7-10的规定。

第三节　不同阶段工程验收

一、工程验收项目划分

工程验收项目主要包括:

(1)单元工程(含隐蔽工程、关键部位、重要工序等)检查验收。

(2)分部分项工程验收。

(3)单位工程验收。

(4)合同项目竣工验收。

二、不同阶段工程验收工作的组织

(1)单元工程的检查,由施工承包单位专职质管部门三级自检合格,驻地监理工程师复核签字。

(2)隐蔽工程、关键部位和重要工序的检查签证,由施工单位经三检合格后再由、监理部负责组织,必要时邀请业主和设计单位参加。

(3)分部工程检查签证和单位工程验收,由建设单位牵头,会同设计、监理、施工、质量监督单位共同组成验收小组进行验收。各单位应指定专人参加验收小组。

(4)合同项目竣工验收(包括重要单位工程等),由验收委员会组织进行。验收委员会由监理单位、设计单位、施工单位、建设单位及质量监督部门等单位联合组成。

三、工程验收的申请和仲裁

(1)工程施工单位应按合同文件规定的时限申请工程验收,凡未按规定时限申请工程验收造成延误,以及由此产生的经济损失应由承包单位承担。

(2)工程验收中所发现的问题,由验收组或验收委员会协商解决,主任委员(或组长)对有争议的问题有裁决权。若验收成员中有半数以上不同意裁决意见,可报请上级主管部门决定。验收中的不同意见应在竣工验收鉴定书中作明确记载。

(3)施工单位应建立健全工程质量保证体系,在工程验收工作中要实行三检(初检、复检、终检),并提出检查报告。向监理部申请工程验收,监理部应及时审查,并组织工程验收或申报验收工作。

(4)施工单位申请工程验收时,应提交给监理部的工程施工资料包括:工程质检记录、材料质检签证、质量等级评定资料、单位工程合同项目竣工报告等。

四、不同阶段工程验收中监理工程师的职责和要求

(一)单元工程检查及签证

(1)单元工程检查签证任务是:检查单元工程和工序施工质量是否符合设计要求,以确定后续工序能否开工。监理工程师应对施工单位提交单元工程终检资料检查签证。

(2)隐蔽工程、关键部位及重要工序的检查签字和质量等级评定工作,在承包单位提交终检合格证明后,由监理部主持邀请业主、设计单位、质量监督单位联合进行检查,合格后签发"单元工程质量评定合格证"。

(3)监理部在收到施工单位验收申请后,对非联合验收的项目应在当日完成检查签证。对联合验收项目应在两日内组织联合验

收签证。无论是非联合还是联合验收项目,若经验收不合格,监理工程师以书面形式通知施工单位返工,造成的损失均应由施工承包单位负责。

(二)分部工程验收签证

(1)当分部工程施工完成后,由施工单位申报监理部,由监理部会同建设、设计、质量监督等有关单位组成的工程验收组进行初验和检查验收签证。

(2)分部工程验收的任务是检查施工的分部分项工程是否符合设计质量指标。对达不到"合格"标准的部位,监理工程师以书面形式通知施工单位返工,当内在、外观均达到标准后,再另行验收。

(3)施工单位在分部工程验收前5天向监理部提交申请及符合规定的验收资料。由监理部确认后并经建设单位同意,确定验收日期,由建设单位组织验收工作。凡是单元工程签证不全的,不能进行验收。

(4)分部分项工程验收签证时,要求施工单位提供的资料有:①竣工图纸;②设计变更说明和施工要求;③施工原始记录、原材料检验资料、半成品及预制件签证和出厂合格证;④工程质量检查、检验、测量记录、单元工程验收签证;⑤有关技术会议纪要。

(5)联合验收组在验收中,除审核施工承包单位提交的资料外,还要进行外业现场检查,内容有:

①工程位置、高程、轮廓尺寸、平整度、垂直度、外边是否与设计相符。

②各项质量评定资料是否与实际情况相符。

③施工中出现过的返工或缺陷,处理后是否满足设计要求。

④对怀疑有缺陷的部位,要进行抽验,以便对工程质量作出实事求是、科学公正的评定。

(6)分部工程签证一式六份,除送监理部和业主单位各一份外,其余四份留在施工单位。

(7)分部分项工程验收的图纸、资料及签证等是竣工验收和最终验收资料的组成部分,必须按国家或部颁验收规程和业主单位的有关竣工验收资料整理制备。

(三)单位工程验收

(1)单位工程在整个工程竣工前已经完成,若具备独立发挥效益的功能或业主单位要求提前启用,应进行单位工程验收。单位工程的验收工作由建设单位(业主)主持,组织验收委员会负责进行验收。

(2)进行单位工程验收应报送或准备以下文件:①施工概况;②竣工图纸及说明;③施工过程中有关设计变更的说明;④质量检验及施工测量成果;⑤隐蔽工程及重要单元、分项工程记录、照片等;⑥分部分项工程验收签证和质量等级评定表;⑦已完工的工程项目清单;⑧质量事故、工程隐患处理结果;⑨施工大事记;⑩建设单位或监理部根据合同文件规定要求的其他资料。

(3)监理部收到承包单位报送的以上资料后,在14天内完成对资料的审核,并及时报告业主单位,确定验收日期。

(4)单位工程通过验收委员会(小组)签署单位工程验收鉴定书和单位工程质量等级评定表。一式六份,除业主和监理单位各一份外,其余四份暂存施工单位,作为竣工验收资料的一部分。

(四)竣工验收

(1)当工程承包合同项目全部完建,具备竣工验收条件后,施工承包单位应及时向监理部申请竣工验收。监理部初验合格后上报业主。

(2)工程竣工验收应具备的条件:

①已按施工承包合同规定和经审查签发的设计文件要求完成。

②单元、分部、单位工程及阶段(中间)验收质量合格,验收中

间发现缺陷处理完毕,并符合合同文件和设计的规定要求。

③各项独立运行或运用的工程具备运行或运用条件,属正常运行和运用,并已通过设计条件的检验。

④竣工验收的报告、资料已经整理就绪,并经监理部预审通过。

(3)竣工验收前,要求施工单位提交下列验收资料:

①工程竣工报告,包括工程概述,工程开工、完工时间,设计工程量,实际完成工程量,已完工项目清单。

②工程施工总报告,包括施工过程中设计、施工重大变更及处理方案。

③工程建设质量监督报告。

④工程建设监理报告。

⑤各阶段(中间)单元、单位工程验收鉴定书与签证文件。

⑥竣工图,包括目录及说明。

⑦竣工支付结算报告。

⑧必须移交的施工原始记录及目录,以及与工程有关的会议纪要。

⑨工程承包合同履行情况报告,包括分包合同履行情况以及有关索赔等事项。

⑩施工大事记。

⑪业主指示或监理部依据合同规定要求施工单位报送的其他资料。

(4)对于竣工验收前需要进行初步验收的单项工程,初步验收组应做好以下工作:

①听取建设、设计、施工、监理单位汇报。

②听取质量监督部门对工程质量的评价意见。

③审查工程建设情况,鉴定工程建设质量。其工作方法可采用阶段(中间)验收的规定。

④研究解决历次验收中尚未解决的遗留问题。

⑤协调有关部门和单位之间的矛盾,特别是影响工程验收的矛盾。

⑥确定尾工清单及其完工期限和责任单位。

⑦检查竣工资料是否满足竣工验收要求。

⑧提出初验工作报告和竣工验收的建议日期。

⑨起草竣工验收鉴定书。

(5)竣工验收委员会(小组)主要进行以下工作:

①听取并审查建设、设计、施工、监理、质量监督单位和初验工作组的报告,检查工程运行情况。

②协调有关问题和单位之间的各种矛盾,讨论并通过竣工验收鉴定书。

(6)通过竣工验收后,由验收委员会签署竣工验收鉴定书和工程质量等级评定书。一式六份,除送监理部一份外,其余五份连同历次阶段、单位工程验收鉴定书和工程质量等级证一并交业主。

(7)竣工图纸、竣工资料编制的要求,按《水利基本建设工程验收规程》(SD 184—86)和《黄河水利委员会基本建设工程验收规程》(黄规计[1998]173)号规定执行。

第四节　投资控制

一、工程支付计量监理工作的主要依据

(1)工程各合同项目的工程承包合同及其组成文件。

(2)经监理部签发的工程施工图纸、设计文件(含设计变更通知等),经业主与监理单位确认的有关工程支付的工程测量资料。

(3)施工质量签证文件。

二、工程计量的控制

(1)按施工图纸和合同规定控制计量。

(2)工程量按实际完成的、并经过监理工程师审核签认的工程量计算。

(3)严格控制隐蔽工程的计量,为使建设单位和施工单位之间避免纠纷,监理工程师对隐蔽工程的计量,必须作预先的测算工作,预先测算工作要认真进行,测算结果必须经建设单位、施工单位双方认可,并以文字记录、双方签字为凭。

三、工程支付计量

(1)土石方明挖工程计量是以开挖料自然方的体积(m^3)进行测量和计量。

(2)土方开挖工程以每立方米自然方为单位计量,包括下列内容:

①场地清理:原有设施拆除、植被清理,清理物运输堆弃,为环保进行的辅助工程量。

②利用开挖料作永久或临时工程填筑时,其开挖量不应重复计量。

③在施工期间,直至竣工验收,如果沿开挖边坡以外发生滑坡或塌方,施工承包单位应对堆渣进行清理,并对滑坡面进行处理。经业主同意、监理工程师认可,可列入支付计量。

(3)抛石工程。抛石工程的计量,必须依监理工程师检测核实的数量为准。

四、工程支付计量的测量

(1)施工单位结算的工程量,应以经驻地监理工程师检测、验收合格的实际工程量为准。

（2）驻地监理工程师要求对土方工程任何部位进行测量时，施工单位应立即派出代表和人员按要求进行测量，并及时按监理工程师要求，提供测量成果资料。如果施工单位未按时间和要求派代表和人员，则由监理工程师主持的测量成果将被视为工程支付量的正确量测，除非施工单位在被告知量测成果后3天内，向监理工程师提出书面复查、复测申请，并被总监理工程师接受。

（3）施工单位在土方开挖前，应对区域内的地形进行复测。土方开挖工程量，按施工详图或设计变更最终确认的开挖线（或坡面线）进行测量。

（4）在施工过程中，施工单位应随时按施工进度并按本监理要求对各部位填筑料进行测量。记录和绘制计算图表，并将测量计算成果附件报监理工程师核备。

（5）所有为支付计量的测量成果（计算书、测图）均必须事先报监理单位认可。

五、工程量支付计量的审核

（1）施工单位要求支付计量的工程量必须符合下列条件：

①计量工程必须达到合同要求的质量标准。

②支付工程量必须是当月完成的或以前完成的、未结算的工程量。

③属于本监理部工程范围内的工程，施工承包合同规定必须进行支付结算的或虽不属于施工承包合同规定范围，但属于经业主同意、监理认可的工程量。

（2）施工单位应按工程支付程序规定的时间向监理部提交工程支付计量资料，其主要内容有：

①已完成工程量报表。

②已完成工程量测算资料及清单。

③支付工程量质量证明文件（施工质量验收合格证）。

④施工进度计划及其执行说明。

(3)总监理工程师应对支付计量资料进行认真审核。其主要审核内容为：

①施工单位申报的工程量支付计量资料是否齐全、完整。

②支付工程量项目是否符合施工承包合同及设计预算项目名称内容。

③支付工程量的计量是否真实，支付工程量与测量计算结果是否正确一致，驻地监理工程师对施工单位的计量、测量成果是否已认证。

④结算单位是否与合同文件相符。

⑤合同外工程量计量的依据是否完备正确。

(4)总监理工程师必须在规定时间内对本月已完成工程量全面审核完毕，在"已完工程报表"上签署审核意见，其内容包括：

①全部申报工程量准予支付。

②全部或部分(写编号)申报工程量暂缓结算支付。

③全部或部分(写编号)申报工程量不予结算支付。

④签署"工程款支付通知书"。

第九章　涵闸施工质量控制

第一节　要　求

(1)涵闸施工前,应根据批准文件由施工单位编制施工组织设计及施工实施方案和施工进度计划,并报监理部审批。

(2)承包单位进入现场后,监理工程师要立即督促其尽快建立领导机构、质量保证体系及落实施工人员,人员满额到位,技术人员要能胜任,务求事有人管、责权明确、上通下达,遇到问题能迅速采取对策。

(3)抓机械器材、物资、原材料、试验测量仪器、进场机械设备的落实,对原材料必须进行检验,不合格材料不准进场,试验设备和仪器必须经过有关单位率定过,测量仪器必须是经过校正的,机械设备是完好的。

(4)监理单位配合业主请设计单位及时向施工单位进行设计交底和交桩及下达土方、混凝土、砌石等各项工程质量控制指标,力求做到参加施工人员人人明白设计意图。

(5)监理工程师督促施工单位对基准点复测、放样及对土料区的调查复核,对砂石料、钢筋、水泥等材料做取样试验,并做各种混凝土标号的配合比试验及砂浆配合比试验、土料含黏粒量、干密度、最大干密度、最佳含水量及击实试验和碾压试验、钢筋焊接试验等。

第二节 施工测量控制

一、一般规定

(1)施工单位应建立专业组织或指定专人负责施工测量工作,及时准确地提供各项施工阶段所需的测量资料。

(2)施工测量前,建设单位应向施工单位提交施工图、闸址中心线标志和附近平面高程控制等资料,并交监理部门一份以备复查和检测。

(3)施工平面控制网的坐标系统应与设计阶段的坐标系统相一致,也可根据施工需要建立与设计阶段的坐标系统有换算关系的独立坐标系统。施工高程控制系统必须与设计阶段的高程系统相一致,施工时监理工程师必须进行复核。

(4)施工测量主要控制精度指标要符合表9-1规定。

表 9-1 涵闸施工测量精度控制指标 （单位:mm）

项次	项目		精度		说明
	分部工程	部位	内容	平面位置中误差	高程中误差	
1	混凝土	闸室底板	轮廓点放样	±20	±20	
		岸、翼墙	轮廓点放样	±25	±20	
		铺盖、消力池	轮廓点放样	±30	±30	
2	浆砌石	岸、翼墙	轮廓点放样	±30	±30	
		护底、海漫、护坡	轮廓点放样	±40	±30	
3	干砌石	护底、海漫、护坡	轮廓点放样	±40	±30	
4	土石方开挖		轮廓点放样	±50	±50	包括土方保护层
5	机电设备与金属结构安装		安装点	±(1~3)	±(1~3)	相对建筑物轴线和水平度
6	外部变形观测		位移测点		±(1~3)	相对于观测点

(5)各主要测量标志统一编号并绘于施工总平面图上,注明各有关标志相互间的距离、高程及角度等,以免发生差错。施工期内,对测量标志必须采取保护并定期检测。

二、施工测量控制要点

(1)施工中测量的控制要点:

①开工前,应对原设计控制点、中心线进行复测,布设施工控制网,并定期检测。

②建筑物及附属工程的点位放样。

③建筑物的外部变形观测点的埋设和定期观测。

④竣工测量。

(2)平面控制网的布置,以轴线网为宜,如采用三角网时,水闸轴线宜作为三角网的一边。

(3)根据现场闸址中心线标志测设轴线控制的标点,相邻标点位置的中误差不应大于 15mm。平面控制测量等级宜按一、二级导线测量有关技术要求进行,如表 9-2。

表 9-2　导线测量控制标准

等级	测角中误差	三角形最大闭合差(″)	相对中误差		方向法测回数	
			起边	弱边	J_2 型	J_6 型
一级小三角	±5°	±15	1/40 000	1/20 000	2	6
二级小三角	±10°	±30	1/20 000	1/10 000	1	2

(4)施工水准网的布设应按照由高到低逐等控制的原则进行,按国家水准点测量时必须两点以上,检测高差符合要求后,才能正式布网。

(5)土地永久水准点宜设地面明标和地下暗标各一座,大型水闸应设置明标、暗标各两座,基点的位置在不受施工影响、便于保存的地点,宜浇灌混凝土基础。

(6)高程控制测量等级及高程限差要求如表9-3、表9-4规定。

表9-3　高程控制测量等级要求

施测部位	水准测量等级
大型水闸垂直变形	二
中小型水闸垂直变形水准网布设	三
中小型水闸垂直变形水准网布设,主要建筑物混凝土部位,大中型河渠	四
一般土石方工程	五(等外)

表9-4　高程往返校差环线或附合闭合差限差

项目		水准等级				说明
		二	三	四	五(等外)	
水准仪型号		S_4	S_4	S	S_{13}	
返往校差环线或附合闭合差限差(mm)	平地	$\pm 4\sqrt{L}$	$\pm 12\sqrt{L}$	$\pm 20\sqrt{L}$	$\pm 30\sqrt{L}$	
	山地		$\pm 3\sqrt{n}$	$\pm 5\sqrt{n}$	$\pm 10\sqrt{n}$	

(7)放样前,对已有数据、资料和施工图中的几何尺寸,必须检核,严禁凭口头通知或无签字的草图放样。

(8)发现控制点有位移迹象时,应进行检测,其精度应不低于测设时的精度。

(9)闸室底板上部立模的点位放样,直接从轴线控制点测放出底板中心线(垂直水流方向)和闸孔中心线(顺水流方向),其误差要求为±2mm,而后用钢尺直接丈量,量出闸墩、门槽、岸墙、中墩、胸墙、工作桥、公路桥等平面立模线和检查控制线,以便进行上部施工。

(10)闸门、金属结构预埋件及安装放样点测量精度应符合表9-5规定。

表 9-5　金属结构放样点测量精度　　　　（单位:mm）

项目		测量中误差或相对误差			说明
		纵向	横向	竖向	
平面闸门埋件测点	主轨、底栏、反轨	±2			纵向中误差是指对该孔门槽中心线而言;横向是指孔中心线;竖向指安装高程控点而言
	门楣	±1		±2	
弧形闸门埋件测点	底栏、侧止水座板、滚轮导板		±2		
	门楣		±1	±2	
	铰座钢梁中心		±1	±1	
	铰室的基础螺旋中心	±1	±1	±1	

(11)立模砌筑点高程放样应遵守下列规定:

①供混凝土立模使用的高程点、混凝土抹面层、金属结构预埋件及混凝土预制构件安装,均应采用有闭合条件的几何水准点测设。

②对软土地基的高程测量,是否考虑沉陷因素,应与设计单位联系确定。对闸门预埋件安装高程和闸身上部结构高程的测量,应在闸底板上建立初始观测点,采取相对高差进行测量。

三、竣工测量内容及归档资料应包括的项目

(1)测量控制网(平面及高程)的计算结果。

(2)建筑物基础底面和引河的平面断面图。

(3)建筑物过流断面部位测量的图表和说明。

(4)外部变形观测设施的竣工图表及观测成果资料。

(5)有特殊要求部位的测量资料。

第三节　施工导流控制

施工导流主要控制措施有:

(1)施工导流截流及度汛应制定专项施工措施,并经上级审

批,监理工程师督促进行。

(2)在引水河渠上的导流工程应满足下游用水的最低水位和最小流量的要求。截流方法、龙口位置及宽度应根据水位、流量、河床冲刷性能及施工条件等因素决定。截流时间、施工进度,尽可能选择在枯水低潮和非冰凌期。

(3)围堰的填筑及拆除均应按设计要求进行,在施工导流期内,施工单位必须进行定期观测、检查并及时维护。

第四节　基础开挖控制

一、一般规定

(1)监理工程师根据设计文件、图纸及技术要求和坝基、闸基的实际情况,审查施工单位提交的基础开挖施工方案。

(2)对于施工单位进行的堤基、闸基开挖或处理中的详细记录,监理工程师均需审核签字。

(3)堤基、闸基清理后应在第一坯土料填筑前进行整平压实,压实后的干密度应与堤身设计干密度相一致,并通过自检、抽检合格,经监理批复签字后方可进行下步工作。

(4)堤基、闸基表层的砖石、淤泥、腐殖土、杂填土、草皮、树根及其他杂物应开挖清除,并应按指定位置堆放。

(5)堤基、闸基开挖单元工程检测的数量按堤基、闸基开挖面积平均每 $50\sim100\text{m}^2$ 一个计算。

(6)根据土质和施工机具等情况,基坑底部应留有一定厚度的保护层,在底部工程施工前分块依次挖除。

(7)开挖前,应降低地下水位,使其低于开挖基面 0.5m。

(8)开挖基坑前宜分层分段依次进行,逐层设置排水沟,层层下挖。

(9)堤基、闸基处理单元工程质量检查和检测的项目根据《黄河防洪工程施工质量评定规程》执行。

二、排水和降低地下水位控制

(1)场区排水系统的规划和设置应根据地形、施工期的径流量和基坑渗水量等情况确定,并应与场外的排水系统相适应,故施工单位在施工中要做出具体的施工排水系统规划,并报请监理批准。

(2)基坑的排水设施,应根据坑内的积水量、地下渗流量、围堰渗流量、降雨量等计算确定,抽水量应适当限制水泥下降速率,并做好记录。

(3)基坑的外围应设置截水沟与围埝,防止地表水流入,并把设置的截水沟绘于平面图。

(4)降低地下水位,可根据工程地质和水文地质情况选用适合于施工的方案,并将方案报监理审核同意。必要时,可用来配合作为截渗措施:①集水坑降水适用于无承压水的土层;②井点降水适用于砂壤土、粉细砂或有承压水的土层。

(5)集水坑降水的控制要点。①抽水设备能力宜为基坑渗透流量和施工期最大日降雨径流量总和的 1.5～2.0 倍;②基坑底、排水沟底、集水坑底应保持一定深差;③集水坑和排水沟应设置在建筑物底部轮廓线以外一定距离;④挖深较大时,应分段分级设置平台和排水设施;⑤流沙、管涌部位应采用反滤导渗措施。

(6)井点降水措施设计控制要点。①井点降水计算(必要时可做现场抽水试验确定计算参数);②井点平面布置、井点的结构、井点管路与施工道路交叉处的保护措施;③抽水设备的型号和数量(包括备用量);④水位观测孔的数量和位置,并做好记录;⑤降水范围内的已有建筑物的安全措施。

(7)井点、井管的设置控制要点。①成孔宜采用清水固壁,采用泥浆护壁时,泥浆应符合有关规定;②井管应经清洗、检查合格后方能使用,各段井管的连接应牢固;③滤布、滤料应符合设计要求,滤布应紧固井底,滤料应分层填筑,井侧滤料应均匀连续填入,不得猛倒;④成井后应立即采用分段自上而下和抽停相间的程序抽水洗井;⑤试抽时,应检查地下水位下降情况,调整水泵,使抽水量与渗水量相适应,并达到预定降水高程,同时做好记录。

(8)竖井点的设置控制要点。①安装顺序宜为:敷设集水总管→沉放井点管→灌填滤料→连接管路→安装抽水机组;②各部件均应安装严密,不漏气,集水总管与井点管宜用软管连接;③冲孔孔径不应小于30cm,孔底应比管底深0.5m以上,管距宜为0.8~1.6m;④每根井点管沉放后,应检查渗水性能,井点管与孔壁之间填砂、滤料时,管口应有泥浆水或向管内灌水时能很快下渗方为合格;⑤整个系统安装完毕后,应及时试抽,合格后将孔口下0.5m深范围用黏土填塞。

(9)井点抽水时,应监视出水情况,如发现水质浑浊,应分析原因及时处理。

(10)降水期间,应按时观测、记录水位和流量,对竖井点还应观测真空度。

(11)井点管拔除后,应按设计要求填塞。

三、地基处理控制

(一)一般规定

这里仅对水闸工程中常用的几种地基处理的施工方法的控制提出要求,其他的施工方法的控制要求可参照有关规定执行。

对已确定的地基处理方法应做现场试验,并由施工单位编制施工措施设计,在处理过程中,若遇地质情况与设计不符时,应及时修改施工措施设计。

(二)换土(砂)地基的控制要求

(1)砂垫层的砂料应符合设计要求并通过试验确定。如用混合料应按优选的比例拌和均匀,砂料的含泥量不应大于5%。

(2)黏性土垫层的土料应符合设计要求。取用前,料场表面覆盖层应清理干净,并做好排水系统。土料含水量应控制在范围内,否则应在料场处理。

(3)挖土和铺料时,不宜直接践踏基坑底面,可边挖除保护层边回填。

(4)回填料应按规定分层铺筑,密实度应符合设计要求,下层的密度检查合格后,方可铺填上一层,竖向接缝应相互错开。

(5)砂垫层选用振动等方法密实时,宜在饱和状态下进行。

(6)黏性土垫层宜用碾压或夯实法压实,填筑时,应控制地下水位低于基坑底面。

(7)黏性土垫层的填筑应做好防雨措施,填土面宜中部高、四周低,以利排水。雨前,应将已铺的松土迅速压实或加以覆盖。雨后,对不合格的土料,应晾晒或清除,并经自检合格、报监理人员检查后方可继续施工。

(8)充分利用软基处理新技术。利用软基处理新技术,可加固软基,提高地基的承载力和岸坡的稳定性,作为加强材料,减少侧向土压力,用做隔离层和反滤层,防止冲刷和砂土流失等。这些对加固地基,提高地基承载力,减少沉降,同时加快施工进度,减少工程投资等都有好处。

(三)用振动法加固地基的控制要点

(1)振动法适用于砂土或砂壤土地基的加固。振动置换所用的填料,宜用碎石、角砾、砂砾或粗砂,不得使用砂石混合料,填料最大粒径不应大于50mm,含泥量不应大于5%,且不得含黏土块。

(2)振动法的施工设备应满足下列要求:

①振动器的功率,振动力和振动频率应按土质情况和工程要求选用。

②起重设备的吊重能力和提升高度,应满足施工和安全要求,

一般起重能力为 80～150kN。

③振动器的出水口水压宜为 0.4～0.8MPa,供水量宜控制在 200～400L/min。

④应有控制质量的装置。

(3)施工前,应进行现场试验,确定反映密实程度的电流值、留振时间及填料量等施工参数,并写出试验报告交监理工程师审阅。

(4)造孔时,振动器贯入速度宜为 1～2cm/s,每贯入 0.5～1.0m,宜悬挂留振,留振时间应根据试验确定,一般为 5～10s。

(5)制桩宜保持小水补给,每次填料应均匀对称,其厚度不宜大于 50cm,填料的密实度以振动器留振时的工作电流达到规定值为控制指标。

(6)振动桩宜采用由里向外或从一边向另一边的顺序制桩。

(7)孔位偏差不宜大于 10cm,完成后的桩顶中心偏差不应大于 0.3 倍的桩孔直径。

(8)制桩完毕后应复查,防止满桩。桩顶不密实部分,应挖除或采取其他补救措施。

(9)砂土、砂壤土地基的加固效果检验,分别在加固 7 天及半个月后,对桩间土采用标准贯入、静力触探等方法进行检验,复合地基确保经荷载试验检验。

(四)钻孔灌注桩基础控制

(1)钻孔灌注桩形成可根据地质条件,选回转、冲击、冲抓或潜水等钻机,各种钻机的使用范围要符合设计要求。

(2)护筒的埋设应符合下列规定:

①用四轮钻机时,护筒内径宜大于钻头直径 20cm,用冲击、冲抓钻机时,宜大于 30cm。

②护筒埋设应稳定,其中心线与桩位中心的允许偏差不应大于 50mm。

③护筒顶端应高出地面 30cm 以上,当有承压水时,应高出承

压水位 1.5~2.0m。

④护筒的埋设深度。地面黏性土中,不宜小于 1.0m,在软土或砂土中不宜小于 2.0m,护筒四周应分层回填黏性土,对称夯实。

(五)泥浆护壁和排渣

采用泥浆护壁和排渣时,应符合下列规定。

(1)在黏土和壤土中成孔时,可注入清水以原土造浆护壁,排渣泥浆的比重应控制在 1.1~1.2。

(2)在砂土和夹砂土层中成孔时,孔中泥浆比重应控制在 1.1~1.3,在易坍孔的土层中成孔时,孔中泥浆比重应控制在 1.3~1.5。

(3)泥浆宜选用塑性指数 $I_p \geqslant 17$ 的黏土调制,泥浆黏度控制指标在 18~22s,含砂率不大于 4%~8%,胶体率不小于 90%。

(4)施工中,应经常在孔内取样测定泥浆的比重并做好记录。

(六)钻机安置与终孔检查

(1)钻机安置应牢固,不得产生沉陷或位移,钻进时应注意土层变化情况。

(2)终孔检查后,应立即清孔,清孔后应符合下列规定:

①孔壁土质较好且不易塌孔时,可用空气吸泥机清孔。

②用原土造浆的孔,清孔后泥浆比重应控制在 1.1 左右。

③孔壁土质较差时,宜用泥浆循环清孔,清孔后的泥浆比重应控制在 1.15~1.25,泥浆含砂率控制在 8% 以内。

④清孔过程中,必须保持浆面稳定。

⑤清孔标准,摩擦桩的沉渣厚度应小于 30cm,端承桩的沉渣厚度应小于 10cm。

(七)钻孔标准

灌注钻孔标准,摩擦桩的沉渣厚度应小于 30cm,端承桩的沉渣厚度应小于 10cm,其质量标准应符合表 9-6 规定。

表 9-6　　灌注钻孔质量标准

项次	项目	质量标准
1	孔的中心位置	单排桩不大于 100mm,群桩不大于 50mm
2	孔径偏差	+ 100mm, − 50mm
3	孔斜率	≤1%
4	孔深	不得小于设计孔深

(八)钢筋骨架的焊接

固定以及保护层的控制应符合下列规定:

(1)分段制作钢筋骨架时,应对各段进行预拼接,做好标志,放入孔中后,两侧钢筋对称施焊,以保持其垂度。

(2)钢筋骨架的顶端必须固定,以保持其位置稳定,避免上浮。

(3)控制钢筋混凝土保护层的环形垫块宜分层穿在加强筋上,加强箍筋应与主筋焊接。

(九)灌注水下混凝土的导管

灌注水下混凝土的导管应符合下列要求:

(1)每节导管长为 2m,最下端一节为 4m,导管底面不设法兰盘,并应配有部分调节用的短管。

(2)导管应做压水试验,并编号排列,且写出试验报告,经监理工程师批准。

(3)拼装前,应检查导管是否有缺损或污垢;拼接时应编号,连接严密。

(4)每接一节,应立即将其内外壁清洗干净。

(5)隔水栓宜用预制混凝土球塞。

(十)配制水下混凝土

配制水下混凝土应符合以下规定:

(1)水泥标号不应低于 325 号,水泥性能除应符合现行标准要求外,其初凝时间不宜早于 2.5 小时。

(2)骨料最大粒径不大于导管内径的 1/6 和钢筋最小间距的 1/3 且不大于 40mm。

(3)砂率一般为 40%～50% 时应掺用外加剂,水灰比不宜大于 0.6。

(4)坍落度和扩散度分别以 18～22cm 和 34～38cm 为宜,水泥用量一般不宜少于 350kg/m³。

(十一)灌注水下混凝土应符合的标准

(1)导管下口至孔底间距宜为 30～50cm。

(2)初灌混凝土时,先将导管埋入,放好储料斗,灌少量水泥浆。灌注应连续进行,导管埋入深度应不小于 2.0m,但不应大于 5.0m,混凝土进入钢筋骨架下端时,导管宜深埋,并放慢灌注速度。

(3)终灌时,混凝土的最小灌注高度应能使泥浆顺利排出,以保证桩的上段质量。

(4)桩顶灌注高度应比设计高程加高 50～80cm。

(5)随时测定坍落度,每根桩留取试块不得少于一组,当配合比有变化时,均应留试块检验。

(十二)成桩检测

桩的质量可用无损检验法进行初验,必要时,可对桩体进行钻芯取样检验。

四、基坑开挖的注意事项

(1)合理布置施工现场道路及作业场地。

(2)基坑开挖宜分段分层依次进行,逐层设置排水沟以降低地下水位,层层下挖,基坑底部应留有一定厚度的保护层,以便在底部工程施工前分块依次挖除。

(3)基坑开挖应根据设计轮廓进行开挖,严禁欠挖。

第五节 接缝及涵闸与堤身结合部施工控制

一、土堤碾压施工控制

(1)为确保新旧工程结合严密,必将原坡逐坯开礓,切成台阶状,各台阶应与压实后的土坯厚度相同。

(2)接头处理,相邻工段应尽量平衡上土,两工段接头处要逐层交错压实,不准留有界沟,如进度不□□,铺土相差两层以上时,接头处要按1:5的坡进行斜插肩,低工段上土时接头处应逐层开礓,但每工段不得小于100m。

二、填筑土堤斜坡结合面

在土堤的斜坡结合面上填筑时,应符合下列要求:

(1)应随填筑面上升进行削坡并削至质量合格层。

(2)应控制好结合面土料的含水量,边刨毛、边铺土、边压实。

(3)垂直堤轴的堤身接缝碾压时,应跨缝搭接碾压,其搭接宽度不少于3m。

三、土堤与刚性建筑物的连接

土堤与刚性建筑物(闸、涵、堤内埋管等)相接时,应满足下列要求:

(1)建筑物周边回填土方,宜在建筑物强度达到设计强度的50%～70%的情况下施工。

(2)填筑前,应清除建筑物表面的浮皮、粉尘及油垢等,对表面的外露铁件(如模板、对销、螺栓等)必须割除,并对铁件周围进行凿毛,用水泥砂浆抹平,外贴沥青油毡纸。

(3)填筑时,必须先将建筑物表面湿润,边涂泥浆边铺土边夯实,涂浆高度与铺土厚度一致,涂层厚宜为3～5mm,并与下部涂层衔接,严禁泥浆干燥后再填筑,与建筑物表面接触处和侧压管以及沉陷周围,必须人工夯实。

(4)制备泥浆应采用塑性指数$I_p>17$的黏土,泥浆浓度可用$1:2.5\sim1:3.0$(水重:总重)。

(5)建筑物两侧填土,应保持均衡上升,贴边填筑宜夯实,铺土厚度应为15～20cm。

第六节 混凝土工程和钢筋的控制

一、建筑材料的监测

所用的三材必须符合下列标准:

(1)水泥:所用水泥的性能指标,必须符合现行国家有关标准的规定。

(2)水泥进场必须有出厂合格证或进场试验报告单,监理单位应对其品种、标号、包装或散装编号、出厂日期等进行检查验收,当对水泥质量有怀疑或水泥出厂超过3个月(快硬硅酸盐水泥超过1个月)时,应做复查试验,并按试验结果决定是否使用。

(3)所用的骨料应符合国家现行有关标准的规定,并取样做含水量、泥块含量、针片状颗粒含量、表现密度、堆积密度、逊径等试验。所用混凝土粗骨料,其最大颗粒粒径不得超过结构截面最小尺寸的1/4,且不超过钢筋间最小净距的3/4。对混凝土实心板、骨料的最大粒径不宜超过板厚的1/2,且不得超过50mm。骨料应按品种规格分别堆放,要有标牌,写明产地、规格、数量等,不得混杂。骨料中严禁混入煅烧过的白云石或石灰块及山皮石块。

(4)混凝土拌和宜采用饮用水,当采用其他来源水时,水质必须符合国家现行标准《混凝土拌和用水标准》的规定。

（5）钢筋总则。所有结构物工程中所要求的一切钢筋的质量应符合现行国家标准的规定。钢筋应有出厂质量证明书或试验报告单,钢筋表面或每根(盘)均应有标志,进场时应按炉罐(批)号及直径分批检验,检验内容包括查对标志、外观检查,并按现行国家有关标准的规定抽取做力学性能试验,合格后方可使用。钢筋的加工过程中如发现脆断、焊接性能不良或力学性能显著不正常现象,应根据现行国家标准对该批钢筋进行化学成分检验或其他专项检验。对有抗震要求的框架结构的纵向受力钢筋应进行检验。检验所得的强度实测值应满足下列要求:①钢筋的抗拉强度实测值与屈服强度实测值的比值不应小于 1.25;②钢筋的屈服强度实测值与钢筋的强度标准的比值,当按一级抗震设计时,不应小于1.25,当按二级抗震设计时不应大于 1.4。

（6）另外,钢筋在运输和储存时,不得损坏标志,并应按批分别堆放整齐,要有标牌,下面要放置木垫块,避免锈蚀或油垢。钢筋的级别、种类和直径应按设计要求采用,当要代换时,应征得设计单位的同意,并应符合下列规定:

①不同种类钢筋的代换,应按钢筋受拉承载力设计值相等的原则进行。

②当构件受抗裂裂缝宽度或挠度控制时,钢筋代换后应进行抗裂裂缝宽度或挠度检验。

③钢筋代换后,应满足混凝土结构设计规范中所规定的钢筋间距、最小钢筋直径、根数等要求。

④对重要受力构件,不宜用Ⅰ级光面钢筋代换变形钢筋。

⑤梁的纵向受力钢筋与弯起钢筋应分别进行代换。

（7）钢筋取样与试验。按 TB 171—69《钢筋混凝土结构用热轧钢筋》的标准,作抗拉、抗剪强度伸缩及弯曲试验,需要焊接的钢筋应作焊接工艺试验,只有合格后才能使用。

二、钢筋的加工与安装质量控制

(1)钢筋的加工,所有钢筋的截断与弯曲应符合设计要求,加工后钢筋的允许偏差如表 9-7 所示。

表 9-7　钢筋加工允许偏差

项次	项目	允许偏差(mm)
1	受力钢筋顺长度方向全长净尺寸	±10
2	钢筋弯起点位置	±20
3	箍筋各部分长度	±5

钢筋的对接接头应采用闪光对焊,无条件采用闪光对焊时,方可采用电弧焊;钢筋的支叉连接,宜采用接触点焊;现场焊接竖向直径大于 25mm 的钢筋,宜采用电渣压力焊,焊接应均匀。

(2)钢筋的安设,所有的钢筋要准确安设,钢筋的根数和间距符合设计要求,并应绑扎牢固,其位置偏差应符合表 9-8 规定。

表 9-8　钢筋安设位置偏差

项次	项目	允许偏差(mm)	项次	项目	允许偏差(mm)
1	受力钢筋间距	±10	5	钢筋保护层厚度	
2	分布钢筋间距	±20		基础、墩、厚墙	±10
3	箍筋间距	±20		薄墙、梁	-5,+10
4	排距	±5		桥面板	-3,+5

钢筋安装时应严格控制保护层厚度,钢筋下面或钢筋与模板间应设置数量足够、强度高于构件强度、质量合格的混凝土或砂浆垫块,侧面使用的垫块应埋设铁丝并与钢筋扎紧。所有垫块应互相错开、分散布置,在双层或多层钢筋之间应采用短钢筋支撑或采

取其他有效措施,以保证钢筋位置的准确。绑扎所用的钢筋铁丝和垫块上的铁丝均应按倒,不得伸入混凝土保护层中。

(3)钢筋的质量评定,在主要检查、检测项目符合本标准的前提下,凡检查点总数中有70%及其以上符合上述标准的,即评为合格;凡有90%及其以上符合上述标准的,即评为优良。

三、模板的制作与安装控制

(一)总则

模板的形式应与结构特点和施工方法相适应,具有足够的强度、刚度和稳定性,保证浇筑后结构的形状尺寸和相互位置符合设计规定,各项误差在允许范围之内,模板表面光洁平整、接缝严密、制作简单、装拆方便、经济耐用,尽量做到系列化。

(二)模板的制作与安装

(1)模板的制作应与钢筋架设、预埋件安装、混凝土浇筑等工序密切配合,做到互不干扰。

(2)支架和支撑宜支撑在基础面或坚实的地基上,并应有足够的支撑面积与可靠的防滑措施,支架、脚手架的各立柱之间应有足够数量的杆件固定。

(3)制作与安装模板的允许误差(检验标准)。

①钢模板的制作:模板的长度和宽度±2mm,表面局部不平度±2mm,连续配件的孔位置±1mm,并有足够的强度、刚度,表面光洁平整。

②木模板安装:各层支架的支柱应垂直,上下层支柱应在同一中心线上,支架的横垫木应平整,并应采取有效的构造措施,确保稳定。

(三)模板拆除

拆除模板的支架期限,设计无规定时,应符合下列规定:

①不承重的侧面模板应在混凝土强度达到其表面及棱角不因

拆模而损伤时,方可拆除,在墩、墙、柱部位,不低于 3.5MPa。

②承重模板及支架,应在混凝土上达到下列强度后始准拆除:

悬臂梁、板: 跨度≤2m 70% 跨度≥2m 100%

其他梁、板、拱:跨度≤2m 50% 跨度≥2m 70%

跨度≥8m 100%

桥梁、胸墙等重要部位的承重支架,除混凝土强度应达到上述规定外,龄期不得少于 7 天。

四、混凝土的浇筑控制

(1)拌制混凝土应严格按批准的配料单配料,不得擅自更改,如监理工程师事前需要对其进行抽检,施工单位应以精确的重量和体积对比进行精度校核,其允许偏差为:水泥±2%,水±3%,骨料±3%。

(2)骨料的含水量应经常检测,以便调整加水量及骨料的重量,搅拌应使混凝土的各种组成材料混合均匀,颜色一致。

(3)混凝土所用的水泥品质应符合国家标准并按设计要求和使用条件选用,其原则如下:

①水位变化区或有抗冻冲刷抗磨损等要求,应选用硅酸盐水泥、普通硅酸盐水泥。

②水下不受冲刷部位或原大构件内部混凝土,宜选用矿渣硅酸盐水泥、粉煤灰硅酸盐水泥或火山灰硅酸盐水泥。

③水上部位的混凝土,应选用普通硅酸盐水泥。

④受海水盐雾作用的混凝土,应选用硅酸盐水泥、普通硅酸盐水泥或矿渣硅酸盐水泥。受硫酸盐侵蚀的混凝土宜采用抗硫酸盐水泥,粉煤灰硅酸盐水泥。

⑤水泥标号应与设计强度相适应,每一部分工程所用水泥品种不宜太多,未经试验论证,不同品种的水泥不得混合使用。

(4)拌制和养护混凝土用水应符合下列规定:

①凡适宜饮用的水均可使用,未经处理的工业污水不得使用。

②水中不得含有影响水泥正常凝结与硬化的有害杂质,氯离子含量不超过200mg/L,硫酸盐含量不大于2 200mg/L,pH值不小于4。

(5)外加剂的技术标准应符合《水工混凝土外加剂技术标准》(SD 108)的规定,其掺量应通过试验确定,并严格按照操作规程掺用。

(6)混凝土的配合比应通过试验选定,除满足设计强度、耐久性及施工技术要求外,还应做到经济合理。

(7)混凝土的水灰比应通过试验确定,但遇下列情况时均分别减少0.03～0.05:

①严寒地区(最冷日平均气温低于-10℃的地区)。

②受海水、盐雾或其他侵蚀性介质作用的外部混凝土。

③厚度小于60cm的胸墙、薄墙等。

(8)混凝土坍落度,应根据试验结果及结构特点和部位的设计要求来确定,并报监理工程师批准。配制大坍落度混凝土时(超过8cm)应掺外加剂。热天施工和结构钢筋特密时,坍落度宜适当加大。

(9)拌制混凝土时,应严格按试验室签发的配料单配料,并根据现场实测骨料含水量进行适当的调剂,不得擅自更改。

(10)水泥、砂的混合材料均以重量计,水及外加剂溶液可按重量换算成体积,各种衡器应定期校验,称量偏差不得超过允许偏差,水、外加剂溶液±2%,水泥、混合材料±2%,骨料±3%。计量设备较好的混凝土中心搅拌站,水外加剂溶液的称量允许偏差不宜超过±1%,混凝土拌和至组成材料混合均匀、颜色一致,拌和的时间不得少于1.5～2分钟,当采用强制式搅拌机时,时间可缩短。

五、混凝土的运输

混凝土的运输应符合以下要求：

(1)运输设备及运输能力的选定,应与结构的特点、仓面布置、拌和及浇筑能力相适应。

(2)以最少的运转次数,将拌成的混凝土送至浇筑仓内,在常温下运输的延续时间,不宜超过半小时,如果混凝土产生初凝应进行专门处理。

(3)运输管道力求平坦,避免发生离析、漏浆及坍落度损失过大的现象,运至浇筑地点后如有离析现象,应进行二次拌和。

(4)混凝土的自由下落高度不宜大于2m,超过时应采用溜管、串筒或其他缓降措施。

(5)采用不漏浆、不吸水的盛器,盛器使用前应用水润湿,但不留有积水,使用后应刷洗干净。

六、混凝土浇筑时的控制事项

(1)应详细检查仓内清理、模板、钢筋、预埋件、永久缝及浇筑准备工作等,并做好记录,报请监理工程师验收后方可浇筑。

(2)混凝土层按一定厚度、顺序和方向,分层填筑,浇筑面积大致水平,上下相邻两层同时浇筑时,前后距离不宜小于1.5m。在斜面上浇筑混凝土应从低处逐层升高,并保持水平分层,不使混凝土向低处流动。

(3)混凝土应随浇随平,不得使用振捣器平仓,有粗骨料堆叠时,应将其均匀地分布于砂浆较多处,严禁用砂浆覆盖。

(4)混凝土浇筑层厚度,应根据搅拌运输和浇筑能力、振捣器性能及气温因素确定,插入式软轴振捣器浇筑层厚度为振捣器长度的1.25倍。表面式振捣器在无筋或少筋结构中为250mm,在钢筋密集或双层钢筋结构中为150mm,附着式外挂振捣器为

300mm。

(5)浇筑混凝土应连续进行,如因故必须间歇时,应不超过允许的间歇时间,以便在前层混凝土初凝前将续层混凝土振捣完毕,否则应按施工缝处理。

(6)混凝土浇筑中或凝结前遇雨时,应将倾入仓内的混凝土全部振实,并用篷布盖住浇筑仓面,因雨被迫停工后接浇时按施工缝处理。

(7)浇筑过程中,应经常检查模板、支架等稳固情况,如有漏浆、变形或沉陷,应立即处理。相应检查钢筋、止水片及预埋件的位置,如发现移动时应及时校正。浇筑到顶时,应及时抹平,排除泌水,待定浆后再抹一遍,防止产生松顶和表面干缩裂缝。

(8)在土基上浇筑底部混凝土时,应做好排水措施,尽量避免扰动地基土,必要时,在征得设计单位同意后,可增浇同标号的混凝土封底,在表层混凝土或岩基上浇筑混凝土时,基面应避免有过大的起伏。

(9)厚大的底板、消力池混凝土宜分层浇筑,中间层宜采用较大粒径的粗骨料,选用水化热较低的水泥。

(10)使用混凝土撑柱,应符合下列要求:

①撑柱间距应根据构件厚度,脚手架布置和钢筋架立等因素通过计算确定。

②撑柱的混凝土标号应与浇筑部位相同,在达到设计强度后使用。断裂残缺者不得使用。

③撑柱表面应凿毛并刷洗干净。

④撑柱应支撑稳定,若支撑面积不足时,可加垫混凝土垫块,撑柱所用的撑拉杆应随着浇筑面上升依次拆除干净。

⑤浇筑时应特别注意撑柱周边混凝土,振捣结束后,立即拆除柱顶部的连接撑杆,并捣实杆孔。

(11)浇筑反拱底板,应按照设计要求进行,并应注意下列事项：

①底板浇筑可适当推迟,使墩墙有更长的预沉时间。

②边端的一孔或两孔的底板预留缝,宜在墙后填土基本完成后封填。

③墩、墙与底板结合处,应按施工缝规定处理。

(12)在同一底板上浇筑数个闸墩时,各墩的混凝土浇筑面应均衡上升。

(13)浇细薄结构混凝土时,可在两侧模板的适当位置均匀布置一些扁平囱口,以利浇捣。随着浇筑面上升,囱口应及时封堵,并注意表面平整。

(14)混凝土浇筑完毕,应及时覆盖。面层凝结后,应及时洒水养护,在常温下,混凝土连续湿润养护时间为 10 天。养护用水应与拌和混凝土用水相同。

七、混凝土振捣的控制

(1)所有的混凝土一经浇筑,应立即进行振捣,使之成为密实的整体。

(2)振捣点要均匀,间隔距离不得超过有效半径的两倍,振动应保持足够的时间和强度,以彻底捣实混凝土为准。

(3)振捣器应按一定顺序振捣,防止漏振,重振移动间距不大于振捣器有效半径的 1.5 倍,当使用表面振捣器时,其振捣边缘应适当搭接。

(4)振捣器机头宜垂直插入下层混凝土中 5cm 左右,振捣至混凝土无显著下沉、不出现气泡为止,表面泛浆并不产生离析后徐徐提出,不留空间。

(5)振捣器头至模板的距离应约等于其有效半径的 1/2,并不得触动钢筋、止水片及预埋件等。

(6)无法使用振捣器或浇筑困难的部位,可采用人工捣固。

八、混凝土施工缝的处理控制

(1)按混凝土的硬化强度,采用凿毛、冲毛等方法,清除老混凝土表层的水泥薄膜和松弱层,经监理工程师认可。

(2)浇筑前,水平缝应铺一层厚 1~2cm 的 1:2 水泥砂浆,垂直缝应刷一层净水泥浆,其水灰比应比混凝土水灰比减少 0.03~0.05。

(3)新老混凝土结合面应轻微捣实。

(4)施工缝处理,待处理层混凝土达到一定强度后才能继续浇筑。

(5)施工缝的处理应在无害于结构的强度及外观的原则下进行。

九、混凝土预制构件的监控

(1)浇筑前,应检查预埋件的数量,模板的稳定性,钢筋数量、间距及安装位置、保护层厚度等。

(2)每个构件应一次浇筑完,不得间断,并宜采用机械振捣。

(3)构件的外露面应平整、光滑,无蜂窝麻面。

(4)浇筑完后应标注混凝土标号、制作日期。

十、混凝土浇筑时的质量检验

(1)浇筑过程中,首先对粗细骨料的含水量每班至少检验 1 次,气温变化时或雨天增加检验次数;混凝土各种原材料的配合比,每班至少检验 3 次,衡器随时抽检,定期校正;混凝土拌和时间、现场混凝土坍落度、外加剂溶液的浓度,每班至少检验 2 次。

(2)固化后(凝固后)混凝土质量检验,以在标准条件下养护的试件抗压强度为主,必要时尚须做抗冻、抗渗等试验。抗压试件的组数按下列规定取不同标号,不同配合比的混凝土应分别制取试件,数量为每部分 R7、R28 龄期成型试件各一组,与构筑物同等条件养护。混凝土试件应在机口随机抽样,不得任意挑选,并宜在浇筑地点取一定组数的试样,一组 3 个试件应取自同一盘中。

(3)对所用水泥、外加剂和混合材料等应有保证书,并应取样检验。袋装水泥储运时间超过 3 个月,散装水泥超过 6 个月时,使用前应重新检验。袋装水泥进库前,应抽样检查包重。

(4)现场混凝土评定的原始资料,应按下列规定统计:

①现场混凝土试验 R7、R28 抗压强度按标号,以配合比相同的一批混凝土作为一个统计单位;工程验收时,可按部位以同标号的混凝土作为一个统计单位。

②除非查明原因确系操作失误,否则不得抛弃任一个数据。

③每组 3 个试件的平均值为一个统计数据。

④根据混凝土强度试验数据,做出混凝土强度评定。

(5)混凝土施工期间,应及时做好以下记录:每一部位块体的混凝土量,原材料的质量,混凝土标号、配合比、坍落度等各项的数据和指标。

凡其他检查基本符合上述(1)~(5)项标准,监理同意验收时,即评为合格,凡其他检查项目全部符合上述(1)~(5)项标准的,即为优良。

模板:质量评定,在主要检查项目符合本标准的前提下,凡检测点总数中有 70% 及其以上符合上述标准的,即评为合格;凡有 90% 及其以上符合上述标准的,即评为优良。

钢筋:质量评定,在主要检查检测项目符合本标准的前提下,凡检查点总数中有 70% 及其以上符合上述标准的,即评为合格;凡有 90% 及其以上符合上述标准的,即评为优良。

止水、伸缩缝和排水管:质量评定,在主要检查检测项目符合本标准的前提下,凡检查点总数中有 70% 及其以上符合上述标准的,即评为合格;凡有 90% 及其以上符合上述标准的,即评为优良。

混凝土浇筑:凡主要检查项目全部符合上述合格标准,其他检查项目基本符合上述标准的,即评为合格;凡主要检查项目全部符合上述优良标准,其他检查项目基本符合上述优良标准的均为优良。

混凝土单元工程质量评定:在上述基面,混凝土施工缝、模板、钢筋、止水、伸缩缝和堤体排水管,混凝土浇筑五项全部达到合格的基础上,凡混凝土浇筑、钢筋两项达到优良,其余三项有任意一项达到优良,则该混凝土单元工程即为优良,否则只能评为合格。

钢筋混凝土预制构件安装工程:单元工程划分,按施工检查质量评定的根、套、组划分,每一根、套、组预制构件安装质量的评定,在主要检查项目符合本标准的情况,检测总点数中70%及其以上符合本标准的前提下,即评为合格;凡有90%及其以上符合本标准的,即评为优良。单元工程质量等级评定时,还应考虑构件制作质量,凡构件制作质量优良,安装质量合格,也可评为优良。

评定混凝土质量的原始资料应按下列规定统计评定:

(1)现场混凝土试件 R28 的强度,按月按标号、以配比相同的混凝土作为一个统计单位,工程验收时,可按部位以同标号的混凝土作为一个统计单位。

(2)每组 3 个试件的平均值作为一个统计的数据,在同一盘内 3 个试件抗压强度的试验误差以离差系数 C_v 值小于 4% 的情况下,可采用每组成型 2 个试件的平均值作为一个统计数据。

(3)混凝土抗压强度离差系数 C_v 的评定见表 9-9。

表 9-9 混凝土抗压强度离差系数 C_v

混凝土标号	等级				备注
	优秀	良好	一般	较差	
M≤20 号	<0.15	0.15~0.18	0.19~0.22	>0.22	
M≥20 号	≤0.11	0.11~0.14	0.14~0.18	>0.18	

当无试验资料时,离差系数 C_v 可选用 $R_标 \leqslant M15$, $C_v = 0.20$; $R_标 \leqslant M20 \sim M25$, $C_v = 0.18$; $R_标 \geqslant M30$, $C_v = 0.15$ 。

工地混凝土保证率和匀质性指标计算方法:

(1)混凝土保证率和匀质性指标应按月、按不同标号统计,一次统计所用试件的数目不少于 30 组。

(2)混凝土匀质指标以标准温度条件下养护 28 天,混凝土抗压强度的离差系数 C_v 值表示,在工程验收时由 28 天龄期换成设计龄期来计算。离差系数的计算方法如下:

①平均强度 R_n 等于总体强度的特征值,指同标号的混凝土若干组抗压强度的算术平均值:

$$R_n = \sum_{i=1}^{n} R_i / n$$

式中　R_n——每组试件的平均极限抗压强度;

　　　n——试件的组数。

②均方差:　　　$\sigma = \sqrt{\dfrac{1}{n-1} \sum_{i=1}^{n} (R_i - R_n)^2}$

③离差系数:　　　$C_v = \dfrac{\sigma}{R_n}$

第七节　砌石工程监理

一、一般规定

砌石工程应在基础验收及结合面处理检验合格后方可施工,砌筑前应放样、立标、拉线,砌筑时砌面要求平整、稳定、密实和错缝。

二、材料

砌石所用的石料,有方正的料石、块石、卵石等,石料质地应坚硬,无裂纹,风化后不得使用。山东省的一些地方要求,挡土墙扭曲面和消能防冲段浆砌石护坡面石均须使用 20cm×30cm×50cm 的料石。

三、砌筑用的水泥砂浆应符合的条件

(1)配制水泥砂浆应按设计标号提高 15% 配合比并通过试验确定,应具有适度的和易性,水泥砂浆的稠度用标准圆锥沉入度表示为 4~7cm 为宜。

(2)砌石水泥砂浆应按设计配合比拌制均匀,随拌随用。自出料到用完,其允许间歇时间不应超过 1.5 小时。

四、浆砌石的砌筑控制

(1)砌筑前,应将石料洗刷干净,并保持湿润,砌体的石块间应用砂浆填实。

(2)砌石施工时,应先洒水润湿渠基或土基,然后在垫层上铺筑一层厚度 2~5cm 的低标号混合砂浆,再铺砌石料。

(3)石料安放要求:

①浆砌块石应花砌,大面朝外,错缝交接,并选择较大、较规整的块石砌在底层和下部。

②浆砌料石和石板,在坡上应纵砌(料石或石板长边平行水流方向)。必须错缝砌筑时,料石错缝的距离宜为料石长的 1/2。

③浆砌料石,砌石墩、墙应符合下列要求:砌筑应分层,各砌层均应坐浆,随铺浆随砌筑,每层应依次砌角石、面石,然后砌腹石,面石与腹石应交错连接。料石砌筑按一顺一丁或两顺一丁排列,砌缝应横平竖直,上下层竖缝错开,距离不少于 10cm。丁石的上下方不得有竖缝,上下两层石块应骑缝砌,内外石块交替搭接,砌体应均衡上升。相邻段的砌筑高差和已砌筑高度不宜超过 1.2m。

④浆砌块石挡土墙,应先砌面石,后砌腹石,干摆试放,分层砌

筑,坐浆饱满。每层铺砂浆的厚度:料石为 2~3cm,块石宜为 3~5cm。块石缝宽超过 5cm 时应填塞小石。

⑤浆砌卵石可采用挤浆砌筑,也可干砌石后用砂浆或细砾混凝土灌缝。

⑥浆砌石应保持砌缝平整密实。

⑦勾缝要求,砂浆标号高于砌体砂浆标号,宜用中细砂拌制,灰砂比宜为 1:2。砌体勾缝前应清理缝槽,并用水冲洗湿润,砂浆应嵌入缝内 2cm,同时及时养护。勾缝应自上而下用砂浆充填、压实和抹光,浆砌料石、块石、石板宜勾缝,浆砌卵石宜勾凹缝,缝面宜低于砌石面 1~3cm。

⑧质量控制标准:浆砌石墙面垂直度,浆砌料石墙墙高的 5%误差不大于 20mm,块石墙墙高的 5%误差不大于 30mm,护底高程误差为 + 50~100mm。护坡面平整度每 10m 长允许偏差10mm。护底护坡厚度允许偏差按其厚度的 15%;垫层厚度允许偏差为其厚度的 20%,齿坎深度 ±58mm。

五、干砌石质量的控制要求

(1)砌体面石质地坚硬,单块重量不小于 20kg,用 20cm × 30cm × 50cm 石料砌筑,长度在 30cm 以下的石块连续使用不得超过 4 块,且两端需加丁石,一般长条形应丁向砌筑;不得使用翘口石、飞口石及小石,垫塞子不得变成通天缝、对缝、虚棱石、燕子窝,宜采用立砌法,不得叠砌和浮塞,石料最小边厚度大于 15cm。

(2)具有分格的干砌石工程宜先修框格,然后砌筑。

(3)砌体缝面应砌紧,底部应垫稳填塞,严禁架空。

(4)宜采用立砌法,不得叠砌和浮塞,石料最小边厚度宜小于15cm。

(5)铺设大面积坡面的砂石垫层时,应自下而上分层铺设并随砌石面的增高分段上升。

六、砌体的质量检验

砌体的质量检验如下：

①材料和砌体的质量规格应符合要求；

②砌缝、砂浆应密实,砌缝宽度、错缝距离应符合要求；

③砂浆、小石子混凝土配合比应正确,试件强度不低于设计强度。

七、干填腹石砌筑的质量控制

干填腹石砌筑的质量控制要求：

(1)干填腹石要通过抛石槽投放,面石扣砌1～2层投入一次,随砌随填,腹石应低于面石尾部,禁止倾倒成堆。

(2)干填腹石要逐层填实,用大石排紧,小石塞严,以脚踏不动为准,其缝隙直径不超过11cm,并把大石块排放前面,较小石块排放后面。

(3)上下坏层很好地结合,每 $2m^2$ 内安一立石,可高出平面20cm。

(4)腹石和面石咬茬应严密,连接牢固。

八、抛石的质量控制

抛石的控制要求。抛石过程中,应采取保护措施,坡度不能破坏,抛石要大致平顺,无明显凹凸现象。埋石排紧,无游石、孤石、小石,铺底高程允许误差10mm,抛石总高允许误差10mm,铺底宽允许误差10mm,顶宽允许误差10mm。

九、观测设备埋设控制

(一)总要求

观测设备的类型、规格、数量及埋设位置等均应符合设计规定。观测设备必须性能可靠,埋设前应仔细检查,施工期间对观测设备必须采取有效的保护措施,严防受到机械及人为损害,如有损坏,应及时补救或补设并记录备查。

(二)控制要求

(1)各种观测设备埋设前应经检查和率定。

(2)观测设备应按规定及时埋设。

(3)水位观测设施应设在水流平稳地段。

(4)沉降点埋设后,应立即观测初始值,施工期间按不同荷载阶段定期观测,竣工验收放水前后,应分别观测一次。放水前,应将水下的沉降点转接到上部结构,以便继续观测。

(5)扬压力测压管宜用镀锌管,其埋设应符合下列要求:①测压管的水平管段应设有纵坡,宜为5%左右,进水口略低,避免气塞现象,管段接头必须严密、不漏水;②测压管的垂直段应分节架设稳固,确保管身垂直,管口应设置封盖,防止杂物落入;③安装完毕后,应注意检验。

(6)岸墙、翼墙、墙身的倾斜观测应在标点埋设后、填土过程中及放水前进行。

(7)各项观测设备的完善,应由专人负责观测和保护。

(8)施工期间所有观测设备和项目均应按时观测并及时整理分析。

(9)所有观测设备的埋设记录、安装记录、率定检验和施工期观测记录均应整理汇编,移交管理单位。

第八节　防渗止水工程的控制

防渗导渗和永久缝(止水缝、伸缩缝)工程所用的材料、制品的品种和规格等均应符合设计要求。应优先使用耐久性好的紫铜片、橡皮止水,经过鉴定的651塑料止水及不易变形、经过干燥的松杉等柏油沥青板、沥青锯木板。

(1)防渗铺盖的要求:黏土铺盖填筑应符合下列规定:①填筑时尽量减少施工缝,如分段填筑,接缝的坡度不应陡于1:3;②填筑达到高程后,应立即保护,防止晒裂或受冻和雨淋;③填筑到止水设备时,防止止水槽破坏。

(2)导渗:填筑反滤层应在检验合格后进行,并符合下列规定:①反滤层的厚度、滤料的粒径、级配和含泥量等均应符合要求;②铺筑时应使反滤料处于湿润状态,以免颗粒分离,并防止杂物或不合格的料物侵入;③相邻层面必须拍打平整,保证层次清楚,互不混杂,每层厚度不得小于设计厚度的85%;④分段或分层铺筑时,应将接头处各层铺成阶梯状,防止层间错位、间断或混杂。

(3)止水设施的形式、位置、尺寸及材料的品种规格等均应符合设计规定。

①橡皮止水应平整,搭接长度不得小于20cm,接头可用氯丁橡胶粘结。

②橡胶止水片的安装应采取措施防止变形和撕裂,安装好后加强保护。

③浇筑止水片部位的混凝土时,振捣棒不得触及止水片,确保止水片在正确位置上。

④伸缩缝混凝土表面应平整洁净,如有蜂窝、麻面应填平,外露铁件应割除。

⑤651塑料止水阀接头采用电热器加热到180~200℃,使接触面熔化,略加压,将两端对接压在一起。

⑥三层石油沥青麻布的制作及安装要求:麻布制作前应先用柴油浸泡,然后再均匀涂上热沥青,成品麻布应达到表面平整,粘结沥青均匀,麻布与混凝土粘结前,应先刷一层冷底子油,然后再涂热沥青粘牢。固定麻布压板应连续,不得留有间隙,并保持麻布表面始终平整。

(4)铺筑土工织物滤层应符合下列规定：

①铺设应平整,松紧度均匀,端部铺着牢固,不能有局部凹凸。

②接头可用搭接缝,搭接长度根据受力和基础土质条件决定。

③存放和铺设,不宜长时间曝晒,应尽快铺设保护层。

第十章　堤防道路施工控制

第一节　施工准备阶段监理

堤防道路工程施工监理工作的实施,应在监理规划的指导下,严格按照"三控制、二管理、一协调"开展工作,使监理工作规范化、标准化和制度化。监理单位所有工程师,必须遵纪守法,坚持诚信、公正、科学的原则,实事求是,服务到位,兢兢业业,积极工作。同建设单位一起,共同努力,以最经济的投入、最快的速度、科学的管理方法,创造一流的工程质量,确保合格工程,争创优良工程。因此,必须抓好施工准备阶段的监理工作。

(1)抓机构落实。督促施工单位尽快建立施工组织管理质量保证体系及施工人员的落实。人员要满额到位,能胜任,务求事有人管,责权明确,上通下达,遇到问题能迅速采取对策。

(2)抓施工组织计划的审查、批准。对施工单位的施工组织计划及时审阅、批示,计划必须是可行的、科学的、可以落实的。它必须满足设计要求,能按期高质量地全面完成任务。

(3)抓机械设备、器材、原材料检验、试验与落实。原材料必须是合格的、优良的,不合格原材料不准进场。检测设备和仪器必须经过有资质的单位进行检测与率定,测量仪器必须是经过校正的,机械设备必须是完好或经过维修过的,其完好率为95%以上。

(4)请建设单位督促设计单位,及时向施工和监理单位进行技术交底、交桩和测量水准基点,以及土方干密度控制指标,压实度指标。

(5)督促施工单位对基准点进行复测,并对工程进行放线及对料场土料进行复查,如发现与设计不符,应及时反馈给建设单位。施工单位引点放样的测量精度,必须符合规范规定,并经监理工程师认可。

(6)抓施工单位进场材料的各项试验报告、出厂合格证、材料证明、使用说明书,并对其进行审核。

(7)督促施工单位制定平面布置图及施工进度横道图或网络图。

第二节　进度控制

一、总则

施工阶段进度控制细则,是施工阶段监理人员实施进度控制的一个指导性文件。其内容包括:

(1)施工阶段进度计划的制定。

(2)施工组织设计方案的审批。

(3)施工进度计划的实施与检查。

二、编制施工进度计划

(1)进度计划分为控制性进度计划和实施性进度计划。控制性进度计划由监理工程师编写;实施性进度计划由施工单位负责编制。

(2)控制性进度计划用于确定堤防道路工程总进度目标,以及关键施工项目的进度控制目标,是审查施工单位提交的各类计划和施工措施的依据,也是监理工程师分析和调整施工进度的依据和审核工程项目投资计划、材料、设备供应计划的依据。

(3)实施性进度计划是施工单位按照合同工期目标,安排生产,组织施工,编制施工材料、设备计划和申请工程交付的依据。

（4）实施性进度计划是施工组织设计的主要内容之一，也是总监理工程师审批其是否具备开工条件的主要依据，应在工程项目开工前 5 天（或以施工合同约定的天数控制），将详细的施工组织设计文件报送总监理工程师或监理工程师审查。其内容包括：①工程概况；②施工总平面布置图；③施工总进度表；④质量保证体系的设立；⑤主要施工方法和技术措施；⑥主要施工设备、材料、劳动力进场计划；⑦供水、供电计划；⑧料场核查情况；⑨安全生产、文明施工措施等。

三、施工组织设计方案的审批

（1）施工组织设计文件（包括短期计划）经施工单位项目负责人签署后，报送监理部，提供份数应按一式四份要求。

（2）监理工程师对报送的文件要认真审查，如能满足控制性进度的要求，且计划合理，应予以批准执行，否则，要求施工单位修改进度计划。

（3）监理工程师按照施工合同条款约定的时间予以批复或提出修改意见，逾期未批，将会被视为已经批准此方案。

（4）适时下达开工令。

四、施工进度计划的实施和检查

（1）工程开工后，监理工程师应对审查批准的施工计划执行情况进行跟踪检查监督。监督检查的内容：①完成工程及形象进度；②材料设备的供应，施工设备的数量、规格、状况；③施工人员工种及数量，施工、停工、窝工的情况及原因。

（2）分析施工单位向监理工程师提交的施工进度报表，基本内容应包括：①施工部位、项目、内容；②本月完成工程量、累计完成工程量及形象进度面貌；③材料消耗用量、施工设备及劳动力运行投入情况；④存在的主要问题和有可能影响进度计划因素，以及采取的措施。

（3）不能按合同条款约定的时间开工，施工单位应按要求提前5天向监理工程师提出延期要求及理由，监理工程师应在3天内（按施工合同的约定）答复乙方，逾期不答复将被视为已经批准。

（4）监理工程师如发出暂停施工指令，必须在48小时之内提出处理意见并报总监理工程师确认。

（5）协助施工单位实施进度计划，随时注意施工进度计划的关键控制点，了解进度实施的动态。严格控制关键路线上的关键工序。在分期进度管理上要以分期进度保工程总工期，在分项工程进度管理上，要以分项进度保总体进度，在具体施工过程中要根据总体计划、人力、物力、材料和设备供应以及其他客观条件的变化，及时搞好工程进度的综合平衡。

（6）及时审查和审核施工单位提交的统计分析资料和进度控制报表。

（7）监理工程师必须进行现场跟踪检查，检查现场工作和实施完成情况，为进度分析提供可靠的数据资料。

（8）做好施工进度记录，将计划与实际情况比较，从中发现偏差所在。

（9）分析原因，提出改进措施。

（10）重新调整实施进度计划并实施。

（11）定期组织现场会议，及时分析施工进度情况，并通报给建设单位。

（12）核实完成工程量，签发工程进度款支付凭证。

（13）及时组织验收单位工程或分项分部工程，并签署施工验收意见。

第三节　施工测量控制

施工测量控制一般有以下要求：

（1）在施工期间，国家或有关部门若颁布新的专业技术标准或规范，在新规范生效后，应执行新规范，衔接中出现的问题，由监理部和施工单位讨论，提出解决意见，报建设单位批准执行。

（2）施工测量主要包括合同及有关技术文件规定的以下内容：施工控制网（平面位置、高程）的建立；施工放线；施工测量；竣工测量。

（3）施工测量资料运行程序中的具体要求：

①工程项目的基本测量控制资料成果，由建设单位提交监理部，再由监理部审查签发给施工单位，并在现场对各控制点进行交桩。

②施工单位对上述控制点资料进行复核无误后，以书面形式报告监理部。若有异议，监理部报请业主，责成原施测单位进行核实。核实数据资料由监理部重新以书面形式提供给施工单位。

③在施工测量中发现某控制点数据有变化、超过规定时，由监理部研究提出处理意见，报请建设单位批准后，以书面形式通知施工单位。

④施工单位应加强控制点的保护措施，并将保护措施报监理部。在施工中控制点确要移动时，必须先向监理部申报，书面写出移动原因和按合同精度补测的方案及精度估算，经批准后方可移动补测。

⑤移交的基本控制点被破坏，施工单位应立即向监理部报告，写出破坏的原因和按合同精度补测的方案及精度估算，经监理部批准后，监理部将移动补测点结果报建设单位。

⑥测量监理工程师要确保建筑物的位置、形体准确、方量真

实、依据无误并严守保密规定。

（4）对施工单位测量工作的要求：

①施工单位在开工前10天内应向监理部报送其施测能力水平的报告文件，监理部应在开工前7天内完成审核工作。反映施工单位测量能力水平的报告文件主要内容有：测量机构设置；质量保证体系"三检制"的落实；人员配备（主要技术人员资历）；仪器设备（含检验设备）。

②凡施工使用的仪器、标尺必须按规定检验，合格证报监理工程师审验，否则测量放样无效。

（5）施工测量的监理工作。

①对施工单位报送的《施工测量技术设计书》和所有的报告文件进行审核，必要时可现场抽检部分数据。对未达到要求的，施测单位要补充完善。

②在开工前必须对施工设计图、测量成果资料进行全面熟悉。约定设计测量单位在开工前7天内向施工单位现场交桩。

③督促施工单位建立健全测量工作组织保证体系，健全测量精度，规范测量作业，完善内部测量程序和制度。

④测量监理工程师采用旁站、巡查、抽查、复测等手段控制测量质量。

⑤对于分部工程、单位工程和最终验收，监理人员必须到场。

第四节　筑堤土料、施工机械设备和施工人员控制细则

一、总则

本细则适用于黄河防洪工程机械设备、施工人员和料场监理工作。

二、筑堤材料

(1)检查施工单位筑堤采用料场,是否为建设单位在招标文件中所指定的料场。

(2)根据设计要求检查施工单位对料场的土质、天然含水量、运距和开采条件等复测内容。

(3)根据设计要求,上堤土料一般不宜采用淤泥土、杂质土、冻土块、膨胀土、分散性黏土等特殊性土料,若必须采用,施工单位应有技术论证和专门施工工艺论证。

三、施工机械设备

检查施工单位进场设备是否满足招标文件和设计的要求。如有变动,施工单位应以书面形式阐明变动理由,并论证变动后其设备能否满足施工要求。

四、施工管理人员和施工人员

(1)根据施工单位所报的施工管理人员和施工队伍清单,检查其是否为投标书中所报的项目经理、管理人员和施工队伍。

(2)如施工单位人员有变动,施工单位应以书面形式报送监理工程师批准,由监理工程师报建设单位(业主)同意。

第五节　基础处理控制细则

一、总则

监理工程师根据勘测设计文件、堤基的实际情况,审查施工单位提交的基础处理施工方案。对施工单位进行的堤基开挖或处理过程中的详细记录,监理工程师均须审核签字。基础处理作为分部工程,监理工程师组织初验,然后由建设单位、设计单位、质量监督部门、监理单位联合验收合格后,方能进行堤身填筑。

基础处理除按本细则控制外,还应符合有关规定。

二、现场监理工程师的具体控制原则和要求

(1)堤基清理范围应包括堤基、前戗、后戗和机淤压戗的基面,其边界应超出设计基面边线 300～500mm,老堤加高培厚其清理范围应包括堤顶及堤坡。

(2)堤顶表层的砖石、淤泥、腐殖土、杂填土、草皮、树根以及其他杂物应开挖、清除,并应按规定位置堆放。

(3)地基上的水井、坟坑、树坑、淤泥坑以及其他坑塘和洞穴,可按照土堤填筑的要求进行分层回填处理;软弱堤基、透水堤基应按照《堤防工程施工规范》SL 260—98 等有关基础处理规范进行处理。

(4)堤基清理后,应在第一坯土料填筑前,将清基表面耙松 2～3cm,并普遍压实。压实后的干密度应与堤身设计干密度一致。

(5)监控指标:堤基处理单元工程质量检查的数量按堤基处理面积平均每 200m² 一个计算。

(6)有关堤基处理单元工程质量检查项目和标准如表 10-1、表 10-2 所示。

表 10-1 堤基处理单元工程质量检查项目及标准

项次	检查项目	质量标准
1	基面清理	堤基表层的杂物已清除
2	一般地基处理	地基上的坑穴已处理
3	堤基平整压实	表面无显著的岗洼、松土,干密度符合要求
4	特殊地基处理	符合设计要求

(7)堤基处理单元工程质量、施工单位检测的数量应按堤基处

理面积平均每 200m² 一个计算,监理工程师抽检点次为总检测点次的 1/3。

表 10-2　堤基处理单元工程质量检测项目及标准

项次	检查项目	清理质量标准
1	堤基清理范围	边界超出设计基面边线 300～500mm
2	基面压实	钎测表层密实土层厚 200mm

第六节　土方填筑控制

一、监理工作的控制内容

(一)测量放样

(1)工程施工前应根据批准的工程设计进行测量放样。具体按施工测量控制细则要求进行。

(2)工程施工前要把建设单位指定的水准点引设临时水准基点。水准基点必须牢固,且在施工期内定期复测校正,在工程竣工验收前不得拆除,在工程的端点、转弯处加控制点(平面桩点和高程桩点)。

(3)堤防帮宽工程基线要用临近基本控制点控制精度。平面位置允许误差为 30～50mm,高程允许误差为 30mm。

(4)堤防断面加宽放样,填筑轮廓应根据不同堤型相隔一定距离设立样架。其测点相对设计的极限误差平面为 50mm,高程为 30mm,地轴线点为 30mm,高程负值不得连续出现。

(5)堤防道路所设的永久标志、标架的埋设,必须严加保护并及时进行抽检,定时督促施工单位校正。

(二)土场的土料要求

(1)在开工前对工程所有的土场,施工单位应取有代表性的土样,送交有资质的试验室进行土工试验,按 GBJ 123—88《土工试验方法标准》规定,进行土壤颗粒分析,分别确定土壤砂粒、粉粒、黏粒的含量,以划分土壤类型,击实试验求出不同土类的最大干密度、最优含水量等指标,并将上述试验结果报监理工程师审核。

(2)验收施工单位土料场的开采规划,并检查土料场。具体内容如下:

①土料场储量是否具备大于填筑需要量 1.5 倍的要求。

②在土料场的开采中应清除覆盖层的腐殖土、树木、草、植物根系等杂物,宜采用平面开采或立面开采,使含水量达到最优,保证上堤土料质量。

(三)堤身填筑前的碾压试验

确定筑堤时的最佳碾压机具、铺料方法、铺料厚度、压实方法,以达到设计要求的压实度及干密度。

铺土厚度及粒径选择:土料运输采用 $3m^3$ 的铲运机,整平机械采用推土机,碾压机具采用徐州工程机械制造厂出产的 YZ 12 型液压振动压路机。根据水利部《堤防工程施工规范》SL 260—98 要求选择铺土厚度为 30~40cm,土块限制粒径为 10cm。试验过程:选标段的一个单元取 150m 作为试验段,按设计图纸测量放样,顺大堤轴线方向每 50m 划分为一个试验小块共 3 个,每个试验小块均铺设同土场土料,采用挖坑方法测量铺土厚度,后用 12t 碾压机进行不同遍数的碾压,以静压或轻振两种方式进行 1~5 遍碾压。每遍分段取样,碾迹搭压宽度大于 10cm,采用进退错距法,以每小时 5km 的速度开始碾压。最后采用挖坑的方法测量压实后土层厚度,求出压实土层厚度及铺土厚度的比例关系及碾压遍数与干密度、压实度的关系数据,为堤防帮宽填筑提供有效参数。

(四)堤防帮宽填筑控制指标

(1)堤防帮宽加高土方填筑压实度控制不小于 94%,且干密度不小于 $1.5t/m^3$,堤顶以下 0.8m 范围内压实度按 95%(轻击)

控制,含水量过高或过低的黏土,必要时可以采取翻晒,分层取土或加水措施。土场开挖前,必须对表土进行彻底清理。

(2)填筑土方必须做到分层填筑,逐坯压实,回填虚坯厚度按《堤防工程施工规范》及碾压试验确定,土块粒径不大于《堤防工程施工规范》允许值。为确保新、旧大堤结合严密,应将原大堤边坡逐坯开碴形成台阶。帮宽断面宽度与高程均应按设计要求进行。大堤帮宽按照"平工堤段帮临、险工堤段帮背"的原则,帮临、帮背段采用50m连接段渐变处理,原则上帮背段的端点向上游或下游延伸。

(3)填筑施工段的作业面宜均衡上升,段与段之间出现高差时,应以1:5斜坡面插接。且分段填筑时各段应设立标志以防漏压、欠压和过压。上下段的分段接缝位置应错开,压实作业的方向应平行于堤坝轴线,分段分层碾压作业,相邻工作面的碾压应相互越、搭界,平行堤轴线方向搭压宽度不小于0.5m,垂直堤轴线方向搭压宽度不应小于1.5m。机械碾压不到的部位应采用人工和机械夯实,按连环套打,双向套压,夯迹搭压宽度不应小于1/3夯径。

(4)堤防土体填筑的尺寸控制误差应符合表10-3的规定。

表 10-3 堤防土体填筑检测项目及质量标准

项次	检测项目	质量标准
1	铺土边线超出设计边线	人工 100mm 机械 300mm
2	堤坡线与设计轮廓线堤顶宽度允许误差	人工 −50～＋100mm
3	堤顶高程允许误差	50mm,不允许低于设计堤顶高程

(5)压实质量检测的位置和数量:

①新老堤防结合部、堤防作业面接头部位。

②取样部位应在压实层下部1/3处,并按作业面积每200m² 检测1个点次。工程尺度检测按堤坝轴线长每10～20m取1测点。

（6）施工作业面应加强统一管理,作业面必须做到统一铺土、统一碾压,堤身断面填筑完毕后,应削坡清理平实。

二、其他工程

（1）房台土方。土方填筑必须按照设计中标明的位置、尺度、坡度、数量等要求施工,质量同堤身填筑工程一样。

（2）土牛及上堤辅道。按设计标明的位置、尺度、坡度、数量施工。

第七节 路面工程监理细则

一、路基

本节内容以黄河大堤加高工程为例。根据施工详图设计的要求,黄河大堤经过多年压实已满足要求,可以不进行处理。为了确保路面施工质量,在路面基层铺设之前,只要求对大堤堤顶现状进行整修:清除表面杂物→耙松→翻土→洒水→压实。

（一）基本要求

（1）施工前对堤顶进行必要的清理工作,对所属范围内的植物垃圾、碎石、有机物清理干净。

（2）堤顶表面的耙松、翻土、洒水、压实应符合设计规定。

（3）压实后不得有松散、软弹、翻浆及表面不平整现象。

（4）路堤边坡应修整密实、顺直、平整稳定、曲线圆滑,当原堤顶边坡受雨水冲刷形成小冲沟时,应将原边坡挖成台阶,分层填补,人工夯实。

（5）路基工程结束后,必须进行全线的竣工测量,包括中线测量、横断面测量及高程点测量等。

（二）实测项目

土方路基测量项目如表10-4所示。

表 10-4 土方路基实测项目检查方法及频率

项次	检查项目	规定值或允许偏差	检查方法和频率
1	压实度(%)	94	采用核子仪或环刀法,每2 000m² 测4处
2	中线偏位(mm)	100	经纬仪:200m 测4点,弯道加 HY、YH 两点
3	宽度(m)	6.5	米尺:每200m 测4处
4	平整度(mm)	20	3m 直尺:每200m 测4处
5	横坡(%)	2(0.5)	水准仪:每200m 测4个断面

衡量检测项目好坏是用检测值均方差表示。

$$S = \sqrt{\frac{(k_1 - k)^2 + (k_2 - k)^2 + \cdots + (k_n - k)^2}{n - 1}}$$

$$k = \sum_{i=1}^{n} k_i / n \geqslant k_0$$

式中 k——该评定路段的平均压实度,%;

n——该评定路段内各测定点的总数,大于6,其自由度为 $n - 1$;

k_i——该评定路段内各测定点的压实度,%,$i = 1,2,3,\cdots,n$;

k_0——压实度标准值;

S——检测值均方差。

路基、基层和底基层:$k \geqslant k_0$,且单点压实度 k_i 全部大于等于规定值或减2个百分点时,评定路段的压实度可得满分;当 $k \geqslant k_0$,且单点压实度全部大于等于规定极值(表列规定值减5个百分点)时,对于测定值低于规定值减2个百分点的测点,按其占总检查点的百分率计算扣分;$k < k_0$ 或某一单点压实度 k_i 小于规定极值时,该评定路段压实度为不合格,评为零分。沥青面层:当 $k \geqslant k_0$,且全部测点大于等于规定值减1个百分点时,评定路段的压实度可得规定的满分。当 $k \geqslant k_0$ 时,对于测定值低于规定值减1个百分点的测点,按其占总检查点数的百分率计算扣分值。$k <$

k_0 时,评定该路段的压实度为不合格,评为零分。

压实度评定时样本总数不少于 6 个。

检查项目除按数理统计方法评定的项目以外,均应按单点(组)测定值是否符合标准要求进行评定,并按合格率计分。

$$检查项目合格率(\%) = \frac{检查合格的点(组)数}{该检查项目的全部检查点(组)数} \times 100\%$$

检查项目评定分数 = 检查项目规定分数 × 合格率

(三)外观鉴定

路基表面平整,边线顺直。不符合要求时,单向累计长度每 50m 减 1~2 分。

路基边坡坡面平顺稳定,不得亏坡,曲线圆滑。不符合要求时,单向累计长度每 50m 减 1~2 分。

(四)分项工程评分

分项工程的实测项目分值之和为 100 分,外观缺陷或资料不全时,须予扣分。

分项工程评分 = 实测项目中各检查项目得分之和 - 外观缺陷扣分 - 资料不全扣分

二、基层

基层设计厚度为 30cm,宽 6.5m,分上基层和下基层,上、下基层厚各 15cm。基层土料选用细粒黏土,掺入料选用符合要求的熟石灰粉,为满足基层强度要求,设计在上基层石灰土混合料中掺入适量的水泥,具体比例为:

上基层:土:石灰:水泥(干重) = 100:10:3

下基层:土:石灰(干重) = 100:12

基层灰土的压实度(重击)应达到上基层 95%,下基层 93%,石灰土 7 天龄期(25℃条件下,湿养 6 天,浸水 1 天)的无侧限抗压强度应达到上、下基层各 0.8MPa。

(一)主要材料的控制要求

(1)基层土料。宜采用塑性指数 12～18 的土料,其易于粉碎均匀,便于碾压成型,铺筑效果较好;对于硫酸盐含量超过 0.8%或腐殖物含量超过 10%的土,不宜采用。

(2)石灰要求(如表 10-5)。石灰的质量不低于Ⅲ级标准,并尽量缩短石灰的存放时间,石灰在野外堆放时间较长时,应覆盖防潮。储运生石灰时,注意避免自然消解;储运熟石灰时,注意避免风化(碳化)。

表 10-5　石灰的技术指标

项目		类别											
		钙质石灰粉			镁质石灰粉			钙质硝石灰			镁质硝石灰		
		指标等级											
		Ⅰ	Ⅱ	Ⅲ	Ⅰ	Ⅱ	Ⅲ	Ⅰ	Ⅱ	Ⅲ	Ⅰ	Ⅱ	Ⅲ
有效钙加氧化镁含量(%)		≥85	≥80	≥70	≥80	≥75	≥65	≥65	≥60	≥55	≥60	≥55	≥50
未硝化残渣含量(5mm圆孔筛的筛余)(%)		7	11	17	10	14	20						
含水量(%)								4	4	4	4	4	4
细度	0.71mm方孔筛的筛余(%)							0	1	1	0	1	1
	0.125mm方孔筛的累计筛余(%)							13	20	—	13	20	—
钙镁石灰的分类界限,氧化镁含量(%)		≤5			>5			≤4			>4		

(3)凡饮用水(含牲畜饮用水)均可用于石灰土施工。

(4)在组织现场施工前以及在施工过程中,原材料(包括土)发生变化时,必须对拟采用的材料进行规定的基本性质试验,评定材料质量和性质是否符合要求。基层原材料的试验项目和频度见

表 10-6。

表 10-6　基层原材料试验项目和频度

试验项目	材料名称	目的	频度	仪器和试验方法
含水量	土	确定原始含水量	每天使用前测 2 个样品	烘干法、酒精燃烧法,含水量快速测定仪
颗粒分析	土	确定级配是否符合要求	每种土使用前测 2 个样品,使用过程中每 2 000m³ 测 2 个样品	筛分法
液限、塑限	土	求塑性指数,审定是否符合规定	每种土使用前测 2 个样品,使用过程中每 2 000m³ 测 2 个样品	液限、塑限联合测定法测液限;滚搓法塑限试验测塑限
有机质和硫酸盐含量	土	确定土是否适宜于用石灰或水泥稳定	对土有怀疑时做此试验	有机质含量试验,易溶盐试验
有效钙、氧化镁	石灰	确定石灰质量	做材料组成设计和生产使用时分别测 2 个样品,以后每月测 2 个样品	石灰的化学分析
水泥标号和终凝时间	水泥	确定水泥的质量是否适宜应用	做材料组成设计时测 1 个样品,料源或标号变化时重测	水泥胶砂强度检验方法,水泥凝结时间检验方法

(二)混合料的组成设计

(1)石灰稳定土的组成设计应根据设计的强度标准(上基层 0.8MPa,下基层 0.8MPa),通过试验选取最适宜稳定的土,确定必需的或最佳的石灰剂量(或水泥剂量)和混合料的最佳含水量。

(2)混合料的设计步骤为:①用不同灰剂量配制同一种土样、不同石灰剂量的混合料;②通过重型击实试验求得混合料的最佳含水量和最大干密度;③按规定压实度,分别计算不同石灰剂量的试件应有的干密度;④按最佳含水量和计算的干密度制备试件;

⑤试件在25℃下保温养护6天,浸水1天后,进行无侧限抗压强度试验;⑥根据设计的抗压强度,选取合适的石灰剂量(或灰剂量)。

(3)采用路拌法施工时,工地实际采用的石灰剂量应比室内试验确定的剂量增加1%。

(4)综合稳定土的设计与上述步骤相同。

(5)混合料组成设计需报监理工程师批准后执行。

(三)铺设试验段

在基层正式开工以前,应铺设试验段。通过铺筑试验段,确定以下主要项目:

(1)用于施工的集料配合比例。

(2)混合料的松铺系数。

(3)确定标准施工方法。①集料数量的控制;②集料摊铺方法和适用机具;③合适的拌和机械、拌和方法、拌和深度和拌和遍数;④集料含水量的增加和控制方法;⑤整平和整形的合适机具及方法;⑥压实机械的选择和组合,压实的顺序、速度和遍数;⑦拌和、运输、摊铺和碾压机械的协调、配合;⑧压实度的检查方法,初定每一作业段的最小检查数量。

(4)确定每一作业段的合适长度。

(5)确定一次铺筑的合适厚度。

(6)确定控制组合料数量和拌和均匀性的方法。

(7)对于综合稳定土,还包括严密组织拌和、洒水、整形、碾压等工序,缩短延时时间。

(四)施工工序及控制要点

(1)施工工序。基底处理→施工放样→备土(根据计算)→摊铺→土块粉碎→洒水闷料→整平轻压→堆放生石灰(根据计算)→生石灰消解(不小于24小时)→过筛(10mm)→石灰摊铺→石灰土拌和、洒水→测定石灰土含水量→取样做灰剂量试验→稳压→摊水泥(根据计算)→拌和→取样做强度试验→修整成型→碾压→养生→质量鉴定。

(2)施工放样。在修整后的原堤顶上恢复中线,直线段每15～20m设一桩,弯曲线段每10～15m设一桩,两侧路肩边缘外设指示桩。在两侧指示桩上用明显标记标出石灰土层边缘的设计高(虚铺高程)。

(3)土料的预备、粉碎、摊铺。在上土前应先洒水,使路基表面湿润,但不应过分潮湿而造成泥泞,根据个别路段基层的厚度、宽度及预定的干密度,计算各路段需要的干燥土的用量。

根据料场土的含水量和所用运料车辆的吨位,计算每车料的堆底距离,土装车时应控制每车料的数量基本相等。

将土均匀地摊铺在预定的宽度上,表面力求平整,并有规定的路拱,土摊平后先稳压一遍,然后用旋耕耙将土块打碎。

(4)洒水闷料。

①若已整平的土含水量过小,应在土层上洒水闷料,洒水应均匀,防止出现局部水分过多的现象。

②严禁洒水车在洒水段内停留和调头。

③细粒土应经一夜闷料;中粒土和粗粒土,视其中细土含量多少,可缩短闷料时间。

(5)整平和轻压。对人工摊铺的土层整平后,用6～8t两轮压路机碾压1～2遍,使其表面平整,并有一定的压实度。

(6)卸置和摊铺石灰。

①生石灰块应在使用前7～10天充分消解。消解后的石灰应保持一定的温度,不得产生扬尘,也不可过湿成团。

②消解后的石灰宜过孔径10mm的筛子,并尽快使用。

③按计算所得的每车石灰的纵横间距,用石灰在土层上做标记,同时划出摊铺石灰的边线。

④用刮板将石灰均摊开,石灰摊铺后,表面应没有空的位置。量测石灰的松铺厚度,根据石灰的含水量和松密度,校核石灰用量

是否合适。

(7)拌和与洒水。采用适宜的拌和机械进行拌和,拌和深度应达到层底,并宜侵入下层 5～10mm,以利上下层粘结,严禁在拌和层底部留有素土夹层。

在拌和过程结束时,如果混合料含水量不足,应用喷管式洒水车补充洒水,水车起洒处和另一端调头处都应超出拌和段 2m 以上,洒水车不应在正进行拌和以及当天计划拌和的路段上调头和停留,以防局部水分过大。

洒水后,应再次进行拌和,使水分在混合料中分布均匀。拌和机械应紧跟在洒水车后面进行拌和,减少水分流失。

洒水拌和过程中应及时检查混合料的含水量,含水量宜略大于最佳值,对于稳定粗粒土和中粒土,宜大 0.5%～1.0%;对于细粒土,宜大 1%～2%。

混合料拌和均匀后应色泽一致,没有灰条、灰团和花面,即无明显粗细集料离析现象,且水分合适和均匀。

(8)拌和均匀后取样做灰剂量试验。每 2 000m² 取 1 次,至少 6 个样品,取样深度达到层底。若为石灰稳定土,则取样做强度试验,测定松铺厚度,适宜后可进行整形碾压。

(9)添加水泥。根据综合稳定土的厚度和预定的干密度及水泥剂量,计算每平方米所需水泥用量,并确定水泥摆放的纵横间距。将水泥均匀摊铺后,重新进行拌和。

(10)取样作强度试验。拌和均匀后取样做综合稳定土的强度试验。每一作业段或每 2 000m² 取 6 个试件,试件要求在 1 小时内制备完毕,每个试件所需稳定土的量(m^3)=试筒体积×最大干密度×规定的压实度×(1+ 试验的含水量)。

(11)整形。

①混合料拌和均匀后,应立即用平地机初步整形,在直线段,平地机由两侧向路中心进行刮平;在平曲线段,平地机由内侧向外

侧进行刮平,必要时再返回刮一遍。

②用拖拉机、平地机或轮胎压路机立即在初平的路段上快速碾压一遍,以暴露潜在的不平整。

③再用平地机按第①条进行整形,整形前后应用齿耙将轮迹低洼处表层 5cm 以上耙松,并按第②条规定再碾压一遍。

④对于局部低洼处应用齿耙将表层 5cm 以上耙松,并用新拌混合料进行找平。

⑤再用平地机整形一次,应将高处料直接刮出路外,不应形成薄层贴补现象。

⑥每次整形部位应达到规定的坡度和路拱,并应特别注意接缝必须是平整的。

⑦在整形过程中,严禁任何车辆通行,并保持无明显的粗细集料离析现象。

(12)碾压。

①根据路宽、压路机的轮宽和轮距的不同,制订碾压方案,应使各部分碾压的次数尽量相同,路面的两侧应多压 2~3 遍。

②整形后,当混合料的含水量为最佳含水量(1%~2%)时,选用 6~8t 压路机稳压 2~3 遍,由两侧向中心。碾压时,应重叠 1/2 轮宽,同时人工修补整形。再用 12t 压路机碾压,压路机从路面一侧压起,碾轮的一半压在路肩,一半压在路面,然后沿路的另一侧压回,每次碾轮重叠一半,依次压向中心,以保持路拱不致偏移,至重轮轮迹压遍全宽时,即为 1 遍,一般需碾压 6~8 遍。压路机的碾压速度,头两遍以采用 1.5~1.7km/h 为宜,以后宜采用 2.0~2.5km/h。

③严禁压路机在已完成的或正在碾压的路段上调头或急刹车,应保证稳定土层表面不受破坏。

④碾压过程中,稳定土的表面应始终保持湿润,如水分蒸发过快,应及时补洒少量的水,但严禁洒大水碾压。

⑤碾压过程中,如有"弹簧"、松散、起皮等现象,应及时翻开重新拌和(加适量的水泥)或用其他方法处理,使其达到质量要求。

⑥经过拌和、整形的水泥稳定土,宜在水泥初凝前并应在试验确定的延迟时间内完成碾压,并达到要求的密实度,同时没有明显的轮迹。

⑦在碾压结束之前,用平路机再终平一次,使其纵向顺适、路拱和超高符合设计要求。终平应仔细进行,必须将局部高出部分刮除并扫出路外;对于局部低洼之处,不再进行找补,可留待铺筑沥青面层时处理。

(13)接缝和调头处的处理。

①同日施工的两工作段的衔接处,应采用搭接形式。前一段拌和整形后,留5~8m不进行碾压,后一段施工时,应与前段留下部分一起再进行拌和。若为综合稳定土,后一段施工时,前段留下未压部分应再加部分水泥重新拌和,并与后一段一起碾压。

②拌和机械及其他机械不宜在已压成的石灰稳定土层上调头,如必须调头,应采取措施保护调头部分,使石灰稳定土表层不受破坏。

③最后一段连接缝(即工作缝)的处理。在已碾压完成的稳定土层末端,沿稳定土挖一条横贯铺筑层全宽的、宽约 30cm 的槽,直挖到下弯层顶面。此槽在与路的中心线垂直、靠稳定土的一面切成垂直面,并放两根与压实厚度等厚、长为全宽一半的方木紧贴其垂直面。

用原挖出的素土回填槽内其余部分。

第二天,邻接作业段拌和后,除去方木,用混合料回填。靠近方木未能拌和的一小段,应人工进行补充拌和。整平时,接缝处的石灰稳定土应比已完成段高出 5cm,以利于形成一个平顺的接缝。

(14)养护及交通管制。

①石灰稳定土在养护期间应保持一定的湿度,不应过湿或忽

干忽湿,养护期不宜少于 7 天,每次洒水后,应用两轮压路机将表层压实。

②在养护期间未采用覆盖措施的石灰稳定土层上,不能封闭交通时,应限制车速不得超过 30km/h,禁止重型卡车通行。

③养护期结束后,在铺筑沥青面层前,应清扫基层并喷洒,下封层、撒布 5～10mm 的小碎(砾)石,小碎(砾)石应均匀撒布约 60% 的面积。

④石灰稳定土分层施工时,下层石灰稳定土碾压完成后,可以立即铺筑上一层石灰稳定土,不需专门养护期。

⑤石灰稳定土基层施工质量控制如表 10-7 所示。

表 10-7　石灰稳定土基层施工过程中质量控制

项目	频　　　　度	质 量 标 准
水泥或石灰剂量	每 2 000m^{2}1 次至少 6 个样品,用滴定法或直读式测钙仪试验,并与实际水泥或石灰用量校核	不小于设计值1.0%
含水量	据观察,并随时试验	在标准试验含水量之内
拌和均匀性	随时观察	无灰色、灰团,色泽均匀,无离析现象
压实度	每一作业段或不超过 2 000m^2 检查 6 次以上	下基层、上基层95%
抗压强度	稳定细粒土,每一作业段或 2 000m^2 6 个试件;稳定中粒土和粗粒土,每一作业段或 2 000m^2 6 个或 9 个试件	下基层、上基层0.8MPa

第八节　基层质量评定

(一)基本要求

(1)土的性质应符合设计要求,土块要经粉碎。

(2)石灰质量应符合设计要求,块灰须经充分消解才能使用。

(3)石灰和土的用量按设计要求控制准确,未消解生石灰块必须剔除。

(4)路拌深度要达到层底。

(5)混合料处于最佳含水量状况下,用重型压路机碾压至要求的压实度。

(6)保湿养生期要符合规范要求。

(二)实测项目

基层质量评定中,实测项目如表10-8所示。

表10-8　石灰土下基层及上基层实测项目

项次	检查项目		规定值或允许偏差		检查方法和频度	规定分
			上基层	下基层		
1	压实度(%)	代表值	95	95	每200m每车道2处	30
		极值	91	91		
2	平整度(mm)		12	15	3m直尺每200m测2处	15
3	宽度(mm)		不小于设计值	不小于设计值	尺量:每200m测4处	5
4	厚度(mm)	代表值	-10	-12	每200m每车道1点	20
		极值	-20	-30		
5	横坡(%)		0.5	0.5	水准仪:每200m测4个断面	10
6	强度(MPa)		符合设计要求	符合设计要求		20

(三)外观鉴定

(1)表面平整密实、无坑洼。不符合要求时每处减1~2分。

(2)施工接茬平整稳定,不符合要求时每处减1~2分。

(四)面层

(1)设计要求。本工程按三级公路标准双车道路面设计,行车道宽度确定为6m。路面原则上靠河布置,选用沥青碎石面层,其厚度为5cm(含下封层),其中上层为AM-10沥青碎石细料层

2cm,下层为 AM－16 中沥青碎石中料层厚 3cm。

(2)沥青碎石路面压实度以马歇尔试验密度为标准,其压实度应达到 94%。

(3)沥青碎石路面层与基层应紧密结合,防止雨水渗透到基层中去,确保路面的安全使用。沥青面层施工时,须在基层顶面洒布乳化沥青下封层。

(4)沥青路面与路缘石应紧密连接,防止表面雨水顺混凝土路缘石表面下渗。在沥青路面铺设前,应在路缘石表面涂刷沥青黏层。

(5)下封层和黏层沥青的稀料的稠度均应通过试洒确定。适宜的稠度应便于涂洒并能形成厚度均匀的涂层。

(6)路面结构为:沥青碎石路面层加下封层厚度为 5cm,宽600cm,各堤段路面结构按相应堤宽标准路面图标准控制。

(五)主要材料的控制要求

1.粗集料(碎石)

碎石由坚硬而耐久的岩石轧制而成,有足够的强度和耐磨性能。主要技术要求达到表 10-9 的规定。

表 10-9　沥青面层所用粗集料质量技术要求

序　号	项　　目	指　标
1	石料压碎值(%)	不大于 30
2	细长扁平颗粒含量(%)	不大于 20
3	软石含量(%)	不大于 5
4	水洗法>0.075mm 颗粒含量(%)	不大于 1
5	机磨耗损失(%)	不大于 40
6	视密度(t/m³)	不小于 2.45
7	吸水率(%)	不大于 3.0
8	对沥青的黏附性	不小于 3 级

2.细集料

采用洁净、坚硬、干燥且满足规定级配(建议细度模数 2.5 以上)的石屑或中(粗)砂,主要技术要求达到表 10-10 的规定。

表 10-10　沥青面层所用细集料质量技术要求

序　号	项　　目	指　标
1	视密度(t/m³)	不小于 2.45
2	砂含量(%)	不小于 50
3	泥土杂物含量(%)	不大于 5
4	有机物含量	浅于标准色
5	其他杂物	不得混有石、煤渣、草根等杂物
6	砂率(%)	32%～37%

3.填料

采用石灰岩或岩浆岩中的强基性岩石等憎水性石料,经磨细后得到的矿粉。原石料中的泥土杂质应清除,矿粉要求洁净、干燥,其质量应符合以下技术要求(建议用不含杂质和团粒的石灰石、白云石、大理石等碱性岩石磨成的石粉),主要技术要求达到表10-11 的规定。

表 10-11　沥青面层所用矿粉质量技术要求

序　号	项　　目		指　标
1	视密度(t/m³)		不小于 2.45
2	含水量(%)		不大于 1
3	粒度范围(%)	< 0.6mm	100
		< 0.15mm	90～100
		< 0.075mm	70～100
4	外观		无团粒结块
5	亲水系数		> 1

4.沥青

按设计要求标准,且沥青质量均匀、无水分,加热到 180℃时不起泡沫。每批沥青材料进场时都须附有厂家的技术标准、试验报告、合格证(且要符合 JTJ 032—94《公路沥青路面施工技术规范》的要求)、使用说明书,且必须按规定要求进行试验,经评定合格后方可使用。

(1)乳化沥青:乳化沥青的类型应根据使用目的,矿料种类及气候条件选用。对酸性石料,或当石料处于潮湿状态,或在低温下施工时,宜采用阳离子乳化沥青;对碱性石料(石料处于干燥状态)或与水泥、石灰、粉煤灰共同使用时宜采用阴离子乳化沥青。

乳化沥青可利用胶体磨或匀油机等乳化机械在沥青拌和厂现场制备,乳化剂用量(按有效含量计)宜为沥青质量的 0.3%～0.8%,制备现场乳化沥青的温度通过试验确定,乳化剂水溶液的温度宜为 40～70℃,石油沥青应加热到 20～160℃。经较长时间存放的乳化沥青在使用前应抽样检验,质量不符合要求者不得使用。

重要交通道路石油沥青技术要求见表 10-12。

表 10-12   重要交通道路石油沥青技术要求

试验项目	AH－110	AH－90
针入度(25℃,100g,5s)(0.1mm)	100～120	80～100
延度(5cm/min,15)不小于(cm)	100	100
软化点(环球法)(℃)	41～51	42～52
闪点(COC)不小于(℃)	230	
含蜡量(蒸馏法)不大于(%)	3	
密度(15℃)(g/cm³)	实测记录	
溶解度(三氯乙烯)不小于(%)	99	

(2)黏层沥青材料宜采用快裂的洒布型乳化沥青,黏层沥青宜采用与面层所使用的种类、标号相同的石油沥青,经乳化或稀释制成,可选用。

(3)下封层适用的沥青材料,详图设计报告规定选用 A‐180、A‐200A 或中慢凝液体石油沥青 AL(M)‐5.6。技术要求应符合表 10-13 要求。

表 10-13　道路用液体石油沥青技术要求

检验项目		中凝		慢凝	
		AL(M)‐5	AL(M)‐6	AL(S)‐5	AL(S)‐6
黏度(s)	$C_{25.5}$　　$C_{60.5}$	41~100	101~200	41~100	101~200
蒸馏体积(%)	225 ℃前	0			
	315 ℃前	< 8	< 5	< 15	< 5
	360 ℃前	< 20	< 15		
蒸馏后残留物	针入度(25℃,100g,5s)(0.1mm)	100~300	100~300		
	延度(25℃)5cm/min(cm)	> 60	> 60		
	浮漂度(50℃)(ε)			>45	> 50
闪点(TOC 法)(℃)		> 65	> 65	>120	> 120
含水量 不大于(%)		0.2		2.0	

下封层采用乳化沥青稀浆封层,稀浆封层的厚度宜为 3~6mm,稀浆封层混合料的类型及矿料级配,应根据处治目的、道路等级选择铺筑厚度、集料尺寸及摊铺用量,宜按 JTJ 032—94《公路沥青路面施工技术规范》选用,并通过试验确定。

(4)道路石油沥青:道路石油沥青根据设计要求选用 AH‐90 或 AH‐110。

5. 混合料

沥青混合料矿料质量及矿料级配应符合设计要求和施工规范的规定。

(1)混合料组成:各种集、填料和沥青,按 JTJ 052—2000《公路工程沥青及沥青混合料试验规程》规定进行原材料试验和混合物组成设计。级配应符合 JTJ 032—94《公路沥青路面施工技术规范》的规定,沥青用量应通过试验确定。沥青混合料的配合比设计应根据马歇尔稳定度试验结果,经过试拌、试铺论证确定。如料源有变,使用前报请监理工程师批准,重新进行混合料配合比设计及上述的各种试验。

(2)热拌沥青混合料马歇尔试验:试验用沥青混合料试件不少于 5 组,每组不少于 6 个。通过试验确定混合料的组成:混合料的级配、结合料含量、拌和温度、马歇尔稳定度流值、密实度、空隙率以及集料类型、来源、最佳含水量、饱和度等,报请监理工程师批准后使用。经配合比设计确定的各类热拌沥青混合料,应符合表10-14 马歇尔试验设计要求的技术标准,并有良好的施工性能。

表 10-14　热拌沥青混合料马歇尔试验技术标准

试验标准	沥青混合料类型	其他等级公路
击实次数(次)	沥青碎石抗滑表层	两面各 50
稳定度(kN)		
流值(0.1mm)		
空隙率(%)	沥青碎石	> 10
沥青饱和度(%)	沥青碎石	40~60

第九节　路段试验

一、下封层及黏层

由于沥青碎石面层与基层有一定的空隙,须在沥青的下表面铺筑、洒布乳化沥青下封层,以利层间排水以及基层与面层的连接。为便于沥青路面与路缘石紧密连接,防止表面雨水顺混凝土路缘石表面下渗,应在混凝土路缘石内侧表面涂刷沥青黏层。下封层及黏层沥青稀料的稠度应通过试洒确定。适宜的稠度应便于涂洒并能形成厚度较均匀的涂层,并将试验情况报监理工程师认可。

二、碾压试验

在沥青碎石面层铺筑工作开始前,应在监理工程师批准的地段按照室内试验数据和设计要求,分别为每种沥青混合料铺筑一段长100～200m、与施工路面相同宽度的路面,采用同一种碾压设备和混合料配合比、拌和方式、摊铺厚度、宽度等施工工序,进行现场碾压试验,求出最佳数据,验证施工方法和程序及室内试验数据的可行性。

三、确定松铺系数

沥青混合料的松铺系数应根据实际的混合料类型、施工机械、施工工艺等,由试铺试压方法或根据以往实践经验确定(沥青碎石混合料,机械摊铺松铺系数为1.15～1.30)。摊铺过程中应随时检查摊铺层厚度及路拱、横坡,并按下式由使用的混合料总量与面积,校验平均厚度,不符合要求时应根据铺筑情况及时进行调整。

$$D = \frac{100M}{T \times L \times W}$$

式中　D——压实成型后沥青混合料的密度,kg/m³;

　　　L——摊铺段长度,m;

　　　M——摊铺的沥青混合料总质量,kg;

　　　T——摊铺层压实成型后的平均厚度,cm;

　　　W——摊铺宽度,m。

由试验段确定松铺厚度、压实遍数、压实度、机械行驶速度及碾压温度等。

四、工序控制

沥青面层施工时须在基层顶面洒布乳化沥青下封层,在沥青路面层铺筑前,还要在混凝土路缘石内侧表面涂刷沥青黏层。下封层和黏层沥青的稀料稠度按试洒结果确定,下封层喷洒及黏层涂刷要均匀,厚度适中。

(一)准备

经选择确定的材料在施工过程中应保持稳定,不得随意变更。①混合料配合比根据马歇尔试验结果,经试拌、试铺论证确定;②拌和楼质量检测人员与监理要到位;③进行摊铺机定位、放平检查;④压路机要到位,检查压路机水箱是否加满水,检查行驶速度是否合适;⑤摊铺机及压路机操作、厚度控制及自检人员要到位;⑥通知拌和楼出料。

(二)拌和

沥青混合料拌和时间应以混合料拌和均匀、所有矿料颗粒全部裹覆沥青结合料为度,并经试拌确定。拌和厂拌和的混合料应均匀一致,无花白料、无结团成块料或严重的粗细分离现象,不符合要求时不得使用。沥青加热温度及沥青混合料施工温度应符合表 10-15 的要求。

(三)运输

宜采用自卸汽车运输。为防止沥青与车厢板粘结,车厢侧板和底板可涂一薄层油水(柴油与水的比例可为 1:3)混合液,但不得有余液积聚在车厢底部。

沥青混合料运输车的运量应较拌和机能力有所富余。施工过程中摊铺机前方应有运输车在等候卸料,卸料过程中运料车应挂空挡,靠摊铺机推动前进。

沥青混合料运至摊铺地点时应检查拌和质量,不符合规范温度要求或已经结块、遭雨淋的混合料不得铺筑在道路上。运料车应用篷布覆盖,以保温防雨。

(四)摊铺

应采用机械摊铺,摊铺机在开始采料前应在料斗内涂刷少量

表 10-15　热拌沥青混合料的施工温度　　（单位：℃）

沥青种类		石油沥青			煤沥青	
沥青标号		AH-50 AH-70 AH-90 A-60	AH-110 AH-130 A-100 A-140 A-180	A-200	T-8 T-9	T-5 T-6 T-7
沥青加热温度		150～170	140～160	130～150	100～130	80～120
矿料温度	间隙式拌和机	比沥青加热温度高 10～20 （填料不加热）			比沥青加热温度高 15 （填料不加热）	
	连续式拌和机	比沥青加热温度高 5～10 （填料加热）			比沥青加热温度高 8 （填料加热）	
沥青混合料出厂正常温度		140～165	125～160	120～150	90～120	80～110
混合料储料仓储存温度		储料过程中温度降低不超过10			储料过程中温度降低不超过 10	
运输到现场温度		不低于 120			不低于 90	
摊铺温度	正常施工	不低于 110,不超过 165			不低于 80,不超过 120	
	低温施工	不低于 120,不超过 175			不低于 100,不超过 140	
碾压温度	正常施工	110～140,不低于 110			80～110,不低于 75	
	低温施工	120～150,不低于 110			90～120,不低于 85	
碾压终了温度	钢筒压路机	不低于 70			不低于 50	
	轮胎压路机	不低于 80			不低于 60	
	振动压路机	不低于 65			不低于 50	
开放交通温度		路面冷却后			路面冷却后	

防止粘料用的柴油。经摊铺机初步压实的摊铺层,应符合平整度、横坡的规定要求。采用高密度的摊铺机,熨平板应加热,摊铺后紧接着碾压,缩短碾压长度。

沥青混合料必须缓慢、均匀、连续不间断地摊铺,摊铺过程中不得随意变换速度或中途停顿,熨平板按所需厚度固定后不得随意调整。

(五)热拌沥青混合料的压实及成型

沥青混合料压实宜采用钢筒式静态压路机与轮胎压路机或振动压路机的组合方式。

沥青混合料的压实应按初压、复压、终压(包括成型)三个阶段进行。压路机应以慢而均匀的速度碾压,压路机的碾压速度应符合表 10-16 的规定。

表 10-16　压路机的碾压速度　　(单位:km／h)

压路机类型	初压		复压		终压	
	适宜	最大	适宜	最大	适宜	最大
钢筒式压路机	1.5~2	3	2.5~3.5	5	2.5~3.5	5
轮胎压路机	—	—	3.5~4.5	8	4~6	8
振动压路机	1.5~2 (静压)	5 (静压)	4~5 (振动)	4~5 (振动)	2~3 (静压)	5 (静压)

初压应在混合料摊铺后较高温度下进行,并不得推移、发裂,压实温度应根据沥青稠度、压路机类型、气温、铺筑层厚度、混合料类型经试铺、试压确定。压路机应从外侧向中心碾压,相邻碾压带应重叠 1/3~1/2,应采用轻型钢筒压路机或关闭振动装置的振动压路机碾压 2 遍,其压力不宜小于 350N/cm。碾压时应将驱动轮面向摊铺机,碾压路线及碾压方向不应突然改变而导致混合料产生推移,压路机启动、停止必须减速缓慢进行。初压后检查平整度、路拱,必要时予以适当修整。

复压应紧接在初压后进行。复压宜采用重型的轮胎压路机,也可采用振动压路机或钢筒式压路机,碾压遍数经试验确定不可少于 4~6 遍,达到要求的压实度并无显著的碾压痕迹。

当采用振动压路机时,振动频率宜为 35~50Hz,名义振幅宜为 0.73~1.51mm,并根据混合料种类、温度和层厚选用。层厚较厚时选用较大的频率和振幅,振动压路机倒车时应先停止振动,并在向另一方向运动后再开振动,以避免混合料形成鼓包。

终压可选用双轮钢筒式碾压机或关闭振动的振动压路机,碾压不少于 2 遍,并无碾压痕迹。压路机每次由两端折回的位置应呈阶梯形地随摊铺机向前推进,使折回处不在同一横断面上。

压路机碾压过程中有沥青混合料粘轮现象时,可向碾压轮洒少量的清水或加洗衣粉的水,严禁洒柴油。

压路机不得在未碾压成型并冷却的路段上转向、掉头或停车等。振动压路机在已成型的路面上行驶时应关闭振动。

接缝:在施工缝及构造物的两端的连接处必须仔细操作,保证紧密、纵向接缝部位的施工应符合下列要求:

(1)摊铺时采用梯队作业的纵缝应采用热接缝。施工时应将已铺混合料部分留下 10~20cm 宽暂不碾压,作为后摊铺部分的高程基准面,最后再作跨缝碾压以消除缝迹。

(2)半幅施工不能采用热接缝时,宜加设挡板或采用切刀切齐。铺另半幅前必须将缝边缘清扫干净,并涂刷少量黏层沥青。

(3)摊铺时应重叠在已铺层上 5~10cm,摊铺后用人工将摊铺在前半幅上面的混合料铲走。碾压时先在实路上行走,碾压新铺层 5~10cm,然后压实所铺部分,再伸过已压实路面 5~10cm,充分将接缝压实紧密。上下层的纵缝应错开 15cm 以上,表层的纵缝应顺直,且宜留在车道区划线位置上。

(4)相邻两幅及上下层的横向接缝均应错位 1m 以上,铺筑接缝时可在已压实部分上面铺设一些热混合料使之预热软化,以加强新旧混合料的粘结,但在开始碾压前应将预热用的混合料铲除。

斜接缝的搭接长度与厚度有关,宜为 0.4~0.8m,搭接处应清扫干净并洒粘层油。当搭接处混合料中的粗集料颗粒超过压实层厚时应予剔除,并补上细料。斜接缝应充分压实并搭接平整。

平接缝应做到紧密粘结,充分压实,连接平顺。施工可采用下列方法:

①在施工结束时,摊铺机在接近端部前的 1m 处将熨平板稍稍抬起驶离现场,用人工将端部的混合料铲齐后再予碾压。然后用 3m 直尺检查平整度,趁尚未冷透时垂直刨除端部层厚不足的部分,以便下次施工时成直角连接。

②在预定的摊铺段的末端先撒一薄层砂带,摊铺混合料后趁热在摊铺层上挖出一道缝隙,缝隙位于撒砂与未撒砂的交界处,在缝中嵌入一块与压实层等厚的木板或型钢,待压实后铲除撒砂的部分,扫尽砂子,撤去木板或型钢,在端部洒布黏层沥青,接着摊铺。

③在预定摊铺段的末端先撒一薄层砂带,再摊铺混合料,待混合料稍冷却后用切割机切割整齐后取走,用干拖布吸走多余的冷却水,待完全干燥后在端部洒布黏层沥青,接着摊铺。不得在接头有水或潮湿的情况下铺筑混合料。

从接缝处起继续摊铺混合料前,应用 3m 直尺检查平整度,当不符合要求时应予清除,摊铺时应调整好预留高度,接缝处摊铺层施工结束后再用 3m 直尺检查平整度,当有不符合要求者,应趁混合料尚未冷却时立即处理。

横向接缝的碾压应先用双轮或三轮钢筒式碾压机进行横向碾压。碾压时,压路机应位于压实混合料层上,深入新铺层的宽度为 15cm。然后每压一遍向新铺混合料移动 15~20cm,直至全部在新铺层上为止,再改为纵向碾压。当相邻摊铺层已经成型,同时又有纵缝时,可先用钢筒式碾压机沿纵缝碾压一遍,其碾压宽度为 15~20cm,然后再沿横缝作横向碾压,最后再进行正常的纵向碾压。

热拌沥青混合料路面应待摊铺层完全自然冷却,混合料表面温度低于 50℃后,方可开放交通。需要提早开放交通时,可洒水冷却,降低混合料温度。

第十节　路缘石及路肩的质量要求

一、基本要求

(1)在路面基层施工完成后,按设计要求,开始开挖上基层,铺设路缘石。路缘石必须在沥青路面施工前铺设完毕。

(2)预制路缘石的质量应符合设计要求(C_{20})。

(3)安砌稳固,顶面平整,缝宽均匀,勾缝密实,线条直顺,曲线圆滑美观。

(4)槽底基础和后背填料必须夯打密实。

(5)在路缘石内侧均匀涂刷沥青黏层。

二、实测项目

路缘石铺设实测项目如表 10-17。

表 10-17　路缘石铺设实测项目

项次	检查项目	规定值或允许偏差	检查方法和频率	规定分
1	直顺度(mm)	15	20m 拉线:每 200m 4 处	40
2	相邻两块高差(mm)	3	水平尺:每 200m 4 处	25
3	相邻两块缝宽(mm)	±3	尺量:每 200m 4 处	15
4	顶面高程(mm)	±10	水准仪:每 200m 4 处	20

三、外观鉴定

(1)勾缝密实均匀,无杂物污染,不符合要求时,每处减 1～2 分。

(2)排水口整齐、通畅、无阻水现象,不符合要求时,每处减1~2分。

四、路肩

堤顶路肩为 25cm 底宽的石灰土,其余为红土。路肩坡面植草皮保护,路肩边坡临河 1:1.5,背河 1:1.5。

五、基本要求

(1)路肩表面平整密实,不积水。
(2)肩线顺直,曲线圆滑。
(3)路肩应分层压实,检测干密度。

六、实测项目

路肩实测项目如表 10-18 所示。

表 10-18　路肩实测项目

项次	检查项目	规定值或允许偏差	检查方法和频率	规定分
1	压实度	不小于 94%	每 200m² 检查 1 处	30
2	平整度(mm)	20	3m 直尺:每 200m² 检查 1 处	20
3	边坡	1:1.5	水准仪:每 50m 一个断面	20
4	宽度	不小于设计值	尺量:每 200m² 检查 1 处	30

七、外观鉴定

(1)路肩无阻水现象。不符合要求时,每处减 1~2 分。
(2)路肩边缘直顺,无其他堆积物。不符合要求时,单向累计长度每 50m 或每处减 1~2 分。

第十一节 堤顶硬化质量控制

一、编制依据

堤顶硬化质量控制标准编制依据有:

(1)堤顶硬化招标文件和工程处投标标书及施工组织设计。

(2)水利部黄河水利委员会黄规计[1997]161 号文《关于扩展〈黄河下游防汛交通建设规划〉工作的通知》。

(3)《黄河下游 1996~2000 年防洪工程可行性研究报告》。

(4)《公路工程技术标准》。

(5)《公路路基设计规范》。

(6)《公路软土路面设计规范》。

(7)《公路软土地基路堤设计与施工技术规范》。

(8)《沥青路面施工及验收规范》GB 50092—96。

(9)《公路沥青路面施工技术规范》JTJ 032—94。

(10)《黄河山东防洪堤防道路工程设计》。

二、设备型号、性能、数量

选用设备型号、性能及数量标准如下:

6~8t、15~18t、18~21 t 压路机各 2 台;60 型链轨车 2 台;沥青洒布车 3 台;沥青拌和机 2 组;沥青摊铺机 2 台;解放自卸车 20 辆;服务行政车 3 辆;平地机 2 台;灰土拌和机 2 台;灰土粉碎机 2 台。

三、工程等级标准

堤防主要任务是防洪、防凌,相对公路来说车流量较小,不需要做高级路面。路面的面层应改善路面的行车条件,且坚实、耐磨、平整,并有防雨水渗入基层以及抗高温变形、抗低温开裂的温度稳定性。工程设计标准参考三级公路标准。根据《公路工程技术标准》,三级公路采用路面等级为次高级或中级,选用沥青碎石面层。具体指标如下:

(1)沥青碎石面层厚度 5cm。

(2)路面基层采用 14%灰土基层,厚度 30cm。

(3)路面净宽原则上不超过 6m,路缘石为素混凝土,尺寸一般为 10cm×35cm,路缘石外 30cm 宽灰土,厚 35cm。

(4)路面位置原则上沿现有堤顶中心线或靠背河侧布置。

(5)路口修建标准:坡度小于 10%者,同堤顶标准;坡度大于或等于 10%者,路面为 30cm 厚的干砌块石。

四、总施工程序流程

总施工程序流程框图如图 10-1 所示。

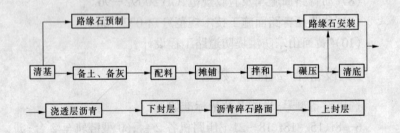

图 10-1 总施工程序流程

五、灰土基层施工方案

灰土基层施工包括以下几个方面:

(1)备土、备灰(消解)和筛选。

(2)配料。按作业段将土和石灰折算成体积,堆成标准梯形断面,先堆土,再层铺石灰,进行配料。

(3)拌和。人工摊铺后用灰土拌和机、粉碎机拌和两遍,拌和深度应直到稳定层底。随时检查拌和深度,严禁在底部留有素土夹层,也防止过多破坏下层的表面,以免影响结合料的剂量以及底部的压实。在拌和过程中及时检查含水量,由喷管式洒水车洒水,洒水车不准在正进行拌和的以及当天计划拌和的路段上调头和停留,以防局部水量过大。拌和机械紧跟在洒水车后面进行拌和,尤其在纵坡大的路段上应配合紧密,减少水分流失,精心整形。

(4)铺土与压实。石灰稳定层应用 12t 以上的压路机碾压。用 12～15t 三轮压路机碾压时,每层的压实厚度不超过 15cm,用 18～20t 的三轮压路机碾压时,每层的压实厚度不超过 20cm。压实厚度超过上述规定时,分层铺筑,每层的最小压实厚度为 10cm,碾压 6～8 遍。石灰土混合料拌和后,应在 3～4 天内完成碾压。洒水养护 7 天,不使稳定土层干燥,但也不应过分潮湿,并且做好防护。

六、沥青碎石路面层施工方案

(一)配料

沥青碎石混合料的配合比应根据同类材料的施工实践经验和马歇尔试验结果,经过试拌、试铺论证确定。根据 JTJ 032—94《公路沥青路面施工技术规范》中二级和二级以下其他等级的公路热拌沥青混合料的配合比设计,当材料和同类道路相同时可直接引用成功的经验。本工程选用经验配比为:粒径 1～1.5cm 石子占 40%,粒径 0.3～0.8cm 石子占 25%,中砂占 15%,石屑占 20%,沥青用量(油石比)占 5%。4cm 厚沥青路面选用 A－100 型普通道路沥青,透层、封层选用 PA 型乳化沥青。

(二)拌料

用热的沥青材料与冷的矿料投入沥青拌和机拌和,设固定拌和场 2 处。

(三)运输

(1)热拌沥青混合料应采用较大吨位的自卸汽车运输,车厢应清扫干净。为防止沥青与车厢板粘连,车厢侧板和底板可涂一薄层油水混合液(柴油:水＝1:3),但不得有余液积聚在车厢底部。

(2)沥青拌和料运输车的运量应较拌和能力或铺摊速度有所富余,施工过程中摊铺机前方应有运料车在等候卸料。

(3)连续摊铺过程中,运料车在摊铺机前 10～30cm 处停住,不得撞击摊铺机。卸料过程中运料车应挂空挡,靠摊铺机推动前进。

(4)沥青混合料运至摊铺机时应检查拌和质量,不符合规范温度要求或已经结块、遭雨淋的混合料不得铺筑在道路上。

(四)混合料的摊铺

(1)摊铺前首先进行透层和下封层的施工,透层和下封层施工时应清理好灰土基层。乳化沥青的配比浓度符合规范规定。透层和下封层施工完成后要及时将基层的矿料清理干净,然后进行混合料的摊铺。

(2)沥青混合料采用摊铺机摊铺,混合料的温度要达到130℃以上,松铺厚度在 5cm 左右。

(3)沥青混合料必须缓慢、均匀、连续不断地摊铺,摊铺速度保持在 2～6m/min。表面明显不平整时,采用人工找平的方法找平。

(五)沥青混合料的压实及成型

当混合料达到碾压温度时,压路机要用慢且均匀的速度进行碾压。初压速度要保持 1.5～2km/h,复压速度保持 2.5～3.5km/h,终压速度保持 2.5～3.5km/h,不得超过 5km。

(1)初压必须在较高的温度下进行,碾压温度不低于110℃。

(2)压路机要从两侧向中心碾压,相邻碾压必须重叠 1/3～

1/2 轮。最后碾压路中心,压路机启动及停止必须减速进行。

(3)复压采用 12～15t 压路机碾压 4～6 遍以上,直至达到密实度,并且路面无明显轮迹。

(4)终压紧接复压进行,采用双轮钢筒压路机碾压 2 遍以上,以清除路面轮迹。

(5)混合料摊铺完成后,进行上封层施工,上封层施工采用沥青洒布车洒布沥青、人工摊洒矿料的施工方法进行,上封层完成后可放车通行。

七、路缘石的施工

路缘石预制分两个预制场集中预制。所采用的材料工艺必须符合规范要求,混凝土强度必须达到设计指标。预制要与灰土施工同时进行,灰土工程完成后即进行路缘石的安装,安装后两侧用灰土稳定牢固,回填密实。

八、质量保证体系

(一)机构人员

项目部设一名总工,负责施工质量,现场配备 8 名专职质检员。

(二)职责、制度

职责就是要求在监理工程师指导下,按施工规范对每一道工序先进行自检,然后由监理工程师进行抽检,合格后方可进行下一道工序的施工。工作中要目标明确,责任清楚。依据《公路沥青路面施工技术规范》JTJ 032—94、《公路沥青路面设计规范》JTJ 014—97、《沥青路面施工及验收规范》GB 50092—96 执行质量监督。

(三)主要措施

(1)加强质量意识教育,增强质量意识观念。2002 年是全国各项工程建设的质量年,各级领导都十分重视工程质量问题,全体施工人员都要认真深入地学习领导指示和政府文件,增强质量意识。

(2)明确岗位责任制,做到处处有人管,时时有人抓。监理部主要负责人包施工队,一般人员包班组,任务职责明确,上下、层层负责。做到不论何时何地有人作业,都有人控制质量;哪里发生质量问题,哪里就有人管。

(3)认真学习设计文件、技术标准和规范,明确设计标准和质量要求,然后层层交底,直至一线操作工人,使所有施工人员都明白什么样的工程合格,什么样的工程不合格,怎样操作符合规范,怎样操作不符合规范,提高每个人的质量意识。

(4)强化全过程质量管理。事前强调各项准备工作必须做得充分、充足,有关注意事项作明确交代;施工过程中密切关注,发现不良苗头及时纠正,要将质量问题处理在萌芽状态;发生质量问题后,要立即查明情况,找出原因,分清责任,及时处理,处理后一要保证工程质量,二要不准同类质量问题再度发生。

(5)搞好试验段工程。每个施工队分石灰土基层和沥青碎石路面,分别先选择100~200m长度段进行铺筑试验。通过试验研究决定下列项目:材料的松铺系数;标准施工方法。①材料数量控制方法;②摊铺方法和适用的机具;③合适的拌和机械、拌和方法、拌和深度和遍数、拌和均匀度;④材料含水量的控制方法;⑤整平和整形的机具和方法;⑥压实机械选型、组合,压实的顺序、速度和遍数;⑦每一作业段的合适长度;⑧一次铺筑的合适厚度。

第三篇 核子密度仪的
使用与校核

第十一章 核子密度仪的操作
使用与校核

在水利建设及高等级公路建设中需要快速、准确地检测大堤、堤防、渠堤各项土方回填及路基等的压实度,以控制工程施工质量。常规的检测方法是用环刀法、灌砂法或瓶加水法来测量密实度,用燃烧法或烘干法测量含水量,然后计算出压实度及干密度。这些方法所需的时间长,操作麻烦,效率低,不适应目前大规模的机械化施工。采用先进的核子密度仪进行压实度、干密度的检测,测一点的压实度只需要1~3分钟,比常规检测方法提高工作效率20倍以上,并且操作简单,对所有构筑物、建筑物无破损,可以进行重复测量。因此,在国内大、中型水利工程及公路工程建设中,已得到广泛应用。

第一节 目前国内使用核子密度仪的
种类及其特点

一、美国汉堡 HS5001c 新型核子密度仪及含水量检测仪

该仪器以核子贯穿的原理,用于检测公路、机场、路堤、河堤、大堤的填土和其他地基的密度和湿度,亦可用于检测水泥或沥青

路面的精确密度和无空气率,操作简单,1分钟出结果,其检测效率远远优于传统的灌砂法和环刀法,是土木工程质量监理部门和施工单位控制土壤回填质量的理想工具。汉堡 HS5001c 核子密度仪目前有两种仪器。

(一)旧式仪器

这种仪器的主要缺点:

(1)采用陈旧的模块结构,非常复杂,而且难以维修。

(2)小屏幕,只有 CPNMC - 3 机型的 1/4。

(3)计量时间只有三种选择,15秒,1、4分钟。在现场测试中,15秒太短,1分钟太长,30秒比较合适。

(4)旧5001c 自动化程度很低,操作一次需要按4个键才能分别得出结果。一次结束后,如果再测量,需要同时按两个键清除上一次数据,然后再按时间键,才能开始工作。繁琐的操作不但大大增加操作难度,降低工作效率,而且按键次数会缩短键盘的使用寿命。

(5)旧5001c 采用普通电池,这种电池容易损坏,一旦损坏,电解液流出,腐蚀机内部件,使整机报废。

(6)旧5001c 在中国没有售后服务的基本条件。

(7)旧5001c 键盘使用中文,但其翻译偏离原意,而仪器显示的内容仍是英文。

(8)旧5001c 的外壳采用塑料制成,不抗撞击,表面容易开裂。

(二)新型 5001c 型核子密度仪

主要有以下优点:

(1)不用充电,用6节碱性电池,即可工作2 000小时,保证仪器随时随地均能正常投入使用。

(2)放射源体小,而且采用最新材料双密封,放、辐射源体泄漏更少。

(3)屏幕设计先进,检测数据层次分明,同时不会因阳光照射,使显示屏变黑而难以阅读。

(4)综合检测精度高,并自动显示测量深度。

(5)整机电路,采用模块设计、维修简便,更换模块不需重新核定。

(6)结构牢固,质量可靠,不容易出故障。

(7)中文键盘,操作方便。

二、美国 MC－3 型密度/湿度测试仪

MC－3 型测试仪是目前世界上最精确、最坚固、最易操作的密度/湿度测试仪,MC－3C 是 MC－3 的中文版。其应用范围为:公路路基、路面、铁路、机场、大坝、堤防的密度、含水率、压实度和空隙率的现场检测。其特点有:

(1)按任意键开机,开机后可以立即工作,不需预热,完成检测后,1 分钟自动关机。

(2)中英文双语键盘更加方便中国客户的使用和操作。

(3)重量轻,便携,单人操作。

(4)大面积液晶显示屏,一次显示所有测试结果,配备显示灯光,用于夜间操作,配备亮度调节钮,可在任何光线条件下读数。

(5)可储存 200 个测点的所有测试数据并可通过标准的 RS232 串行接线将数据传输至电脑上,测试数据与 EXCEL、DBASE 等数据库文件兼容,可立即转换生成各种图像和表格文件,或使用便携式打印机现场打印结果,被存储数据可以通过记录号进行查阅。

(6)时钟和日历与测试结果同时显示。

(7)测量时间从 1 秒到 99 秒,可以自由设定,测量时间越长,测量精度越高,通常 30 秒钟可以达到较高的精度,操作人员也可以输入理想的检测精度,仪器会自动调整测量时间,达到要求精度时测试结束。

(8)坚固耐用,制作工艺精益求精,外壳用高强度的铝合金制成,重量轻,抗撞击。所有电子系统防尘防水,电路板均喷漆保护,以消除各种恶劣环境对测试的影响。

三、长沙公路核子仪器实业公司生产的核子密度仪

(一)RMT-5122型核子密度/含水量仪的特点

该仪器能测出以下数据:湿密度,绝对含水量,压实度,精度的统计测量,干密度,百分含水量,百分孔隙率。

主要特点有:

(1)大屏幕汉字显示(并具备英文显示),引导信息和测量结果均采用语音提示,易学,便于操作。

(2)测量速度快,1分钟内可显示所有测量结果。

(3)测量准确,重复性好。

(4)可做深层或表面测量,表面测量深度为150～200mm,尤其适应于路面基层各种材料压实的检测。

(5)测量结果可现场自动打印。

(6)电源为充电电源,可反复充电。

(7)辐射剂量小,符合国家安全防护标准。

(二)RMT-5102型深层核子密度/含水量仪

主要特点有:

(1)主要用于土基基层数米深处密度与含水量的测量,且快速,准确,操作方便。

(2)测量深度:0.6～10m。误差:密度±30kg/m³,±0.03g/m³,含水量±15kg/m³,±0.015g/m³。

(3)测量时间:15～240秒任选,可储存100个测点数据。

(三)MT-5012e型(便携式)深层核子密度/含水量仪

主要用于高等级公路建设工程中路基路面结构层压实度的检测与控制,也广泛适用于铁路路基、机场跑道、大坝堤防等土建工

程中土基压实度的检测。

主要特点:测量迅速准确,无破损,适应各种土基测量,辐射剂量小,重量轻,操作方便。

第二节 核子密度仪的构造与工作原理

一、核子密度仪构造

γ 放射源采用的放射源有铯 137(^{137}Cs)和钴 60(^{60}Co)密封于探测杆的顶端(美国产品)。国内产品利用^{137}Cs γ 源和(镅 241/铍)^{241}Am/Be中子源发出的微量射线,直接射入被测土壤或建筑物材料中,通过 γ 探测器和热中子探测器的探测量记录,能快速测量出其密实度与含水量。

二、辐射防护

(一)美国 MC-3C 密度/湿度测试仪

(1)放射源 γ 源:10mci(毫居里)。

(2)中子源 50mci 镅 241/铍。

双层不锈钢套严格密封,正常操作时剂量远远低于国际限定标准,严格符合安全法规。

(二)国产长沙 RMT-5122 型核子密度仪

(1)^{137}Cs γ 源,7.4MBq 用不锈钢双层密封。

(2)^{241}Am/Be 中子源,1.48GBq 用不锈钢双层密封。

三、技术指标

(一)美国 MC-3C 密度/湿度测试仪

测量范围(g/cm³gcc):1.12~2.73。

密度:1.12~2.73gcc。

水分密度:0～0.64gcc。

化学误差:透射±0.012gcc。

反射±0.016gcc。

不平整度误差:1.25mm,100%空隙率。

精度(测试1分钟):

透射±0.004gcc(密度为2.0gcc)。

透射－0.008gcc。

反射±0.008gcc(密度为2.0gcc)。

反射－0.064gcc。

水分±0.004gcc(水分密度0.16gcc)。

操作温度0～66℃。

(二)RMT－5122型核子密度含水量仪

密度范围:透射测量1 120～2 740kg/m³。

背射式(反射)1 120～2 740kg/m³。

含水量测量范围:透射0～640kg/m³,背射0～640kg/m³。

深度,透射测量:50、100、150、200、250、300mm 6 挡。背射
150、200mm 2 挡。

密度测量误差:透射±20kg/m³,含水量测量误差±15kg/m³,
背射±30kg/m³。

(三)RMT－5102型深层核子密度含水量仪

测量深度:0.6～10m。

测量误差:密度±30kg/m³,含水量±15kg/m³。

测量时间:15～240s 任选,可储存 100 个测点数据。

(四)MT－5012e 型(便携式)深层核子密度含水量仪

测量范围:密度1 120～2 740kg/m³,含水量0～640kg/m³。

测试深度:150～200mm,含水量150mm。

测量误差:密度±30kg/m³,含水量15kg/m³。

第三节 核子密度仪的使用方法

一、核子密度仪使用的模式

核子密度仪的使用,目前有三种测量模式:常规、薄层和沟槽测量模式,分别满足不同的测试要求。

1. 常规测量模式

常规测量模式又分反射和透射两种方式。

(1)反射方式。适用于不能打孔的表层检测,检测深度为地表至地下 12cm。

(2)透射方式。检测深度为地下 5～30cm,这些可由仪器 AC 挡与 BS 挡的精确划分,而大大提高表层测试的准确性,真正实现无损检测。

2. 薄层测量模式

专为路面磨耗层测试而设计,检测面层厚为 0.25～7.62cm。

3. 沟槽测量模式

使沟槽、沟渠回填料的检测与地面上的检测一样方便。

二、核子密度仪的使用原理

核子仪使用的放射源,通常有两种同位素放射源,即铯(^{137}Cs) γ 源,通过 γ 射线在土骨料中的传播,测定材料的密度。

镅 241/铍(^{241}Am/Be)中子源,通过中子射线的衰减测定水分含量。这两种同位素密封于探测杆的顶端,密度测定范围为 1.2～2.7g/cm^3。探测深度 30～50cm。并设有 γ 射线检测器 (G-M)计数器或 γ 闪烁计数器,以测试密度与含水量值的计数。

目前应用最广泛的(便携式)核子密度仪有两种型式:一种是

密度测量和含水量测量都采用背散射表面型,它的优点是操作方便,不需在土基上打孔,适应于黏土、砂土、岩石等各种土基的压实度检测,最大测量深度为150~200mm。另一种型式是密度测量,采用透射式表面型,而含水量测量采用散射表面型。透射表面型密度测量的优点是灵敏度和精度较高,测量深度可在50~300mm范围内分档选择,但需在土基上打一小孔,让放射源杆插入孔内。这两种核子仪工作原理基本相似,采用[137]Cs同位素γ源测量密度,采用[241]Am/Be(镅241/铍)中子源测量含水量。测量密度原理是γ源放出γ射线经被测路基散射后,部分散射后的γ射线返回路基面,被置于仪器底板上的γ探测器探测记录。这种散射即所谓康普顿散射,其散射的几率与被测材料的密度紧密相关。将所探测记录的γ射线的数量通过微机数据处理,就能直接获得路基的密度。测量含水量是根据中子与物质中原子碰撞、散射,慢化成熟中子的几率是以氢原子最大。由n-γ复合源放射出块中子射入路基中与路基中的氢原子不断碰撞散射,慢化成热中子,部分热中子返回到置于仪器底部的热中子探测器被探测记录,所记录的热中子数量反映路基中含氢量的多少。路基中的氢主要含于水中,通过微机数据处理就能直接获得所测路基的含水量。

三、核子密度仪的操作程序

(1)打开仪器箱,将仪器提手扶正,拧紧边接套,将仪器电源开关打开,仪器即进入预备状态,预热15分钟。

(2)将聚乙烯标准放置在支架上,再将仪器放在标准块上,在预备状态下按一下标准计数键,即显示仪器所储存的标准记数,再按标准计数键,仪器即对标准块进行120秒标准计数测量。

(3)将仪器从标准块上拿下,放在需要测量的地基上(此时可选初始参数,包括预置测量时间、密度和绝对含水量修正值)。即百分含水量 = 绝对含水量/(湿密度 - 绝对含水量),绝对含水量 =

百分含水量×湿密度/(1+百分含水量)。

(4)仪器使用前必须开机预热,待测地面应平整,如果不平可用小刀铲除突出点,用细土填满凹下点以保证仪器底部与地面有良好的接触。

(5)测量时,8m以内不能有其他放射源,仪器周围1m内不要有障碍物或站人。

(6)仪器的测量时间为15～240秒,如果测量精度要求高,选择时间要长些,一般用60秒比较合适。

(7)对于不同土质一定要进行现场修正,才能保证测量的准确性。

(8)使用后一定注意关掉仪器电源,以免损坏仪器,且一定放在干燥通风的地方。

(9)仪器的工作表面不应有影响使用的锈蚀、裂纹等缺陷,键盘的每一个键应灵便、准确,显示屏示的字应清晰无误。

(10)手柄和导杆的连接应牢固,导杆应能在导管中上下滑动自如。

四、核子密度仪安全操作注意事项

核子密度仪安全操作注意事项如下:

(1)了解核子仪的构造和工作原理。熟悉核子仪的用途和测量模式,清楚键盘功能,保证每项操作可以准确快速地完成。

(2)核子仪使用前应进行常规检查,保证核子仪处于良好工作状态。

(3)移动核子仪时,应确定探杆的把手锁在安全位置。短距离移动,用手提探杆把手或装入箱子里由两人抬;长距离移动,最好用货车,仪器尽量置于货箱后头远离驾驶舱。

(4)准备测试孔时,要用导板。导板可以保证打出的测试孔垂直,而且导板的周边尺寸与仪器底部的尺寸完全吻合,打完测孔后,在导板的周围贴近导板划一线圈,移开导板将仪器置于线圈中,探杆就会被准确插入测试孔中。这样探头离开仪器的安全位置后,就可以立即进入土中,既可以减少对人体的辐射,又可以保护探头和探杆。

(5)任何时候都不能撞击仪器,尤其不能撞击探杆和探头。

(6)按开始(START)键后,仪器开始进行测量计数,工作人员要退出 2m 以外,如果靠近仪器,人体的高含水量会影响仪器的测试精度,也会增加不必要的辐射。

(7)核子仪器是极精密的仪器,必须专人保管,专人使用。不熟练、不规范的操作难以保证测试的准确度,而且容易损坏仪器,造成损失。

(8)仪器暂不用时,探杆把手要锁在安全(SAFE)位置,仪器装入箱子里锁好,不要把箱子当座位使用。

(9)仪器探杆要定期擦油(润滑油),保证探杆上下活动自如。

(10)仪器要按照规范要求定期进行检修,核定和泄漏测试。

(11)如果仪器受到意外高强度撞击或遭到压路机重型汽车等的碾压,致使核子仪机体破裂,所有人员要退出,离仪器 5m 以外,并立即与当地卫生防疫部门或仪器制造厂家联系进行处理。

(12)报废仪器应交本地卫生防疫部门处理,绝不许随意丢弃。

五、核子密度仪现场使用

(一)核子密度仪现场使用的几种方法及其修正实例

利用核子仪测量土、沥青、石灰及石灰胶结材料、混凝土等都可进行对比率定。

因核子仪在出厂前经在室内镁、铝、聚乙烯等不同密度、不同含水量的模拟标准试件上进行标定,在现场检测时,某些土基中可能含有一些重元素与 γ 射线的相互作用不完全是康普顿散射,因而会影响仪器的密度测量计数。另外,某些土基中的含氢成分不完全是水,还有其他氢的化合物,例如石灰土路基中就含氢Ca(OH)₂。还有一些土壤里的元素吸收中子,降低了计数率。因此,只有经过现场对比测试,校正仪器,消去误差,使其测量数据准确真实,才能代替常规检测方法进行压实度的快速检测。现场修正简单,检测某种土质相同的土基地段时,首先选3～5点,用核子密度仪测量得出密实度和含水量(绝对含水量)后,用灌砂法或环刀法求出密度,用烘干法或干燃法求出含水量(绝对含水量,由烘干后的百分含水量与灌砂法、环刀法得出的密实度求出),计算得出两种测量方法的偏差值,即:偏差值=常规法测值-核子法测值,取该几点偏差值的平均值为修正值。

1. 灌砂法

灌砂法即挖坑填砂法,在压实土基面(或混凝土表面,注意不应在刚碾压完的地方进行,应让混凝土有足够的反弹时间)挖长50cm,深度不小于30cm 的坑,小心地将混凝土取出并称重量(W),再用已知松散容重 γ 的干燥标准砂,将坑填满,填入的砂勿受振动,并用直尺沿坑顶面将砂刮平,称填砂重量(G)和松散容重(γ)可计算出砂坑体积 $V = G/\gamma$,所以混凝土压实容重为 W/V。

2. 环刀法

设备:校正过的环刀、天平(天平称量 500g,分度值 0.1g;称量200g,分度值 0.01g)、其他切土刀、钢丝锯、凡士林等。

仪器的检定和校验:天平应按相应的检定规程进行检定;环刀应按 SL 110—95 规定进行校验。

操作步骤:按工程需要取原状土或制备所需状态的扰动土样,整平其两端,将环刀内壁涂一层薄凡士林,刀口向下放在土样上;用切土刀(或钢丝锯)将土样削成略大于环刀直径的土柱,然后将环刀垂直正压边压边削至土样伸出环刀为止,将两端余土削去修平,取剩余的代表性土样测定含水率,准确至 0.1g;按下列公式计算:

$$\rho = m/V$$
$$\rho_0 = \rho/(1 + 0.01\omega)$$

式中　ρ——湿密度，g/cm^3；

　　　ρ_0——干密度，g/cm^3；

　　　m——湿土重，g；

　　　V——环刀体积，cm^3；

　　　ω——含水率，%，计算至 $0.1g/cm^3$。

进行两次平行测定，取其均值，两次差不大于 $0.1g/cm^3$。

(二)测量含水量的烘干法

1.烘干法

(1)烘箱：可采用电热烘箱或温度能保持 $105 \sim 110℃$ 的其他能源烘箱。

(2)天平：称量 200g，分度值 0.01g。

(3)其他干燥器称量盒(可用恒质量盒)。

(4)仪器设备的检定和校准：天平应按相应的检定规程进行检定。

(5)步聚：取代表性试样 15~30g 放入称量盒内，立即盖好盒盖，称量得盒加湿土重；揭开盒盖，将试样盒放入烘箱中，在温度 $105 \sim 110℃$ 下烘到恒重，黏土不少于 8 小时，砂土不少于 6 小时，对有机质土超过 10% 的土控制在 $65 \sim 70℃$ 的恒温下烘至恒重；将烘干后的试样盒取出放入干燥器内冷却至室温称干土重量。

本试验称量应准确至 0.01g。

按公式计算含水率：

$$\omega = (m/m_1 - 1) \times 100\%$$

式中　m——湿土重量，g；

　　　m_1——干土重量，g；

　　　ω——含水率，%，计算至 0.1%。

含水率测定的允许差值：

含水率(%)	允许差值(%)
<10	0.5
10～40	1.0
>40	2.0

2.酒精燃烧法

(1)仪器设备:称量盒(定期校正为恒值);天平(称量200g,分度值0.01g);酒精(纯度95%);其他(滴管、火柴、调土刀等)。

(2)仪器设备的检定和校准:天平应按相应的检定规程进行检定。

(3)步骤:

①取代表性试样,(黏土5～10g,砂土20～30g)放入称量盒内称湿土重。

②用滴管将酒精注入放有试样的称量盒中直至盒中出现自由流面为止。为使酒精在试样中充分混合均匀,可将盒底在桌面上轻轻敲击。

③点燃盒中酒精,烧至火焰熄灭。

④将试样冷却数分钟,按土烘干法称干土重(燃烧2～3次)。

⑤准确至0.01g取两次平均,计算方法同烘干重量法。

〔例〕 现场率定方法

(1)进行现场率定修正时,测试点应选择在填筑材料的密度和含水量都较均匀的地方进行,以减少灌砂法或环刀法、烘干法等测量误差。测量含水量时,烘干法取土时应从上至下,适当多取些土样,这样才有代表性,然后取含水量平均值,核子仪在测量密度时,把仪器的源杆插入测孔内到指定的测量深度,仪器底面与侧面有良好的接触,并将源杆紧靠γ射线要穿过的所测材质一侧孔壁,确定计数时间(不小于1分钟),按仪器面板上的测量键,开始测值。当材质中存在超大粒径颗粒空洞时,密度测量结果会有较大的误差,而失去代表性,此时可沿着已插入的源杆,将仪器转动90°测量一次数据,直至转动 360°完成四次测量,取其结果的平均值,作为密度的数据。一般来说核子密度仪率定计算公式如下。

①环刀法:

含水量(%)=(湿容重-干土重)/干土重

湿密度=湿土重/环刀体积

干密度=湿密度/(1+含水量)

绝对含水量=湿密度-干密度

②修正值计算:

湿密度修正值=环刀法湿密度平均值-

核子密度仪湿密度平均值

绝对含水量修正值=环刀法绝对含水量平均值-

核子密度仪绝对含水量平均值

实例如表 11-1 所示:

表 11-1　核子仪修正值计算　（单位:t/m³）

桩号	核子仪读数		环刀法		修正值		备注
	湿密度	绝对含水量	湿密度	绝对含水量	湿密度	绝对含水量	
0+026	1.978	0.338	1.980	0.339			
0+028	1.981	0.282	1.997	0.305			
0+038	1.914	0.311	1.914	0.312			①壤土
0+040	1.961	0.324	1.968	0.324	0.008	0.007	②透射法测定模式
0+055	1.873	0.293	1.875	0.303			
0+086	1.880	0.308	1.899	0.312			
平均值	1.931	0.309	1.939	0.316			

仪器与常规法测定的偏差值是向一边偏,若某点跳出也有可

能,这说明主要是土质不均匀的情况下,两种测量方法所测量土基的体积不相等,有较大的偏差,取平均偏差时应将该点舍去不计。

(2)核子密度仪的率定是用常规对比法,即在测量所测材质湿密度时,仪器测量结果,可用环刀法或灌砂法进行对比,用烘干法或燃烧法对含水量进行对比,比测点至少选择 5 处以上的有效点,如果测值离散性较大,应取比测点 15 处以上。先用核子密度仪测量得出密度和绝对含水量,后用常规法测出密实度,用烘干法求出绝对含水量,计算得出两种测量方法的偏差值,按如下公式:

偏差值 = 常规法测量值 − 核子密度仪法测量值

(3)核子密度仪修正后,检测数据基本上与环刀法或灌砂法数据相吻合,这时核子密度仪灵敏度、稳定性和精度均能满足使用要求,就能代替常规检测方法,进行压实度及含水量的快速检测。

六、核子密度仪现场使用应注意的问题

核子密度/含水量测试仪现场测量时所测土基表面一定要平整,使控头的表面与土基表面接触良好,不可有较大的间隙,否则会影响测量的精度。具体的做法是:用铁锹或刮刀将土基表面整平,如遇较大孔隙,可用细土或细砂填平,再进行测量。在岩石或碎石土基上测量时,应清除突出的岩石和碎石,填上碎土或细砂,使之平整。刚压实的路、土基,沿行车方向与沿横断面方向的湿密度不一样,行车方向的湿密度大于横断面方向的湿密度。这是因为机械碾压的过程中,土粒沿行车方向挤压紧密靠拢,而沿横断面方向单靠侧压力,土粒排列较稀。因此在实际应用中需进行行车和断面两个方向的测量,取其平均值,迎合工程需要。在沟渠中检测,有时需扒开土基的上层土壤进行深层土基的压实度检测,若直接进行测量,密度和含水量计数将会受到影响,因此测量时,γ射线受侧壁影响返回 γ 控测器,中子也受同样影响返回热中子探测器,如遇这种情况须按图 11-1 中规定的尺寸放置仪器,$A =$

$B7$ 450mm。先在所测位置上取标准块计数,后再进行压实度测量。

仪器在沟渠内测量位置如图 11-2、图 11-3。

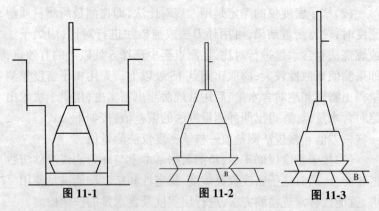

图 11-1   图 11-2   图 11-3

另外:使用背散射表面型核子仪在图 11-2、图 11-3 位置时 $B>150$mm。

第四节　核子密度仪的校正标准

本标准参照水利部 SL237—041—1999 规范制定。首先进行标准计数率校准和标定。由于 γ 射线经过土体被吸收而减弱其能量,同时又将减弱后的射线又散出去,如此多次的吸收、散射,使质量显著降低,土的密度愈大,吸收愈多,检测器的计数率愈小。核辐射检测器是标核辐射信号转换成电信号,从而探测出射线的强弱和变化,γ 射线检测器的用盖革(G-M)计数器,它是根据射线对气体的电离作用设计的检测效果率大一个数量级,因而可以测到50cm 的深度。由于 γ 放射线源的能量遵循指数衰减规律,因而放射强度随时间而衰减。同时不同地区放射性也不同,加之,仪器电子元件也会老化等原因,使得测得的计数率不确定性大,为了使测试准确,应进行相对测定,这就需要标准数率。标准数率的校准如下。

一、校准条件

参照标样,由镁片和聚乙烯片叠层组成(由厂家供)。

二、校准步骤

按仪器说明书设置参照样的位置,将仪器平整地放在参照标样上,中间不应留空隙,仪器周围2m内不应有其他物质并与周围建筑物距离5m以上;将放射杆置于测取标准计数的位置并固定,测量时间使用慢速挡(4min),按测定标准计数的规定步骤操作,测定标样的计数率。

三、计算

(1)按下列公式计算数率的最大值和最小值。

$$S_{max} = S + 1.96(S/t)^{1/2}$$
$$S_{min} = S - 1.96(S/t)^{1/2}$$

式中 S——实测标样的计数率,次/min;

　　　t——测定计数时间,min。

实测结果应满足下列公式:

当　　　　　　　　$S_{max} > S'_{min}$

则　　　　$S_{min} = S' + 1.96(S_0/t_0)^{1/2}$

当　　　　　　　　$S_{max} < S'_{min}$

则　　　　$S_{min} = S' - 1.96(S_0/t_0)^{1/2}$

$$S' = S'(1/2)D/T$$

式中 S'——选定基本时间为标准的计数率,次/min;

　　　t_0——测定的 S_0 所用的时间, 一般要求: $S_0 t_0 >$
　　　　　15 400min;

T——使用的放射性同位素的半衰期,d;

D——自 S_0 测定后经过的时间,d。

若不满足上式时应对仪器进行检查,并检验标定曲线。

(2)计数率的标定:可以按规程中的建议方法将结果绘制成计数率比与密度关系曲线。

在不同深度测定时,由于不同深度的放射源与检测器之间的距离和角度的变化,使所得的密度随深度而增大。对于压实层为30cm的填土,底部密度比表面要大约1.5%,这点说明,在整理资料时应先分层计算,分层评价,然后再综合整层护位。

用核子密度仪所测定的含水量是体积含水量,即单位体积水的质量,其法定单位为 kg/m^3 或 g/cm^3。因此,公式中的含水率是水的密度与土体干密度之比。所以计数率标定步骤如下:

①制备密度标样,选择密度范围较大($1.2 \sim 2.5 g/cm^3$)、物理化学性稳定的材料,按预定的高、中、低密度压实箱内分层控制夯实,制备成5种不同密度的五块标准样。

②准确测定标样的体积,校核质量,计算出标样块的平均密度,计算至 $0.01 g/m^3$。

③用铝具孔作透射测定用。

④用核子湿度密度仪对不同密度的标样块,按仪器操作方法进行标样的密度测定。

⑤按公式计算实测计数率:

$$n = N/t$$

式中　n——实测计数率,次/min;

N——脉冲总数,次;

t——计数时间,min。

⑥按公式计算实测计数率与标准计数率的比:

$$R_t = n/s$$

式中　R_t——计数率比;

n——实测计数率,次/min;

s——标准计数率,次/min。

⑦经绘制计数比 R_t 与密度 ρ 关系曲线,如图 11-4。

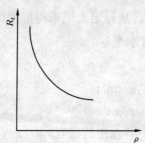

图 11-4　计数比 R 与密度 ρ 关系曲线

有的核子仪出厂前已做好标定试验,所有微机处理好的仪器标定曲线存储在中心储器中,测量时可自动显示密度数据。

(3)操作步骤:

①用刮板或铲子将测试地点整平,清除松散土。

②导向板导向用铝具打一与地面垂直的孔深大于测试深度 5cm 的测试孔。

③仪器的预热和自检,首先打开电源预热约 10 分钟,同时按仪器说明书进行电子线路液晶显示的自检及面板键盘旋钮等检查仪器工作正常时即可进行测试。

④使用仪器前测试记录标准计数率 S_L。

⑤将仪器放在测孔表面进行可动放射源杆,将放射源逐次下插,插入时不要扰动孔壁,每次插入量为 2.5cm 或 5.0cm,记录实测数率,一直插到测试深度放射源不能插入测试孔底部。

⑥测试过程中,应注意测试数据的合理性与准确性(准确量)的要求,进行必要的重复测试并取其平均值。

⑦连续测试后,记录标准计数率 S_L。

(4)计算。

①测试地点计算的计数率比 R_t :

$$R_t = n/s = 2n/(s_1 + s_2)$$

②用计数率比 R_t ,从标定曲线求得湿密度 ρ_o 并按下列两式计算出干密度 ρ_d 和含水率 ω 。

$$\rho_d = \rho_o - \rho_\omega, \quad \omega = \rho_\omega /(\rho_o - \rho_\omega) = 100\rho_\omega /\rho_d$$

式中 　ρ_d ——干密度,g/cm^3 ;

　　　ρ_o ——湿密度,g/cm^3 ;

　　　ρ_ω ——含水量(含水率的密度),g/cm^3 ;

　　　ω ——含水率,% 。

所有采用微机处理的仪器,测试后得到计数率后,按相应的键盘直接读出湿密度、含水量、干密度。

第五节　核子湿度密度测试仪
检定和率定暂行规定

本规定为黄河水利委员会土方施工制定规则。核子湿度密度测试仪用于测量建筑材料和现场土的密度及体积含水率。仪器内有两个安全密封的放射性源,其中铯137所辐射的 γ 射线进行密度测量,镅241/铍所辐射的中子源射线进行体积含水率测量。

(一)外观

(1)仪器的工作表面不应有影响使用的锈蚀、裂纹等缺陷,键盘的每一个键应灵敏准确,显示屏显示的字应清晰无误。

(2)手柄和导杆的连接应牢固,导杆应能在导管中上下滑动自如。

(3)误差:测量的精确度。

密度:在密度为 2.0g/cm^3 、体积含水率为 0.34g/cm^3 的条件下,做 1 分钟试验时的误差为:反射式:(BS 挡或 00 挡)±0.013 g/cm³;反射式沥青混凝土 AC 挡或 BAC 挡±0.068g/cm³;透射式 (在 152.4mm 深度处)±0.004g/cm³。

体积含水率的准确度为±0.004g/cm³。

相对误差:密度±1%,含水率±2%。

表面粗糙引起的误差:在离开被测物体表面 1.27mm,空隙率 100%条件下测得如下表面空隙所引起的误差:

反射式(BS 挡或 00 挡)−0.048g/cm³。

反射式沥青混凝土(AC 挡或 BAC 挡)−0.096g/cm³。

透射式(在测量深度 152.4mm 处)−0.008g/cm³。

体积含水率−0.011g/cm³。

(二)泄漏

仪器的放射源不应有泄漏污染。核子仪必须定期检查以确定核源是否泄漏。CPN 公司的核子仪核源都用双层不锈钢套密封,发生泄漏的可能性很小。在美国,原子能委员会规定泄漏检测每 6 个月进行 1 次,CPN 的核子仪被特许每 12 个月检测 1 次。

中国有关密封放射源的泄漏检测方法的国家标准是 GB 15849—1995,该标准等同采用 ISO—9978—1992。

(三)标准计数

(1)为防止由于仪器中的辐射源随时间缓慢地衰变而影响测量的准确度,应每星期对仪器进行一次标准计数,用新的标准计数值取代旧的标准计数值。

X_i 比值(表示计数的 X_2 分布值),是实际数的概率分布与期望分布之比,应在 0.75~1.25 之间。本次与上一次标准计数之间的差异应小于本次测量的一个标准差。

(2)用统计标准测试。仪器自动进行 16 次,1 分钟计数作统计后,显示"R"值应在 0.5~1.5 之间。

(3)检定条件:

①环境条件：温度 0～60℃；湿度≤95%。

②检定时所需的检定块。

高密度（2.650g/cm³）、中密度（2.162g/cm³）、低密度（1.271g/cm³）、检定块各一块。

③检定时所需的仪器。

有计算密度 A、B、C 系数和计算体积含水率 A、B 系数的计数器或计算程序，PC 机一台及程序固化仪一台。

(四)检定项目及检定方法

1.标准计数

(1)将核子湿度/密度仪放在仪器所附的标准块上进行计数。对于 76.2mm 厚的标准块，先将标准块放在密实的材料（压实土、沥青或混凝土）上，然后将仪器放在标准块上，对标准块进行计数，对于 50.8mm 厚的标准块，将标准块先放于仪器箱上，然后将仪器放在标准块上，对标准块进行计数。

在标准块上置放仪器时，仪器必须沿着标准块的边沿入导轨。仪器与标准块边沿必须靠齐。

(2)将仪器手柄放在安全位置，按标准计数键，屏幕上即显示现有标准计数数据，1 分钟的计数结束时，仪器显示并存储新的标准计数数据，取代原来的数据。

(3)把核子湿度密度仪分别放在低、中、高密度检定块上，然后在每一深度挡进行 4 分钟以上的密度计算；体积含水率计数，则要分别放在高、低体积含水率的检定块上进行，每一深度挡处也进行 4 分钟以上的体积含水量计数。

(4)用所规定的计算器或程序计算出各深度挡的密度系数 A、B、C 及体积含水率系数 A、B。

2.误差计数

(1)表面粗糙引起的误差：由于表面空隙而引起的误差，测定时，先在一光滑的标准表面上测定密度或体积含水率，然后将仪器的底面离开标准表面1.27mm,再测一次密度或体积含水率,两次测量数据之差即为表面粗糙引起的误差。

(2)测量准确度:将第1.(4)求得的密度系数及体积含水率系数输入仪器内存,然后把仪器放在检定块上作1分钟测量,测得的密度及体积含水率值与检定块标准值比较,其差值应符合测量准确度的要求。

3. 漏泄检查

用检漏工具检查放射性材料从其容器中漏泄的情况:

(1)将仪器的手柄置于"安全"位置,将显示屏键盘的四个固定螺钉拆下,但连接电缆不得断开。

(2)用检漏工具中的棉签擦拭仪器内的红色标记处,擦完后将显示屏键盘装回,用原来的四个固定螺钉装好。

(3)再用同一个棉签擦闸门周围的黄铜清扫环,然后将棉签用塑料袋封好送检,以确定是否有泄漏现象。

4. 现场率定

(1)核子湿度/密度测试仪在施工开工前要进行标准计数,其值应符合误差的要求,并通过现场率定来确定仪器的修正系数。

(2)现场标定的目的,是为了确定由于仪器所测材质变化而引起的测量偏差。

(3)仪器湿度密度测量现场标定是用常规对比法,即在测量所测材质、湿度密度时,仪器测量结果可用环刀法、挖坑灌砂法进行对比,比测点至少选择5处以上有效点,如果测值离散性较大,应取比测点15处以上。

(4)现场标定的方法:

造孔:用导板导向,把钻钎打入所测材质内,造一个垂直于测量表面的测孔,测孔深度至少大于仪器源杆,实际插入深度50mm。

测量:把仪器的源杆插入测孔内到预定的测量深度,仪器底面应与侧面有良好的接触,并将源杆紧靠γ射线要穿过的所测材质一侧的孔壁,确定计数时间(不小于1分钟),然后按仪器面板上的测量键(START或MEAS)开始测值。

当所测的材质中存在超大粒径颗料或空洞时,密度测量结果会有较大偏差而失去代表性,此时可沿着已插入的源杆,将仪器转动90°测量一次数据,直至转动360°完成4次测量,取4次测量结果的平均值作为该测点的密度数据。

测量期间,仪器周围半径3m内不允许有任何物体存在,如果小于这个距离,其测量结果会受到影响,如果有不可避免的建筑物存在,应按仪器厂家提供的步骤、方法、要求对测量结果进行校正。

(5)检定时间和检定结果处理。

①核子湿度/密度测试仪的检定时间,为每工程开工使用前进行一次检定,若测试仪连续使用时间超过一年以上的,每年应进行一次检定,新购置或修理的仪器,在使用前进行1次检定。其漏泄检查每6个月进行一次。

②核子湿度/密度测试仪的检定、检查和现场率定,由经国家批准的质量检测单位负责,经检定符合本规程要求的测试仪器发给检定证书,不合格的测试仪不得使用。

③各单位应严格按照检定证书的要求使用仪器,不得随意调整或修改有关数据,违反者,责任自负。

第六节　核子仪辐射防护与仪器储放

核子密度仪的操作人员可以通过以下三种途径降低辐射剂量:

(1)应该用合理的方法。尽量降低辐射剂量和时间;准确快速操作;不用时将仪器放回储藏室。

(2)注意使用距离:不要离仪器比所需的距离更近,用探杆把手移动仪器。

(3)注意防护,充分利用制造厂家为仪器设计的防护措施。

一、时间/剂量

操作人员接受到的辐射剂量:

$$剂量 = 剂量率 \times 时间$$

即操作人员,手提着核子仪或伸长手臂用于操作键盘时,人体中部受到的总辐射剂量率是 0.8mrem/h。如果工作人员每天进行 60 次操作,每次操作用时 0.5 分钟(熟练的技术人员可能只需要 10 秒钟),每周工作 5 天,那么每周的辐射剂量为:0.8(mrem/h)×0.5(分钟/每次)×60(次/天)×5(天/每周)= 2.0mrem/周。

除了操作仪器,工作人员还要提着仪器在工地上从一个地方走到另一个地方,预计这种活动所占时间每天为 1 小时,则每周的累计辐射剂量是:

0.8(mrem/h)×1(h)×5(天/每周)= 4.0(mrem/周)

由此可以知道工作人员每周接收的总辐射剂量是 6.0mrem,这个数字占工作人员每周可允许接收的 100mrem 的 6%,所以,规范地使用核子仪所接收的辐射剂量远在安全范围之内,操作人员接收的辐射剂量与接近仪器的时间成正比,如果能够非常规范地操作仪器,不但可以提高工作效率,同时也减少辐射。

二、距离/负二次方程原理

辐射始于一个点源,以一个球面向周围散发,随距离增加,辐射率降低,降低幅度与增加的距离的平方呈正比,所以,距离加倍将减少剂量速率到原来的 1/4,距离减半将增加剂量速率到原来的 4 倍。

给出任何距离的辐射强度或剂量率,便能够计算出其他距离的剂量率。

三、防护/半衰值层

γ射线和中子射线用防护层不能完全被阻挡,却可以大大减弱。

半衰值层是指某一特定物质将某一辐射能减弱到初始剂量率的一半时的厚度:

放射源	半衰值层
^{137}Cs(铯)	0.25 英寸铝
	2.21 英寸混凝土
^{241}Am/Be	2.50 英寸水或塑料

将一个^{137}Cs放射源的剂量速率减弱到 1/4 需要两个半衰值层,这相当于半英寸厚的铝。当探杆把手放在 SAFE 位置时,周围的铅保护层大约有两个半衰值层。为此,操作人员使用核子仪 6 年可使寿命减少 1 天。

四、仪器储存

(1)仪器应标有生产厂名(商标)、出厂编号,仪器必须有一个固定的储存地点,这个地点要求至少有两层锁,没有得到授予权的人不能靠近仪器。

(2)必须张贴:"注意! 放射性物质"的标签。

(3)仪器存放位置离工作地点不能小于 3m。

资格:核子密度仪使用人,必须拥有政府主管机构批准的资格证书,要求操作人员上岗前必须自所在单位向当地卫生行政部门申请《放射工作人员证》,并使操作人员对核辐射安全有一个基本的了解,做到:①按照操作规程正确地使用核子仪;②使自己安全,尽可能少地接受辐射;③使公众安全。

第七节　核子密度仪常见问题及
解决方法

一、仪器无显示

可能是仪器没有打开或仪器已打开,却因对比度电位器调整不当而无显示,这时应按一次开/关键,左右调整后板上的对比度电位器,直到有显示为止,如还是没有,则应再按一次"开/关"键重复调整,使仪器正常工作。

二、充电器的指示灯不亮

由于工地电压不稳或因操作不当,即开始充电时应先插好充电插头,再接220V电源,停止充电则先断开220V电源,再拔下充电插头,如不按上述规程操作,则指示灯易烧坏。这时判断充电器能否正常工作的方法是充电一段时间后充电器发热,即充电能正常工作,只是指示灯烧坏,否则充电器不能正常工作。

三、测量不准

核子仪测量准确与否,关键在现场修正,如发现测量不准,先检查修正值是否正常,再重新测量一次标准块计数,再进行测量,如出现测量值固定不变,干密度值大于湿密度等问题,这是仪器有故障,应与仪器公司联系解决。

第八节 核子密度仪的广泛应用

一、在土壤中的应用

一般土和有机土的校正方法。一般土核子仪可以直接使用，而有机土的含水量修正值，可用下式计算：

$$W_{偏} = \gamma_{土} \, n_{机} \, a$$

式中 $W_{偏}$——偏含水量，g/cm^3；

$\gamma_{土}$——测土的密度，g/cm^3；

$n_{机}$——测土的有机质含量，%；

a——土中有机物质含量对仪器含水量读值的影响值。

二、对砂、石料（包括砂、石屑、碎石集合体）

砂、石料中不混有有机质，测体尺寸合格，核子仪测出的效果好，不须校正，如料中有有机物混入，则需要进行含水量值的修正。

三、混凝土的测量

混凝土初拌及振捣成型之前，混凝土还未初凝，这时用核子仪测量最准，混凝土初凝到硬化时测不好，混凝土硬化后，测量含水量准，以湿密度读值来判定混凝土的干密度。

四、沥青混合料

铺筑路面的沥青混合料是砂、石、石粉等与沥青的混合体，属有机材料，故核子仪随碾压测定混合料密实度时，只取湿密度读值当作判断混合料的干密度值即可。

五、石灰及石灰胶结材料

(1)石灰:分生石灰(CaO)及熟石灰[Ca(OH)$_2$]之分,后者是由前者水化后形成的,纯灰体用核子仪测定其水分和干密度较困难,因分子结构中有氢元素,呈假相水出现,核子仪读不出料体中的含水量值,对熟石灰体,根据其成分的分子式中氢原子含量,组成水后,水重量约占熟石灰总重量的32%,当有了仪器测读的熟石灰的水分,密度读值,材料的真正含水量和料体的密度是可以校正过来的。

(2)石灰胶结材料。

石灰土:是土与石灰及水的混合体,石灰为熟石灰。核子仪测石灰土,含水量读值是料体内的真水及假水的总值。要想直接读测体干密度和含水量须将假水量值给予消除。石灰土中假水量值由下式计算:

$$W_{灰} = 0.32 \gamma_{灰} \, n_{灰} \, a_{活}$$

式中 　$W_{灰}$——灰土中石灰引起含水量偏差,g/cm^3;

　　　$\gamma_{灰}$——测体石灰土的密度,g/cm^3;

　　　$n_{灰}$——灰土中石灰的剂量,%;

　　　$a_{活}$——石灰的活性成分值,%。

一般堤顶硬化时,道路用灰土的石灰剂量多按12%配制,合格的普通石灰的活性物含量多在50%~70%,按此指标代入上式计算。

现在许多施工单位施工时灰土采用生石灰粉末配置石灰土。此时,核子仪所测含水量值较熟石灰大,相同剂量高出30%左右,故以计算式计算为准。

〔例〕 使用湖南省交通科学研究所研制的RMT-5122型核子密度含水量仪进行土基压实度检测,该仪器的密度测量误差

为 $\pm30\text{kg/cm}^3$，含水量为 15kg/cm^3。偏差值在此范围内，仪器即不需修正。主机面板上设有修正按键，若偏差值为正数，表明仪器测值偏小，需增补差值，增补密度时按 γ^+，增补含水量时按 n^+，再按"存储"键，仪器将偏差值存入记忆库，随后检测时，仪器自动将此差值补加在数据中，反之，则按 γ 键和 n^+。MT 5012 型核子仪现场对比试验测试点应选择在路基填筑材料的密度和含水量都较均匀的土基上进行，以减少灌砂法或环刀法、烘干法、燃烧法的测量误差。用透射法测量密度时，宜将密度测量挡放在 150mm 处进行测量，因灌砂法一般都挖至 150mm 深；烘干法，取土时应从上至下适当多取些土样，这样才有代表性。一般说来，仪器与常规法的偏差值是向一边偏，若某点跳出也属正常，这主要是在土质不均匀的情况下，两种测量方法所测量土基的体积不相等而造成较大的偏差，取平均偏差值时应将该点舍去不计。

第十二章　堤防工程项目机械使用及监控

第一节　闸门工程的质量控制

一、闸门制作

(1)按设计要求制作与安装,要符合相应的规范,闸门制作误差应符合有关规定,应全面清点和检查构件的预埋情况是否符合图纸要求和规范规定。

(2)闸门预制场地应平整坚实、排水条件良好。

(3)浇筑闸门前应检查埋件的数量与位置。

(4)每个闸门应一次浇完,不得间断,并宜采用机械振捣。

(5)闸门浇制完毕后,应标示型号、混凝土标号、制作日期和上下面并加强养护。

(6)闸门不得有掉角和扭曲及开裂等情况。

二、闸门尺寸偏差

钢筋混凝土闸门外形尺寸允许偏差和安装的允许偏差参照《水工建筑物金属结构制造安装及验收规范》(SLJ 201)有关规定执行,见表12-1 所示。

三、闸门移运规定

(1)闸门移运时的混凝土强度应满足 R28 强度,如设计方要求时不应低于设计标号的 70%。

表 12-1　钢筋混凝土闸门允许偏差

序号	项目	允许偏差
1	预埋螺栓及预埋件位置	2mm
2	面板厚度	1/12 板厚
3	保护层厚度	+5～-3mm

(2)闸门移运方法和支承位置,应符合构件的受力情况,防止损伤。

四、闸门的吊装应注意事项

(1)根据安装部位、构件尺寸、重量、数量和运输道路等,来制定吊装计划。

(2)吊装前,对吊装设备、工具的承载能力等应作系统检查,对闸门应进行外形检查。

(3)闸门在吊装前应校准中心线,其支承结构上也应校测和画中心线及高程。

(4)闸门起吊方法及设计要求相同,应按吊环起吊,起吊绳索与构件水平面的夹角不宜小于45°,如小于45°,应对构件进行验算。

第二节　金属结构的监控

一、构件的测试要求

构件的制作厂方应提供下列技术资料,主要材料的质量保证书或材质证明、厂方检测记录、焊缝探伤报告、设计修改通知书、重大缺陷处理记录、构件发运清单。

二、监控要求

构件进场后应进行清点抽查、妥善堆放,若有变形应予矫正,固定埋件的锚栓或锚筋应按设计要求设置,留出部分长度使埋件有足够的调整余地,闸门门槽埋件及启闭机闸门件到场后要妥善保管。

三、各种构件的安装要求

(1)预埋件安装。埋件尺寸规格、数量应与设计相符,固定埋件的锚栓或锚筋,应按设计要求设置,位置偏差应符合规范要求。

(2)埋件安装后,应加固牢靠,防止浇筑混凝土时发生位移。混凝土拆模后埋件应进行复测。

(3)埋件安装后应符合表 12-2 的要求。

表 12-2　埋件安装后质量标准

项次	项目	允许偏差(mm)	检验工具	检验位置
1	主、反轨工作面间距离	+7~-3	钢尺	每米测一点
2	主轨中心距离	±3	钢尺	每米测一点
3	反轨中心距离	±8	钢尺	每米测一点

底栏的平面误差与主轨、侧轨、反轨、门楣的垂直平面度误差应符合图纸与规范要求或小于 2mm,埋件的安装程序是:门栏—门楣—主轨—反轨—侧轨,主反侧轨由下向上逐节进行安装,埋件安装检查合格后,即浇筑二期混凝土,如间隔时间过长或遇到有碰撞时,应予复测,合格后方可浇筑,浇筑时应防止撞击。

(4)埋件安装的质量评定标准:①符合下列要求者应评为合格:主要项目全部符合本标准;一般项目检查的实测点有 90% 及其以上符合本标准,其余基本符合本标准。②在合格的基础上,优良项目占全部项目的50%及其以上者应评为优良。

第三节 固定式卷扬式启闭机 安装工程的监控

一、卷扬式启闭机的质量监控

(1)卷扬式启闭机出厂前应进行整体组装和试运行,经检查合格后方可出厂。

(2)卷扬式启闭机运到现场后应对开式齿轮的侧、顶间隙,齿轮啮合接触斑点百分值,轴瓦与轴颈间的顶、侧间隙等进行复测,其结果应符合规范要求,必要时,应对设备进行分解、清扫、检查。

(3)卷扬式启闭机的安装质量检查项目和标准:

①卷扬式启闭机中心高程和水平偏差值应符合表12-3的要求。

表 12-3 启闭机中心高程和水平偏差值

项次	项目	允许偏差(mm)		检验工具	位置	备注
		合格	优良			
1	纵横向中心线	3	2.5	经纬仪 水准仪		
2	高程	±5	±4	垂球		
3	水平	0.5/m	0.5/m	钢板尺		

②制动器安装符合表12-3要求。

③联轴器安装符合表12-3要求。

(4)无负荷试运转时,电气和机械部分应符合下列要求:

①电动机运转平稳,三相电流平衡。

②电气设备无异常发热现象。

③控制器接头无烧损现象。

④检查和调试限位开关,使其动作准确可靠。

⑤高度指示器指示正确,主令装置动作准确可靠。

⑥所有机械部件运转时,无冲击声和其他异常声音。

⑦各构件连接处无裂纹、松动或损坏现象,机箱无渗油现象。

⑧运转时,制动闸瓦应全部离开制动轮,无任何摩擦。

⑨钢丝绳在任何情况下,不与其他部件碰刮,定动滑轮转动灵活,无卡阻现象。

(5)静负荷试运转应符合下列要求:

①如有条件按 1.25 倍的额定负荷进行静负荷试验,则电气和机械部分无异常,制动器能制止 1.25 倍的额定负荷的升降,其动作平稳可靠。负荷控制器动作应准确可靠。

②无条件进行 1.25 倍的额定负荷试验,则可连接闸门作无水压试验和有水压试验,全程启闭,其电气和机械部分应符合有关规定,制动器能制止闸门升降,动作平稳可靠,负荷控制器动作应准确可靠。如系快速闸门,快速关闭时间应符合设计要求。

(6)质量评定:

①符合下列要求者应评为合格:主要项目全部符合本标准;一般项目检查的实测点有 90% 及其以上符合本标准;其余基本符合本标准;试运转符合要求。

②符合下列要求应评为优良:在合格的基础上,优良项目占全部项目 50% 及其以上者;试运转符合要求。

二、启闭机安装程序

安装前应检查厂方的出厂合格证、说明书和发运清单。固定式卷扬机式启闭机的安装程序:部件拆洗→组装→检查→运输,基础件安装→启闭机安装→单机调试→启闭机负荷试验→与自动挂钩梁闸门连接→启闭机闸门操作试验→启闭机除锈涂漆。固定启闭机安装应以闸门起吊中心为基准,纵横向中心偏差应小于3mm,水平偏差应小于0.5‰,高程偏差宜小于5mm。启闭机安装时应全面检查,开式齿轮轴等转动处的油污、铁屑、灰尘应清洗干净,并加注新油,减速箱应按产品说明书的要求加油并规定油位,轨道安装和组装偏差应符合图纸要求和厂家说明书的规定,夹轨器安装和限位开关装置均应保证动作灵活可靠,双卷筒启闭机的安装保持同心。联轴节两轴的同心度和端面间隙,轴瓦与轴颈顶间隙,开式齿轮啮合要求及测量要求符合规定,启闭机制动闸瓦退距和电磁铁行程安装应按产品说明书的要求予以调整。双吊点的钢丝绳长度偏差应调整到最小范围,使闸门运行无卡阻,止水橡皮无严重摩擦。自动抓紧应作平衡试验,抓放过程中动作应准确可靠。

三、卷扬式启闭机减速器安装控制

(1)减速器必须刚性固定在坚实的水平基础上,所用的地脚螺栓尺寸应与外形尺寸配套选用。

(2)在调整时,必须使各轴处于精确的水平位置,不能有任何纵向或横向方向的倾斜,两相联轴同轴度应控制在 $\phi 0.10$ 公差带范围内,两轴端面之间应留有 2mm 间隙,此问题在安装时必须严格遵守。

(3)在调整时,必须使减速器壳体的变形消除,地基表面不平时,必须利用调整垫片非常认真地调平。

(4)如果减速器安装在钢铁结构上,或者受外力作用时,为安全可靠起见,建议利用销栓或水平制动装置销紧减速器,以防其轴间移动。

(5)减速器安装于室外或处于其他不利环境时(例如有灰尘、污染、热源或水雾等等)。如有可能必须进行遮蔽防护,但不能影响空气沿减速器壳体表面的自由流动。

(6)在输入端为输出动力面装有链轮,传动齿轮和曲轴(柄)的减速器,在进行装配时,应使作用在减速器上的(总负荷)合力方向应当指向地基。

四、卷扬式启闭机的联轴器等的安装控制

(一)卷扬机联轴器安装

(1)用联轴器、皮带轮、传动齿轮、链轮等类似的零件同减速器配合,应当利用轴端的定位中心孔。

(2)采用热装、冷缩等方法,应仔细安排工艺过程,严格禁用明火烤烘装配。

(3)决不能采用强行打击或冲击的装配方法,因为这样可能损坏挡圈、轴承等零件。

(二)电力液压推杆制动器的安装注意事宜

(1)纵装、松开螺母使制动臂向两边张开,开度以制动器能轴向套入制动轮为止。

(2)横装,若制动轮装在电机和其他机件之间,首先取掉左侧制动臂与底座连接销,使制动臂脱离底座,然后使底座从制动轮下部间隙穿上,从侧面装到制动轮上,重新使左侧制动臂与底座连接。

(3)调整安装好后,要进行调整,旋转螺母,使制动瓦抱住制动轮,继续同向旋紧,此时可看到右端推动器推杆慢慢抬起,使安装尺寸符合有关规定,然后反向旋转螺母,并使其旋紧,然后旋转螺母,使弹簧长度符合有关规定(注意杠杆与弹簧长度相符)。

(4)安装尺寸在抱闸情况下不得小于最小安装尺寸。

(5)推动器在维修时,注入油液。

五、启闭机校验与门系试运转控制

(1)启闭机运转前,对电气及机械部分等应进行下列检验:

①电器回路中的元件和设备,均应按照有关规定进行测试。

②所有动力操作、照明回路的接线应正确整齐,绝缘电阻不应小于规定值。

③在不带电动机的情况下,对操作回路进行模拟动作试验,其动作应准确可靠。

④电动机单独通电,电阻应符合规定,转动方向应正确,并无异常现象。

⑤机械零部件、润滑系统、防护装置等均应符合要求。

⑥缠绕钢丝绳前,用手转动启闭机制动轮,使最后一根轴(卷筒轴、走轮轴等)旋转一周,不应有卡阻现象。

⑦钢丝绳应固定牢固。

⑧检查并清除门槽、门栏等部位的杂物。

(2)闸门、启闭机安装完毕,应做无水启闭机试验,升降机构和行走机构应在行程内往返 3 次,并检查下列电气和机械部分:

①电动机运行平稳,三相电流应平衡。

②电气设备无异常发热现象。

③限位开关、保护装置等动作正确可靠。

④控制器的触头无损伤。

⑤所有机械零部件试运转时不得有冲击声或其他异常声响。

⑥运行时,制动闸瓦应脱离制动轮,无摩擦。

⑦轴承与齿轮应有良好的润滑,轴承工作温度不得超过65℃。

⑧钢丝绳在任何情况下均不得与其他部件碰刮。

⑨高度指示器对位应准确。

(3)启闭机和闸门进行有水试运行时的检查工作:

①检查并清除门槽、门栏、滑轮组等处可能存在的漂浮物及开闸放水时的推移物。

②按无水时的门系试运转项目,检验启闭机的电气或机械设备部件,均应符合负荷工作标准。

③检查闸门的止水情况。

④检查钢丝绳的长度和固定情况,以及高度指示器的对位情况,并做必要的紧固和调整。

⑤检查滚轮的运转或滑块的接触情况。

第四节　电气设备的监控

一、电气设备安装总要求

按照《电气安装装置工程施工验收规范》(GBJ 232)的有关规定执行。

二、线路架连

架空配电线路与建筑等地物交叉接近时的最小距离应按设计规定执行,设计无规定时按规范执行,但最低不小于 7m,配电线路的埋件及管道的敷设应配合土建工程及时进行,接地装置的材料应选用钢材,在腐蚀性土壤中应用镀铜或镀锌钢材,不得使用裸线。接地线的连接应符合下列要求:①宜采用焊接,圆钢的搭接长度为直径的 6 倍,扁钢的搭接长度为宽度的 2 倍;②有振动的接地线应采用螺栓连接并加设弹簧垫圈,防止松动;③钢筋接地与电气设备间应有金属连接,如接地线与钢管不能焊接时,应用卡箍连接。

三、三相异步电动机的安装及调整控制细则

(1)电动机允许采用联轴器或正齿轮传动,当采用正齿轮传动时,齿轮的节圆直径不小于轴直径的2倍。

(2)长期放置不用的电动机在使用前必须以500V兆欧表测量其定子绕组与机壳和轴间的绝缘电阻,如低于0.5MΩ的电动机必须进行处理。烘焙时绕组温度不超过如下规定:绝缘等级为F;温度计法:125℃绝缘等级为H。

(3)新的或长期放置未用的电动机在安装前首先应进行机械检查,检查各部件是否装配完整,紧固件是否松动,内部如果有灰尘应清理干净,必要时,可用干燥的压缩空气吹净。

(4)为防止锈蚀,电动机在拆检后重新装配时,所有的配件面和带螺纹的紧固件(除接地螺栓外)可涂一层干净的防锈蚀油后再进行装配,并且所用的紧固件应有弹簧垫圈以免自行松脱,装配后,用手转动转子应能灵活转动。

(5)在转轴上安装联轴器或齿轮时,必须先将轴身上的防锈层清洗干净再进行安装,在安装时应防止过重敲击,以免损坏轴承。

轴伸缝键采用"B"型普通平缝(CB 1096—79)其尺寸如表12-4所示。

表12-4 "B"型普通平缝尺寸

机座号	平键尺寸(mm) $b \times h \times l$	机座号	平键尺寸(mm) $b \times h \times l$
112	B10×8×56	250	B18×11×80
132	B10×3×56	280	B20×12×100
160	B14×9×80	315	B22×14×100
180	B14×9×56	355	B25×14×125
200	B16×10×80	400	B28×16×140
225	B16×10×80		

(6)电动机安装时,应校正电机与被拖动设备转轴中心线的相对位置,调整后,旋紧底脚螺旋,使其可靠地固定于基础上。

(7)电动机在明显位置备有接地螺栓,并在附近标有接地符号,安装后应可靠地接地。

(8)锥形轴伸电机上的联轴器后应紧接着旋紧螺母,以产生足够的予紧力,双轴伸动电机,对未使用的轴伸端,需拆下轴伸键轴头螺母及垫圈后再开车。

(9)电动机接线后,应试接电源使其转动,检查旋转方向是否符合要求;不符合时将任意两根电源线调换一下位置即可。

(10)在电机安装完后,空转 30～40 分钟,若情况良好再加入负载,并应检查电源的稳定性。当电源电压(频率为额定)与其定额值的偏差不超过 ±5% 或电源频率(电压为额定)与其定额值的偏差不超过 ±1% 时,电机允许在额定状态下运行。此时电动机的温升允许超过有关规定,但超过的数值应不大于 10℃ ,当电源电压与其定额值的偏差不超过 -5% ,电动机仍能启动,此时电动机的性能与温升不作保证。

第五节　变压器总装配控制

一、变压器的装配

(1)不拆卸运输的变压器,即可做投入运行前试验项目。

(2)装水银温度计、温度指示控制器的同时要将温度计座内注满变压器油。

(3)装吸湿器的同时将吸湿器的下部加注变压器油(吊式吸湿器),详见吸湿器使用说明书。

(4)将装配其他零部件。

(5)将储油柜阀门打开,注入合格变压器油至储油柜正常油面高度(视其环境温升定油面高度)。注油时所有放气塞必须打开,注好时再密封好。

(6)注放变压器油后,将气体继电器、套管等的放气塞密封好,并检查所有的密封面,停放 24 小时后,检查其是否有渗漏油现象。在补注变压器油时,须注意加注的变压器油的型号、产地或油基。不同型号的变压器油,一般不能混合使用,否则须试验合格后方可使用。

(7)取变压器油样,并做试验及化验分析。

(8)注油完毕应开始做密封试验,试验方法如下:气体静压试验,利用储油柜上之通气孔,用 25kPa 干净干燥的压缩气体做静压试验,保持 3 小时应无渗油现象。

(9)试验注意事项:①将压力释放阀压板打开;②使套管内充满变压器油;③气体继电器放气。

(10)变压器如装有气体继电器,安装到基面后,储油柜一端应垫高。使变压器略有些倾斜,以增加气体继电器之动作灵敏度。

二、投放运行

(1)变压器总装后,在投入运行前应经过如下试验:①测量绝缘电阻;②测量直流电阻;③外施工频耐压试验,耐受电压按出厂试验标准之 90%(见产品说明书),历时 1 分钟;④用不大于 130% 额定电压进行空载试验,历时 30 秒,注意此试验中变压器的声音变化及仪表之变化;⑤测量变压器之空载电流与空载损耗,测量结果与出厂试验结果,无显著差别(参见产品证明上相应之试验数值)。

(2)上述试验均应在变压器注油至少 10 小时以后进行,进行试验时应保持上述项目之先后顺序。

三、变压器试验后的检查

(1)整定与试验保护装置如气体继电器,过电继电器差动继电器等。

(2)试验油断路器的传动机构与联轴装置之动作。

(3)检查储油柜油面,储油柜与变压器之连管活门一定要开通。

(4)校验温度计之读数。

第六节 双吊点闸门启闭电动葫芦安装控制

双吊点闸门启闭电动葫芦是将两台电动葫芦减速器第一轴通过齿轮联轴器与中间相连而保证两吊点机械同步的一种闸门启闭专用设备,当配以自动抓梁时,能对闸门实施水下自动挂钩、脱钩,该设备还安装了超欠载保护装置,保证闸门的安全运行。

一、设备组成

设备主要由电动葫芦、连杆、C4轴连接装置、超欠载保护器、电控箱、手电门、行程开关等组成。

二、安装及调试

(1)按设计图纸将两台HDC型电动葫芦分别安装于运行轨道上,然后用4M10螺栓装上连杆,将两葫芦连为一体,单台葫芦的安装如下:

①电动葫芦达到安装地点后,应仔细检查在运输途中有无损坏等现象。

②轨道两端应装有停止开关及缓冲装置,以防止葫芦脱轨或

碰撞损坏。

③轨道必须装有可靠的接地线,其规格一般为 $\phi4mm \sim \phi5mm$ 裸铜线或截面不小于 25mm 的金属导体。

④电动小车和双轮小车在安装时根据轨道工字钢型号用垫圈调整墙板间的距离,以保证车轮缘与工字钢下翼缘侧面每边 $3\sim 5mm$ 的间隙。

⑤电动小车安装完毕后,应检查连接螺栓上锁紧螺母是否锁紧。

(2)装上电气控制箱及手电门,两起升电机分别接线,保证两吊点叉处于同一水平位置,等同向工作后,装上 C4 轴连接装置,最后将两电机线并联。

(3)按电气接线图安装主回路及控制回路,根据闸门实际高度,调定行程开关位置。

(4)安装自动抓梁后,即可进行吊闸试验。

(5)操作时必须按照手电门面板要求进行,脱钩、挂钩行程可用调整时间继电器来保证。

(6)安装 C4 轴连接装置之前,两电动接线必须保证吊具同时运行。

(7)行程开关位置现场调定。

十八户闸小车 HD5 型 2×10^2 双吊点主要技术参数:

起重量 $2\times 10\ 000kg$ 起升速度 $4m/min$

起升高度 $13m$ 运行速度 $20m/min$

起升电动功率 $2\times 7.5kW$ 运行电机功率 $4\times 0.8kW$

第七节　SZM-2 型智能闸门开度测量装置的主要功能

智能闸门开度测量装置,适用于各种平板闸门、弧形闸门、人字闸门的闸门位置及门机、桥机、吊车等的起吊高度数字化自动测量与控制。由 DG-2 系列或 DG-3 系列或 DG-4 系列闸门开度传感器和开度仪两部分组成,传感器采用接触式轴角编码器,以精度变速传动机构作为测量传感器,开度仪采用 3 单片微机处理和大规模集成电路,它具有集成度高、功能强、性能稳定可靠等特点。

一、主要功能

(1)输入闸门开度编码信号并用 LED 数码显示其实际开度值。

(2)可设定闸门开度上、下限及中间预置设定值时,上限或中间预置继电器常开触点断开,当开度显示值小于或等于下限设定值时,下限继电器常开触点闭合,常闭触点断开。

(3)提供一个并行 BCD 码输入接口。(可选)

(4)提供一个半双工 RS485 通讯接口,2400bps。(可选)

(5)具有开机自动复检功能。

(6)具有任意设定越限声报警功能(声音报警可以消除)。

(7)提供一个 4~20mA 或 0~10mA 输出。(可选)

主要传感器测量原理是利用编码器的电刷在码盘圆形上不同角度的接触,而读出不同的编码数字来反映被测闸门的直线位移值,并通过多芯传输电缆将编码信号送给开度仪进行数字化处理,用 LED 数码显示其闸门开度值,经过驱动后输出即时闸门开度 BCD 码值(TTL 电平)。

当被测闸门到达预先设定的位置时,开度仪则发出声光报警,同时继电器触点动作,通过外线路控制启闭机传输,从而达到自动测量和控制之目的。

二、主要技术性能

(1)测量范围:0~99.99m。

(2)精度:±1cm。

(3)读数精度:1cm。

(4)显示位数:4位(LED数码管显示)。

(5)传输距离:2km(传感器主开度仪并行)。

(6)继电器触点输出对数:3对(上限、下限、中间预置)。

(7)闸门开度编码输出方式:BCD码(TTL电平)。

(8)继电器触点容量:220VAC/5A或27VDC/5A。

(9)电源:显示器为220VAC/50Hz;传感器为12VDC(由开度仪通过传输电缆供电)。

(10)功耗<20W。

(11)使用条件:①开度仪工作温度为−5~+50℃,相对湿度为90%R_H(+40℃);②传感器工作温度为−20~+60℃,相对湿度为95%R_H(+40℃)。

三、传感器安装

荷载传感器的安装正确与否直接影响到仪表的测量控制精度。基本要求是:①传感器必须水平安装;②被测力必须与传感器荷重触点的中心轴线重合,避免侧向力带来的测量误差;③在被测力从零到满量程的变化范围内,力必须和传感器荷重触点紧密配合。

四、使用传感器时应注意的事项

(1)为了防止电流(由雷电、电焊等组成)损坏传感器,应在传感器两端用粗钢导线短联,以便进行电断旁路保护。

(2)在传感器安装中,将连接螺杆(或螺帽)与传感器连接时,应用工具(扳手)固定传感器的近端。

(3)施于传感器的力(或重力)的方向与传感器轴向的交角大于1°时,将影响其精度和灵敏度。

(4)为了防止传感器被折断的危险,必须在传感器两端设保护装置——仪表本体安装,按照表连接好传感器与仪表本体间的回芯屏蔽电缆。各脚标号如表12-5所示。

表 12-5　表 AB 传感器输入接线

特性	E+	V+	V−	E−	屏蔽
传感器脚号	1	1	3	4	5
仪表脚号	1	2	3	4	5

根据需要把荷重上限预报警两组转换触点(常闭或常开)接入用户控制回路。

第八节　树脂缠绕杆式变压器安装技术

一、安装场所

选择安装场所要注意以下两点:

(1)变压器要安装在距负荷中心较近的地点。

(2)变压器要安装在防漏和防日照的室内。变压器的建造必须符合国家供用电的规程及建筑规范的规定,变压器室的保护等级应符合国家防护等级的要求,应防止腐蚀性气体和尘粒侵蚀变压器。

二、安装基础

为安装变压器而浇筑的基础应满足:

(1)变压器的基础必须能承受变压器的全部重量。

(2)变压器基础应符合国家及当地建筑规范的要求。

三、触电防护及安全距离

(1)变压器安装设计必须符合人身安全要求,应确保变压器运行时不被人所触及。带电体之间以及带电体对地之间的最小安全距离应符合国家供用电规程的要求,此外还应保证电缆和高压线圈之间温控线、风抗线和高压线圈之间的最小安全距离。最小安全距离见表 12-6 所示。

表 12-6　高压线圈之间最小安全距离

电压等级 (kV)	设备最高电压 (kV)	绝缘	水平	安全距离 (mm)
		工频试验电压 (kV)	冲击试验电压 (kV)	
≤1	≤1.1	3		25
3~3.5	3.5~40.5	10~70	20~200	60~365

(2)为了安装和维护保养及值班巡视。变压器和墙壁之间,必须留有通道。

(3)相邻变压器之间必须留有大于 1cm 的空隙(外限距离)。

(4)变压器的安装位置必须便于值班人员在安全位置观察测量仪表。

四、通风

(1)变压器室内应有足够的通风设施,确保变压器因损耗产生的热量及时扩散出去。

(2)冷却空气的要求,散发每千瓦损耗约需空气流量 $3m^3/min$,按其变压器损耗总值,确定通风量大小。

(3)变压器应安装在离墙壁 600mm 以外的地方,以保证变压器周围空气的流动及人身安全要求。

(4)进风口和出风口的栅栏或百叶窗不得减少对流的有效截面积,进出风口必须有防止异物进入的措施。

五、电力线路的连接

(1)所有端子连接前,应熟悉试验报告及路牌上的连接圈,连接要正确。

(2)电缆或母线排组成的连接线必须符合变压器运行规程及电气安装规程的规定,选择合适截面的电缆和母线排。

(3)连接线不在接线端子上产生过高的机械拉力和力矩。当电流大于 1 000A 时,母线和变压器端子之间必须有一段连接,以补偿导体在热胀冷缩时产生的应力。

(4)必须保证带电体之间、带电体对地之间的最小绝缘距离,特别是电缆至高压线圈之间的距离。

(5)螺栓连接必须保证足够的接触压力,可使用蝶型垫圈或弹簧垫圈。

(6)在接线之前,所有连接螺栓和接线板必须清洁,所有连接需紧固可靠,在紧固电气连接螺栓时需采用扭矩扳手,使螺栓张力较为均匀,并可避免产生过大的张力。

(7)在连接高压线圈分接线端子时用力应均匀,严禁冲击力和弯折力作用在端子上。

(8)有载调压变压器按有载调压开关安装使用说明书和图纸要求进行分接开关连线、控制器和其他附件安装。

六、接地

(1)变压器下部有一接地螺栓,必须接入保护接地系统。

(2)保护接地系统的接地电阻和接地线的截面必须符合电气安装规程。

七、温控系统的安装和使用

(1)产品由于带了信号温度计,可实现故障超温的声光报警以及设置自动跳闸和自动通断风机等功能。

(2)产品出厂前已将信号温度计及铂电阻装好,并已完成了风机与信号温度计的接线,即温度计报警和超温跳闸。风机自动启停的温度值的设定,用户在安装时,只须按信号温度计使用说明书或变压器本身特性进行操作。

(3)值班人员应重点巡视温度指示值,观察是否在其设定的相应温度状态下进行风机启停超温报警和超温跳闸,发现异常及时处理。

八、投入运行前的检查和试验

(1)检查外观和变压器线圈高低压引线及连接有无损坏或松动。

(2)检查铭牌数据是否符合合同定货要求。

(3)检查温控装置和风冷装置是否齐全。

(4)检查出厂试验报告是否齐全。

(5)检查铁芯、线圈上面是否有异物,气道是否有灰尘及异物。

(6)运行前用压缩空气将变压器线圈、铁芯及气道吹刷干净。

(7)检查温控线至各部分距离,确认无误后,方可投入运行。

九、试验

(1)绝缘电阻试验:绝缘电阻值如低于 1 000Ω/V(运行电压),需进行表面热风干燥处理。

(2)直流电阻试验。

(3)变压比试验。

(4)空载试验。

(5)室外施工耐压试验,耐受电压按出厂试验标准的85%计算。

(6)有载调压变压器开关试验,按有载调压开关使用说明书要求进行。

十、试运行

(1)试运行结束后,投入运行前应使变压器在额定电压下空载合闸三次。

(2)空载三次合格后,便可带负荷投入运行。

(3)空载合闸时,由于励磁涌流较大,要将过流连断保护定值配合好。

(4)变压器在运行时,外线圈表面应被视为带电。

(5)变压器空载或负载运行时,应符合电力部门运行规程的要求。

十一、交流电力系统用有机复合外套无间隙金属氧化物避雷器的安装

(1)本品可悬挂安装或用接地端螺钉将避雷器固定于安装架上,并引出接地引线将避雷器可靠接地。

(2)不能将避雷器作支承绝缘子使用。

(3)应尽量靠近被保护设备安装,以减小距离对保护效果的影响。

(4)避雷器在安装运行前及运行一年后,应对其电流参数电压值进行一次预防性检测,其值应符合本产品规定。

第九节　VHQ/VGQ 系列闸门开度传感器安装监控

一、概述

VHQ/VGQ 系列闸门开度传感器是闸门开度测量的传感部件,它广泛应用于各种平板闸门、弧形闸门、人字闸门、门机、吊车和船阀等闸门的开度监测与自动化控制中。其中 VHQ 系列闸门开度传感器采用接触式轴角编码器,具有断电记忆功能;VGQ 系列闸门开度传感器采用光电式轴角编码器,具有使用寿命长的特点。如定货无特殊说明,所有为各类闸门开度测控设备配套使用的传感器均采用 VHQ 系列闸门开度传感器。

二、主要技术参数

几种闸门主要技术参数如表 12-7 所示。

表 12-7　几种闸门主要技术参数

类别	参数						
	测量范围	分辨率	测量精度	传输距离	环境温度	环境湿度	外形尺寸
平板闸门、弧形闸门	0～10M/40M 80M	1cm	±1cm	≤2.5km	-40～+60℃	≤95%(25℃)	VHQ-10M 190×110×200
人字闸门	0～100°	0.1°	±0.1°	≤2.5km	-40～+60℃	≤95%(25℃)	VHQ-40M 190×90×182
							VHQ-80M 190×90×182

三、安装监控细则

传感器的安装所要解决的主要问题是传感器与被测闸门的传动连接。它随着启闭机的类型（卷扬式启闭机、液压式启闭机），闸门的种类（平板闸门、弧形闸门、人字闸门），测量参数（开启高度、开启角度）的不同而异。但一般说来，有下面几种连接方法：

（1）连轴器连接法。这是一种传感器与启闭机或闸门的转动轴直接相连的安装方法，它适用于与传感器相连、转动角度较大的场合，广泛应用于卷扬式启闭机。各种闸门的开启高度测量也可适用于液压式启闭机人字闸门开启角度测量。其中联轴器是为闸门开度传感器配套供货的一个联接器，它的一端用顶丝固定在传感器的转轴上，另一端可与卷扬式启闭机的卷筒轴或其他转动轴相连，也可直接装在液压式启闭机人字闸门的门轴上。

（2）链条连接法。这是一种通过链条传动来把传感器与启闭机的转动轴连接起来的方法。特别适合于传感器距离启闭机转运轴较远的地方或传感器安装空间有限的地方，有通过增加传动比来增大传感器转角的特点，能提高闸门开度的测量精度。

（3）齿轮啮合法。这是一种通过齿轮啮合来把传感器与启闭机的转动轴连接起来的安装方法，由于它可以通过增加传动比大幅度地增大传感器的转动角度，所以能大大提高闸门开度的测量精度。特别适合于被测点转动角度较小的场合，即在液压弧形闸门的开度测量时，可在铰链铰座上装一传动杆（即大齿数扇齿轮），然后通过齿轮啮合来带动传感器的转动。

（4）吊接法。这是一种适用于各种平板闸门和弧形闸门开度测量的通用安装方法，它的原理是在传感器的转动轴上装一挂轮，然后用系有重锤的钢丝绳绕过挂轮，固定在被测闸门上，当闸门升降时，重锤通过钢丝绳带动挂轮，从而使传感器转动。

（5）采用弹拉式传感器。TL 系列闸位传感器是为闸门开度测量而新增开发的一种使用传感器。它采用吊接法测量原理,但省去了挂轮和重锤。有吊装式和座装式两种安装方法,使用灵活,特别适合于各种液压平板闸门的测量。

四、调整

根据传感器的安装方法将传感器与被测部件连接后,启动闸门使其归复零位(如平板闸门、弧形闸门刚好放到底,人字闸门关闭等),转动传感器,使测量设备的显示数字由大到小变化,直至为零。最后,拧紧传感器的固定顶丝即可。

第十节 闸门和启闭机安全检测技术

一、启闭机运转前对电气及机械部分进行检查

(1)电气回路中的元件和设备,均应按照有关规定进行测试。

(2)所有动力、操作、照明回路的接线应正确、整齐,绝缘电阻不应小于规定值。

(3)在不带电动机的情况下,对操作回路进行模拟动作试验,其动作应准确可靠。

(4)电动机单独通电,电阻应符合规定,转动方向应正确,并无异常现象。

(5)检查机械零部件、润滑系统、防护装置等,各项均应符合要求。

(6)缠绕钢丝绳前,用手转动启闭机制动轮,使最后一根轴(卷筒轴、走轮轴等)旋转一周,不应有卡阻现象。

(7)钢丝绳应固定,绕位正确,钢丝绳长度不够时禁止接长,为保证钢丝绳质量,应符合 GB 1102 的有关规定。用来固定钢丝绳压板用的螺孔,必须完整,螺纹不允许出现破碎、断裂等缺陷。钢

丝绳固定卷筒的绳槽,其过渡部分的顶峰应铲平磨光,不能磨损钢丝绳。

(8)启闭机外购件和外协件的质量技术要求:所有零部件,必须经过检查合格,外购件、外协件应有合格证明文件方可进行组装。

(9)检查并清除门槽、门槛等部位的杂物。

(10)系结闸门的起吊钢丝绳位置,应能保持闸门平衡吊起。正式起吊前,应进行试吊,吊离地面 10cm 左右停歇片刻,检查卷扬机制动情况和各项安全措施,确认安全可靠时,才能继续起吊。闸门起吊时,应在闸门上系结缆绳,以人工辅助,使闸门平衡入门槽。

二、闸门、启闭机安装完毕后做无水启闭试验

做无水启闭试验时,升降机构和行走机构应在行程内往返 3 次,并检查下列电气和机械部分:

(1)电动机运行平稳,三相电流应平衡。

(2)电气设备无异常发热现象。

(3)限位开关、保护装置等动作正确可靠。

(4)控制器的触头无损伤。

(5)所有机械零部件试运转时,不得有冲击声或其他异常音响。

(6)运行时制动闸瓦应脱离制动轮,无摩擦。

(7)轴承与齿轮应有良好的润滑,轴承工作温度不得超过 65℃。

(8)钢丝绳在任何情况下均不得与其他部件碰刮。

(9)高度指示器对位应准确。

三、启闭机和闸门进行有水试运行时的检查

(1)检查并清除门槽、门槛、滑轮组等处可能存在的漂浮物及开闸放水时的推移物。

(2)按无水时门系试转项目,检查启闭机的电气及机械部件,各项均应符合负荷工作标准。

(3)检查闸门的止水情况。

(4)检查钢丝绳长度和固定的情况,以及高度指示器的对位情况,并做必要的紧固和调整。

(5)检查滚轮的运转和滑块的接触情况。

四、油压启闭机与门系在有水试运行时的检查

(1)应该检查所有电气、机械部分,确保工作情况正常。

(2)应待油泵启动平稳后,再打开启动阀。

(3)门系试运行,应控制供油量,由小到大,缓慢启闭闸门,监视闸门升启及工作压力情况,直到达到设计额定值。双缸启闭机启闭时,应再次调整同步。

(4)复查管道、阀件有无漏油。

(5)所有机械、油压系统均不应有冲击声或异常响声,油缸不得有连续跳动现象。

(6)对闸门止水,滚轮或滑块以及门槽等进行检查。

五、闸门提升

油压启闭机将闸门提起后,油缸持重 24 小时后,闸门沉降量不应大于 150mm。

第十一节　HHLJG－1,HHLJG－2型分浆器组的安装使用监测

分浆器组主要由分浆器、多支路排沙管、泄沙缓冲管三部分组合而成。

一、分浆器组工作原理

分浆器组工作原理是:集而分之、速淤固之、均衡平之。即将汇流泵加压后,管道输送而来的泥浆沙流由分浆器组多支路导沙管排至弃沙固堤不同区域(集而分之);先淤外、后淤内,存水落淤在中间,加固挡水围堰(速淤固之);其次实现分流分沙均匀升高之目的(均衡平之)。在大面积弃沙固堤区内坑洼起伏不平的复杂地形,更显示出这种仪器的优越性。

二、分浆器的构成、特点、作用等

(一)构成
分浆器构成主要有连接法兰盘、橡胶垫、分浆器、卡扣等。

(二)特点
HHLJG－1,HHLJG－2型分浆器设计构造简单,安装、连接、移动、拆运方便,泥浆分流均匀,适用性强,造价低。其最大特点:①能在主机正常运转时连接使用;②首先速淤围堰附近低洼带并加固围堰,起到防渗防决口的重大作用;③可以随时调整输沙管出浆口,并可将出浆口任意布设在相邻同一工作平面上(根据放淤区实际情况而定);④可任意延长或缩短排沙管道长度,由其减小高速射流对围堰的冲刷和产生跌坑;⑤分浆器使用不受天气影响;⑥分浆器安放随意性强,可安放于不同地形位置,且无需任何垫托支架或底座;⑦使用寿命长,维修简单;⑧土质混合均匀,防止渗水

层的产生,解决了沙、黏土区域段明显分离的问题;⑨缩短工期,加快了工程施工进度,降低消耗;⑩制造成本低,但其创造经济效益巨大。

(三)作用

分浆器是将高压高速输沙主管线内的泥浆流分解为多支路排沙管并均匀合理地把泥浆输送到远、中、近不同区域,最后由缓冲管排泄,对固堤区进行均衡吹填。分浆器还起到倒虹吸作用,防止因停机或其他原因引起主管线吸空毁坏等情况的发生。

三、技术性能指标

分浆器出水能力为:$610 \sim 1\,168m^3/h$(取决于汇流泵扬程、吸程、配套功率及效率),排沙量为 $650 \sim 750kg/m^3$。输沙主管线为钢管($\phi300mm$),糙率为 $n = 0.012$;排沙输送管($\phi150mm$),糙率为 $n = 0.011\,5$。可连续工作几十或上百小时(主机不发生故障和无其他原因影响),可作为 $5 \sim 8$ 组 10EPN-30 型挖塘机汇流泥浆泵组的末端配套设施。

四、制造工艺

选用本溪钢铁厂产 $300\,000mm \times 1\,060mm \times 6mm$ 型卷板钢材,经加工焊接而成,出口连接处有倒角 45°固定槽 6 圈,有利结合紧固,防漏气、漏水、漏沙。

五、改进措施

分浆器初设支管焊接为平顶型,使用过程中因其阻水阻沙系数大,现改为锥型,以减小其水沙阻力,提高其泄水排沙能力。

六、安装、运用及注意事项

首先把法兰盘($\phi300mm$)、橡胶垫、分浆器连接安装,用螺栓固定为一体,再把分浆器连接法兰盘插入输沙主管线橡胶管内,用专用卡固定;其次把分浆器与输沙带、缓冲器连接安装牢固。组合安装完毕后,应严格检查连接卡扣、螺栓的紧固程度,防漏气、漏沙。然后试机运行,试机应逐步加速加压至正常运转。试机运行时,工作人员要远离分浆器,避免因高压冲击而造成的意外开脱所发生的伤亡事故。

七、养护

工程竣工后,将分浆器内外及时用清水冲洗干净并运回喷漆防锈,妥善保管,以延长其使用寿命。

第十二节　强制式混凝土搅拌机组在水利工程中的应用

一、机组的结构与组成

强制式混凝土搅拌机组,适用于各类中小型水利工程施工。拌制干硬性、塑性、流动性的轻骨料的混凝土和各种砂浆。除作单机使用外,还可与配料机、混凝土泵组成简易搅拌站,成型上料、搅拌上水、卸料、输送一条龙,亦可作为搅拌站的配套主机,其结构由搅拌机、配料控制箱、混凝土泵三大件组成。系统由上料搅拌、卸料、供水、电气等几部分组成。

(一)搅拌系统

由电动机皮带轮、减速器、开式齿轮、搅拌筒、搅拌装置、供油装置等组成。

(二)配料控制箱系统

(1)以高精度标重传感器为信号源。

(2)控制操作仪表将传感器信号放大。微机处理与拼码开关设定值比较,输送数字显示及按程序输出上料、出料系统工作的控制信号。

(3)电器控制箱。接收控制操作仪表控制信号,分别驱动每一路电动机(或电磁阀等),实现自动工作。

(4)连接线路。传感器控制操作仪表,电气控制箱之间是一种集计量、控制、显示为一体的仪表控制设备,具有自动控制加料、出料系统工作的功能,操作、维修简便,抗干扰性强等优点。

(三)上料系统

由卷扬机构、上料架、上料斗、进料斗、漏斗等组成的制动电动机,通过减速器带动卷筒转动钢丝绳经过滑轮牵引料斗,沿上料架轨道向上爬升到一定高度时,料底部斗门上的止滚轮进入上料架水平岔道,斗门自动打开,料物经过进料漏斗投入搅拌筒内。为保证料斗准确就位,在上料架上装有限位开关两个,分别对料斗上升起限位和安全保护作用。

(四)卸料系统

由卸料门、卸料杆等机构组成。卸料斗门装在搅拌机底部,通过手动推杆实现卸料。通过调整密封条的位置可保证卸料门密封。

(五)供水系统

由水泵、节流阀、清洗装置、喷水装置等组成。节流阀可调节水的流量,供水总量由时间继电器调节。

(六)电气系统

电器控制线路设有空气开关、熔断器、热继电器,具有短路、过载、断相保护的功能,所有控制按钮及空气开关手柄和指示灯均布置在配电箱门上,按钮外面有防护小门,设有门锁。配电箱内的电器元件装在一块绝缘板上,操作维修方便,安全可靠。故强制式搅拌机组整套设备构成自动化系统控制,拌和混凝土料物均匀,时间短,质量好。

二、强制式搅拌机组使用前的设备检验与性能测试要点

强制式搅拌机组,使用前必须对设备各部件进行检验和性能测试,对设备的检测,主要有以下两方面。

(一)设备主要技术参数检测

(1)出料容量、生产率、骨料最大粒径、搅拌机叶片数量及磨损情况,搅拌电动机型号、功率,水泵型号、功率,料斗提升速度等。

(2)配料控制器的结构型式。要对传感器、控制操作仪表、电气控制箱、连接线路等进行检查。对主要技术性能、出料控制延时的设定进行率定。

(3)对自动工作温度、速率、满量程时间、质量显示单位等进行测试和率定。

(二)性能测试

(1)拌和混凝土料的均匀性。经过多次拌和观察、测试,直到和易性、坍落度符合设计要求为止。

(2)出料控制延时要满足设计要求。要经多次出料控制延时试验来确定最佳时间。

(3)检测配料控制箱的准确性。做多次对比率定试验,每次一小车过秤 100kg 石子为准,计量次数不少于 5 次,每次均不得超过混凝土各组分称量的允许偏差规范值,一直到两者相符。

(4)拌和机及叶片的磨损情况。检查强制式搅拌机叶片转速是否符合机械出厂技术指标,在使用前叶片的磨损量,要符合机械出厂技术指标。

总的目的是拌和前,应对混凝土搅拌设备的称量装置进行鉴定,确认达到要求的精度后,方能投入使用。混凝土应搅拌均匀,其投料顺序和拌和时间,通过现场测试来确定。只有这样,才能确保工程质量。

三、注意事项和泵送剂的选用

(一)泵送混凝土时的注意事项

(1)混凝土应加外加剂,并符合泵送的要求。进泵的分量要按规范要求标准掺入,严格控制坍落度,符合试验配料单的规定标准。一般宜控制在 8～14cm。

(2)骨料最大粒径应不大于导管粒径的 1/3,不应有逊径骨料进入混凝土泵。

(3)安装导管前应彻底清除管内污物及水泥砂浆,并用压力水冲洗。安装后要注意检查,防止漏浆、漏气,在泵送混凝土之前,先在导管内通过水泥砂浆。

(4)应保持泵送混凝土工作的连续性。如因故中断时,则应经常使混凝土泵转动,以免导管堵塞。在正常温度下,如果间歇时间较长时(超过 45 分钟),应将存留在导管内的混凝土排出,并用清水冲洗干净。

(5)当混凝土泵送工作需暂停时,应及时用压力水将导管冲洗干净。

(二)泵送剂的选用和性能测定

(1)泵送剂的选用。主要选用多元复合剂制成的材料。对混凝土具有减水、塑化、引气、缓凝、早强、增强、坍落度损失小、滑动性好等多种功能,延缓水化热释放,显著提高混凝土和易性、可泵性。其成分中无氯盐,不锈蚀钢筋,且技术性能指标符合国家泵送剂 JC 473—92 标准。一般泵送剂分为液剂和粉剂两个品种,用户可根据不同的施工要求选择使用。

(2)性能测试。泵送剂性能测试主要项目有:固体含量、密度、细度、凝结时间、减水率、常压自然泌水率、加压泌水率、坍落度、早期强度等。

(3)使用剂量。粉剂产品对混凝土各种标号常用掺量为水泥重量的 1.5%～2.0%;液剂产品对混凝土各种标号常用掺量为水泥重量的 1.5%～2.5%,使用时必须搅拌均匀。

(4)包装储存。液剂产品采用塑料桶包装;粉剂产品采用编织袋内衬塑料袋包装。不论液剂、粉剂,在运输储存过程中,严禁破损和受潮。并按品种、进场日期分别存放在通风干燥的地方。

四、使用强制式搅拌机组对各种骨料的控制要求

(1)应严格控制细骨料的含水量和级配。砂子的细度模数变化值超过 ±0.2 时,应调整混凝土配合比。细骨料应有一定的脱水时间,含水率宜小于 6%,变化超过 ±0.5% 时,应调整混凝土的用水量。

(2)严格控制各种粗骨料。超逊径含量,以超逊径筛检验时,控制标准为超逊径为零,逊径小于 2%;石子表面含水率的波动控制在 ±0.2% 之内。

(3)砂料应质地坚硬,清洁,级配良好。砂的细度模数通过试验决定,要符合泵送混凝土的要求。

(4)粗细骨料的级配及砂率的选择:应考虑骨料生产平衡,混凝土和易性及最小单位用水量等要求,综合分析确定。

五、强制式搅拌机组配合比选定

(1)混凝土的配合比应根据设计对混凝土性能的要求,由试验室通过试验来确定。

(2)混凝土坍落度应根据建筑物的性质、钢筋含量、泵送、浇筑方法来确定。

六、强制式搅拌机组拌和时的注意事项

(1)施工前,应结合工程混凝土配合比情况,检验拌和设备的性能情况,应适当调整混凝土配合比,有条件时,也可调整拌和设

备的速度、叶片结构等。

(2)在混凝土拌和过程中,应注意保护砂石骨料含水率的稳定。

(3)必须将混凝土各组分拌和均匀,拌和程序和时间按测试规定执行。

第十三节 LK-150型路缘开沟机的使用要点

LK-150型路缘开沟机广泛应用于公路及城市建设。主要适用于未封冻路面上土壤塑性指数在12~15之间的路缘开沟、人行便道边缘开沟、街心花坛边缘开沟等,亦可用于黑色柏油路路面的表面铣刨等。

一、主要技术参数

型号:LK-150

开沟宽度(mm):63、80、100、123、150

开沟深度(mm):0~150

油消耗率(g/kWh):燃料油(柴油)≥250.2

机油≥2.04

工作速度(km/h):0.470

最高行走速度(km/h):10.047

配套功率(kW):11

轮胎型号:6.50~16

整机重量(kg):1 476

外形尺寸(长×宽×高)(mm):3 350×1 200×1 937

二、结构和工作原理

LK-150 型路缘开沟机工作装置部分,由动力传动部分(传动系统总成、离合器总成、刀盘系统)及液压部分组成。

该机动力由具有超低速挡的拖拉机变速箱第一轴左侧输出,经链条传到工作装置第一轴,经手动离合器传到悬式减速箱第一轴,最后由悬臂式减速箱第五轴将动力输出,带动刀盘转动,同时液压系统的油缸将刀盘压下,采用逆铣原理,实现一次成沟。

该机液压系统由油泵(拖拉机自带)、油箱、高压油管、双作用油缸、分配阀组成。柴油机启动后,接合柱塞泵离合器,油泵即开始工作,通过控制分配阀手柄,实现刀盘的升降。该液压系统有"自锁"功能,操作方便,性能可靠。

三、使用与调整

(1)拖拉机的使用与调整按照《拖拉机使用说明书》、《柴油机的使用与维护》进行。

(2)拖拉机使用前,将拖拉机变速箱主变速杆、油泵离合手柄、工作装置离合手柄均扳至空挡位置,启动过程按《拖拉机使用说明书》进行。

(3)待拖拉机运转正常后,将油泵离合手柄扳至工作位置,手动换向阀手柄扳至"升"的位置,待刀盘升到最大位置后,将手动换向阀手柄松开,其自动回到"停"(中立)位置,此时刀盘处于提升位置,并不下滑。

(4)工区距工作地点较远,需较长时间在途中行进时,将油泵离合器手柄扳至空挡位置,此时刀盘并不滑下,利于减小油泵的磨损。

(5)开始工作前,将刀盘对准开沟线,接合油泵离合手柄,检查各部无误后,方可进行开沟作业。

(6)分离主离合器结合工作装置离合器,再慢慢接合离合器使刀盘转动,手动换向阀扳至"降"的位置,主变速杆处于空挡位置,踩住刹车(因刀盘逆铣,以防倒车)。让刀盘开始工作,切到所需深度后,将手动换向阀手柄松开,其自动回到"停"位置。重新分离主离合器,将副变速杆扳至低挡位置,挂低速挡,慢慢接合主离合器,进行开沟。

(7)为避免机器损坏,开沟时禁止拐急弯。

(8)作业时,可根据路面情况,选择二挡作业。

(9)工作结束后,用手动换向阀提升工作装置,开沟间歇时间较长时,分离工作装置离合器和油泵离合器。

四、开沟机的磨合

开沟机的磨合按《拖拉机使用说明书》进行。开沟机工作装置部分的磨合按以下步骤进行,在磨合过程中,注意不能超负荷。

(一)空载磨合

开沟机在空挡位置,接合传动装置和液压油泵,空载低速磨合10分钟,然后转入中速磨合10分钟,最后高速磨合30分钟,在磨合过程中,多次扳动换向阀手柄,使悬臂升降数次,同时注意下列问题:

(1)链条转动平稳,不得有跳动和异常声音。

(2)传动系统各轴承温升不得超过65℃,悬臂系统齿轮传动不得有异常声音,不得有渗漏现象。

(3)离合器分离彻底,不得有自行脱挡现象。

(4)液压系统升降平稳、迅速,不得有渗漏现象。

磨合过程中,发现不正常现象,立即排除,排除后按上述要求重新磨合。

(二)负荷磨合

负荷磨合按表12-8所示情况进行。

表 12-8　负荷磨合操作规定

负荷级别	开沟深度(mm)	超低速挡磨合时间(h)
I	50	8
II	100	8
III	150	8

在负荷磨合过程中的注意事项与前述相同,磨合完成后,需进行以下几项工作,开沟机方能转入正常作业。

(1)刀盘开沟不得有明显偏摆现象。

(2)趁热立即放出变速箱(悬臂系统)中的齿轮油及液压系统中的柴油机润滑油,然后注入柴油,用工挡和倒挡开动拖车 2～3分钟。同时使悬臂系统升降数次,停车放出悬臂系统及液压系统中的柴油,分别按规定注入新油。

(3)检查张紧轮张紧程度,必要时调整。

(4)检查外部所有螺栓和螺母,如有松动,必须拧紧。

五、维护保养及故障排除

为了使开沟机能正常工作和延长使用寿命,必须严格执行维护保养规程,开沟机的维护保养,分以下几项:①每班技术保养,在每班后进行;②一级技术保养,在每工作 100 小时后进行;③二级技术保养,每工作 1 000 小时后进行;④三级技术保养,每工作 3 000小时后进行。

(一)每班技术保养

(1)检查链条张紧度,必要时调整,同时向链条滴加润滑油。

(2)检查液压系统及悬臂式减速箱有无渗漏现象。

(3)每两班用黄油枪对润滑点加注润滑脂。

(4)检查轮胎气压,必要时充气。

(5)检查外部螺栓和螺母是否松动,必要时拧紧。

(6)清除刀盘上的泥土,检查刀头磨损情况,如伤损严重,及时更换刀头。

(二)一级技术保养

(1)完成每班维护保养的各项工件。

(2)将悬臂统升到水平位置,检查油面高度,不得少于1/3,不足时添加 SY 1103—77 齿轮油。

(3)检查液压油箱内油量,不得少于2/3,不足时添加 HC—11 号柴油机润滑油。

(4)用柴油清洗链条及链轮,如有损坏及时更换。

(三)二级技术保养

(1)完成一级保养的各项任务。

(2)检查清洗各轴承,如有磨损,及时更换。

(3)检查各油封,如有损坏及时更换。

(4)检查油缸及手动换向阀。

(5)用柴油清洗油箱及油路,然后填加新的 HC—11 号柴油机润滑油。

(6)用柴油清洗悬臂式减速箱,然后填加新的 SY 1103—77 齿轮油。

(7)检查工作装置离合器的磨损情况,必要时更换。

(8)检查刀盘齿座及其焊接处,如有损坏及时修复或更换。

(四)三级技术保养

(1)完成二级维护保养的各项工作。

(2)对各部门拆卸、清洗,检查各零件技术状态及磨损情况,确定进行修理或更换,并加入规定的润滑脂。

(3)安装完后,拧紧所有螺栓、螺母。

(4)需长时间停放时,用木块将刀盘悬臂箱垫起,液压系统卸荷,以减小驱动轮的压力和减少液压系统磨损,延长使用寿命。

第四篇 堤防各类工程项目使用的表格及有关堤防工程监理和质量检测等有关文件

第十三章 江河堤防工程质量等级评定标准

一、堤基处理工程

堤基处理的单元工程应按具体施工时的堤段划分,每一施工时的堤坝段为一个单元工程。

(一)堤基清理应遵守的原则和要求

(1)堤基清理的范围应包括堤基地面、前戗和后戗的基面、机淤压载的基面,其边界应超出设计基面边线 300～500mm。老堤加高培厚,其清理范围尚应包括堤顶及堤坡。

(2)堤基表层的砖石、淤泥、腐殖土、杂填土、草皮、树根以及其他杂物应开挖、清除,并应按指定位置堆放。

(3)地基上的水井、坟坑、树坑、淤泥坑、其他坑塘及洞穴,可按照土堤填筑的要求进行分层回填处理;软弱堤基、透水堤基应按照规范进行处理。

(4)堤基清理后,应在第一坯土料填筑前进行平整、压实。压实后的干密度应与堤身设计干密度一致。

(5)老堤加高培厚时,应将原堤顶防汛路铺装层清除,再将表面耙松 200～300mm。

(二)质量检查项目和标准

堤基处理单元工程质量检查的项目和标准应符合表 13-1 的规定。

表 13-1　堤基处理单元工程质量检查项目及标准

项次	检查项目	质量标准
1	堤基清理范围	清理边界超出设计基面边线>300mm
2	基面清理	堤基表层的杂物已清除
3	一般地基处理	地基上的坑穴已处理
4	堤基平整压实	表面无显著的坑洼,表面无松土,干密度符合要求
5	特殊地基处理	符合设计要求
6	基面压实	钎测表层密实土层厚>200mm

堤基处理单元工程质量检测的数量应按堤基处理面积平均每 $200m^2$ 一个计算。堤基处理单元工程质量评定应采用以下规定,质量检查项目基本达到标准且质量检测项目合格率不小于 70% 的评为合格,质量检查项目达到标准且质量检测项目合格率不小于 90% 的评为优良。

二、堤坝土体填筑工程

土堤或坝垛土体填筑单元工程质量应按填筑层次逐层评定。堤防工程应按具体施工时的堤段划分单元工程,每段每层为一个单元工程;堤岸防护及河道整治工程中的土体填筑应按坝、垛的填筑层划分,每一个联坝坝段、丁坝、垛的每一层为一个单元工程。

(一)堤坝土体填筑应遵守的原则和规定

(1)筑坝土料应选用少黏性土,不应采用淤泥土、杂质土、膨胀土、分散性黏土。

(2)堤坝必须分层填筑,铺土厚度和土块粒径的限制尺寸应符合表 13-2 的规定。

表 13-2　堤坝土体填筑规定

项次	压实机具	铺料限制厚度 （mm）	土块限制 粒径(mm)
1	人工夯或机械夯	200	50
2	履带拖拉机	250	80
3	2.5m³ 铲运机、5～8t 振动碾	300	100

（3）填筑作业应按水平层次铺填，不得顺坡填筑。筑新堤分段作业长度不应小于 100m，老堤加高培厚不应小于 50m。作业面应尽量减少接缝，严禁留有界沟。

（4）压实作业的方向应平行于堤坝轴线。分段、分片碾压作业，相邻工作面的碾压相互搭界，平行堤坝轴线方向搭压宽度不小于 0.5m。垂直堤坝轴线方向搭压宽度不应小于 3m。碾压或夯实的遍数根据铺土厚度并应通过试验确定。碾迹或夯迹搭压宽度不应小于 100mm。

（二）单元工程质量检查项目及标准

单元工程质量检查项目主要有：①检查土料；②坯层厚度；③作业面划分与作业程序。各项均应符合设计与规范要求。

堤坝土体填筑的压实标准应不小于表 13-3 规定的压实干密度。不合格样不得集中在局部范围内，且干密度值不得低于规定（或设计）干密度值的 96%。

表 13-3　土的压实干密度指标

土的基本属性	压实干密度(t/m³)	
	1、2 级堤防工程	3 级堤防工程
少黏性土	1.56	1.53

(三)堤坝土体填筑尺寸

堤坝土体填筑的尺寸误差应符合表 13-4 的规定。

表 13-4　土体填筑尺寸标准

项次	检测项目	质量标准
1	铺土边线超出设计边线	人工 >100mm 机械 >300mm
2	堤坡线与设计轮廓线，堤顶宽度允许误差	人工 -50~+100mm 机械 -50~+300mm
3	堤顶高程允许误差	+50mm 不允许低于设计堤顶高程

(四)压实质量检测的位置和数量

(1)新老堤防结合部、堤防与涵闸等建筑物结合部、作业面接头部位应进行压实质量检测;其他取样部位不得挑选,严禁任意舍弃不合格检测成果。

(2)取样部位应在压实层下部 1/3 处。

(3)堤坝土体填筑应按作业面积每 200m² 检测一个点次。

(4)堤坝土体填筑尺寸检测应按堤坝轴线长每 10~20m 取一测点。

(五)质量评定

堤坝土体填筑单元工程质量的评定应在检查项目符合标准、填筑尺寸达到质量标准的前提下,压实干密度合格测点数与总测点数的比值达到表 13-5 的要求为合格,超过该表数值 5% 以上的评为优良。

三、土堤防渗体或坝体防淘刷层填筑工程

(1)土堤防渗体或坝体防淘刷层(黏土胎)填筑单元工程质量

表 13-5　质量评定合格的干密度下限值

项次	填筑类型	筑堤材料	压实干密度合格率下限(%)	
			1、2 级堤防工程	3 级堤防工程
1	新堤填筑	少黏性土	90	85
		黏性土	85	80
2	老堤加高培厚	少黏性土	85	80
		黏性土	85	80

应按填筑层次逐层评定。堤防工程应按设计或施工堤段划分,每一堤段为一个单元工程;堤岸防护及河道整治工程中防淘刷层填筑应按坝(垛)划分,每一个坝(护岸、垛)为一个单元工程。

(2)防渗体或防淘刷层填筑应遵守以下原则及规定:

①填筑土料应采用黏性土。

②必须按水平层次分层填筑,铺土厚度不应大于 200mm,土块粒径不应大于 50 mm。

③必须逐层人工或机械夯实,在同一单元内不得分段施工。

(3)防渗体或防淘刷层填筑单元工程质量检查:主要检查土料及坯层厚度,应当满足设计要求。

(4)防渗体或防淘刷层填筑的压实干密度不应小于 $1.5t/m^3$,防渗体或防淘刷层厚度误差应控制在 $-50\sim+100$mm 范围内。

(5)填筑的压实干密度检测应按每 50m 长度取 3~6 个测点,填筑尺寸检测应按每 10~20m 长度取一个测点。

(6)防渗体或淘刷层填筑单元工程质量评定,应在检查项目基本符合标准,填筑尺寸满足质量标准要求的前提下,压实干密度合格率 1、2 级堤防不小于 90%,河道整治工程及 3 级堤防不小于 85% 的评为合格;1、2 级堤防超过 95%、河道整治工程及 3 级堤防超过 90% 的评为优良。

四、机淤填筑工程

(1)机淤填筑的单元工程应按具体施工时的堤段划分,每一施工时的堤段为一个单元工程。

(2)机淤填筑工程施工应满足以下原则和要求:

①根据填筑部位功能所确定的机淤土质,应选择不同的船、泵及冲、挖、抽方式。冲吸船汛期抽吸大河悬移质泥沙和绞吸船挖滩取土,只能用做淤区盖顶或修堤备土。

②填筑区的基础围堤应满足以下尺寸:堤高 2~3m,顶宽 2m,临水坡 1:2,背水坡与同一侧的堤坡相同。

③淤区泄水口的位置及高程,应根据施工进程进行调整。淤区尾水含沙量不应大于 3kg/m³。

④淤区不宜有很大的坡降。

(3)机淤填筑单元工程质量检查应符合表 13-6 规定。

表 13-6 单元工程质量检查项目及标准

项次	检查项目	质量标准
1	淤填土质	符合设计要求
2	围堤	无严重溃堤塌方事故
3	尾水排放	退水渠道无明显淤积
4	淤填高程	不低于设计高程,允许误差 +0.3m
5	淤区宽度	±1.0m
6	淤区平整度	在 500m² 范围内高差<0.3m

(4)机淤填筑单元工程质量检测应按淤区长度每 50~100m 测一横断面,每个断面的测点不应少于 4 个。

(5)机淤填筑单元工程质量评定应在基本符合检查项目质量标准的前提下,检测点数合格率大于 70% 评为合格;大于 90% 评为优良。

五、土堤包边盖顶工程

(1)土堤包边盖顶单元工程应按新堤修筑、老堤加高培厚或机淤填筑的具体堤段划分,每一堤段为一个单元。

(2)土堤包边盖顶应符合以下技术规定:

①包边盖顶应选择黏性土。

②包边盖顶应在土堤堤顶、堤坡按设计尺寸整理及淤区整平以后,按设计厚度均匀铺料。土堤包边也可随主体填筑一块完成。

③包边土料应分层填筑,并用夯具压实,压实干密度应符合堤坝土体标准干密度值。

(3)土堤包边盖顶单元工程质量,主要检查填筑的土质,其质量应达到设计要求。

(4)土堤包边盖顶单元工程质量检测项目及质量标准应符合表13-7规定。

表 13-7　包边盖顶质量检测项目与标准

检测项目		质量标准
包边盖顶土体厚度	人工、机械运土	允许误差 - 30mm
	机淤	允许误差 - 50mm

(5)包边盖顶单元工程质量检测数量应符合以下规定:厚度检测点数量为:土堤每 30~50m 取 3~6 个测点,淤区 100~200m² 取一个测点;压实质量检测点数量为工程每 50m 长取 3~6 个测点。

(6)包边盖顶单元工程质量评定,应在符合检查标准的前提下,检测点次合格率不小于 70% 评为合格;不小于 90% 评为优良。

六、基础开挖工程

(1)基础开挖单元工程划分,应按具体的施工形式一段坝(护岸、垛)作为一个单元工程。本标准适用于河道整治工程。

(2)基础开挖施工应遵守以下原则和要求：

①保证开挖尺寸、基面高程符合设计要求。

②开挖坡面平顺、基础面平整，基坑无杂物。

③开挖过程中，应选用适宜的机具，不得扰动地基，损坏相邻的建筑物。

④开挖弃土(石)等要堆放在指定的区域。

(3)基础开挖工程检测项目和质量标准应符合表 13-8 规定。

表 13-8　基础开挖质量检测项目及标准

项次	检测项目	质量标准
1	开挖高程	允许误差 − 30mm
2	基坑长、宽尺寸	允许误差 − 50mm
3	边坡坡度	允许误差 3%

(4)基础开挖单元工程质量检测数量应符合以下规定：

①开挖高程、边坡每 10m² 取一个测点。

②开挖长、宽尺寸每 10m 取一个测点。

(5)基础开挖单元工程质量评定：质量检测点次合格率不小于 70% 评为合格；不小于 90% 评为优良。

七、干丁扣坦石工程

(1)干丁扣砌筑坦石工程划分应按一段坝(护岸、垛)的面石和腹石分别作为一个单元工程。

(2)干丁扣面石施工应遵守以下原则和要求：

面石应从乱石中选出。每块石块要用手锤加工，打击口面，并大致方正。如石块中间有裂缝，则必须打开，否则不得使用。长度在 300mm 以下的石块，连续使用不得超过 4 块，且两端须加丁字石。一般长条形应丁向砌筑，不得顺长使用。

(3)干填腹石施工应遵守以下一般原则和要求：

①干填腹石要通过抛石槽投放。每扣砌 1～2 层投入一次面石，随砌随填，腹石应低于面石尾部。禁止倾倒成堆。

②干填腹石要逐层填实，用大石排紧，小石塞严，以脚踏不动为准，其空隙直径不超过 110mm，并把较大石块排放在前面，较小石块排放在后面。

③上下坯应很好地结合，每 $2m^2$ 内安一立石。立石可高出平面 200mm。

(4)干丁扣面石单元工程质量检查标准，应符合表 13-9 规定。

表 13-9 干丁扣面石质量检查项目及标准

项次	检查项目	质量标准
1	石料	质地坚硬，单块重量不小于 20kg，厚度不小于 200mm
2	基层砌筑	无淤泥杂质，乱石铺底，大石排紧，小石填严
3	面石	禁止使用小石、重垫子，不得出现通天缝、对缝、虚棱石、燕子窝

(5)干填腹石单元工程质量检查应符合表 13-10 的规定。

表 13-10 干填腹石质量检查项目及标准

项次	检查项目	质量标准
1	上下坯结合	每 $2m^2$ 内设一立石
2	密实情况	空隙直径不大于 110mm
3	腹石牢固情况	无活石
4	面石与腹石结合	咬茬严紧，连接牢固

(6)干丁扣面石及腹石单元工程质量检测标准，应符合表 13-11规定。

表 13-11　干丁扣面石及腹石砌筑质量标准

项次	检测项目	允许误差	
1	铺底高程(mm)	+ 100	− 50
2	砌体总高(mm)	+ 100	− 100
3	铺底宽(mm)	+ 100	− 100
4	砌体顶宽(mm)	+ 50	− 50
5	坡度(%)	+ 3	− 3
6	缝宽(mm)	要求 10,最大 15,在 $2m^2$ 内缝宽 15 的缝不得超过总缝长的 30%	
7	咬牙缝	应尽量避免,在 $2m^2$ 内不得超过 1 条	
8	坝面洞	严禁出现面积大于 $0.003m^2$ 坝面洞,面积 $0.0025\sim0.003m^2$ 的坝面洞在 $2m^2$ 内不得超过 3 个	
9	悬石	每 $2m^2$ 不得超过 1 块	

(7)干丁扣面石单元工程质量检测的位置和数量应符合以下要求:沿坝轴线每 10m 应不少于一个点次,坝前头、坝上、下跨角、坝起止处应分别设一检查点次,其他检测项目每 $2m^2$ 作为一检测单元。每一单元中的每一项检测点次不少于 3 个。

(8)干填腹石单元工程的质量检查、检测数量:沿坝轴线每 10m 长为一检查单元,检查单元中的每一项至少检查 3~5 个点次。

(9)干丁扣面石单元工程质量评定应在检查项目符合质量标准的前提下,检测点次总数中有 70% 及其以上符合要求的评为合格;凡检测点次总数中有 90% 及其以上符合标准要求的评为优良。

(10)干填腹石单元工程的质量评定应采用以下规定:质量检查项目基本达到标准且质量检测合格率不小于 70% 的评为合格;质量检查项目达到标准且质量检测项目合格率不小于 90% 的评

为优良。

八、浆丁扣坝石工程

(1)浆丁扣坝石砌筑工程应按一段坝(护岸、垛)的面石和填腹石分别作为一单元工程。

(2)浆丁扣坝石工程砌筑面石和填腹石除了满足干丁扣面石工程和填腹石工程标准要求外,尚应遵守以下原则和要求:

①工程砌筑采用坐浆法施工。

②砂浆拌和应使用机械拌和。砂浆应随拌随用。因故停歇过久,砂浆达到初凝时,应作废料处理。

③面石勾缝,所用水泥砂浆应采用较小的水灰比。勾缝前,要先剔缝,缝深 20~30mm,用清水洗净,不得有泥土、灰尘等杂物,缝内砂浆要分次填充、压实,直到与坝面平齐,然后抹光、勾齐。洒水养护不小于 3 天。

(3)浆丁扣坝石工程质量检测内容和标准应符合下列要求:

①浆丁扣面石检测项目同干丁扣面石检测项目。

②浆填腹石检测项目同干丁扣腹石检测项目。

③浆砌、勾缝检查项目应符合表 13-12 规定要求。

表 13-12　浆砌、勾缝检查项目及标准

项目	检查项目	质量标准
1	原材料	符合规范标准
2	砂浆配合比	符合设计要求
3	砂浆抗压强度	符合设计要求
4	勾缝	无裂缝、脱皮现象
5	浆砌	空隙不得用砂浆填塞,要求用小石填塞

(4)浆丁扣面石、腹石单元工程每 100m³ 砂浆取成型试件一组 3 个,进行砂浆抗压强度试验。质量评定应采用以下规定:质量

检查项目基本达到标准且质量检测合格率不小于70%的评为合格;质量检查达到标准且质量检测合格率不小于90%的评为优良。

九、乱石粗排坦石工程

(1)乱石粗排坦石工程单元划分应按一段坝(护岸、垛)作为一个单元工程。

(2)乱石粗排坦石工程应遵守以下原则和要求:乱石粗排坦石工程坦面要做到丁向用石,层层压茬,结合平稳,禁用小石、平石。前半部不得使用垫子石。尽量避免对缝,不得有通天缝;坡面平顺、大体一致,坦面无里出、外拐情况。

(3)乱石粗排坦石单元工程质量检测项目和标准应符合表13-13的规定。

表13-13　乱石粗排坦石质量检测项目及标准

项次	检测项目	质量标准	
1	铺底高程(mm)	+100	-50
2	砌体总高(mm)	+100	-100
3	铺底宽(mm)	+100	-100
4	砌体顶宽(mm)	+50	-50
5	缝宽	缝宽一般20mm,最大30mm,在$2m^2$内,缝宽30mm的缝不得超过总缝长的30%	
6	坦面	严禁出现面积大于$0.01m^2$的坝面洞,面积$0.008\sim0.01m^2$的孔洞在$2m^2$内不超过3个	
7	坡度	坦面坡度平顺,在$2m^2$内凹凸不大于100mm	

(4)乱石粗排坦石单元工程质量检测的位置和数量应符合以

下要求:每10m应不少于一个检测点次;坝前头、坝上、下跨角、坝起止处应分别设一检查点次。其他检测项目每$2m^2$作为一检测单元。每一检测单元中的每一项检查点次不少于3个。

(5)乱石粗排坦石单元工程的质量评定应采用以下规定:质量检查项目基本达到标准且质量检测项目合格率不小于70%的评为合格;质量检查项目达到标准且质量检测项目合格率不小于90%的评为优良。

十、散抛乱石护坡工程及根石工程

(1)堤身内散抛乱石结构的抛筑工程及根石工程的单元划分应按一段坝(护岸、垛)作为一个单元工程。

(2)乱石抛筑工程及根石工程应符合以下原则和要求:

①抛石过程中应采取相应保护措施。不得损坏黏土坝胎;散抛根石过程中应不损坏坝坡。

②水上、水下施工位置准确,抛石厚度均匀一致,抛护尺寸符合设计要求。

③水上部分要逐坯排整(一坯排整一次),做到里外石块咬茬,厚度均匀一致,大石在外,小石在内,不准有凸肚凹坑,坡面大体平顺。不得有突出无靠的孤石和易于滑动的游石。

④水下抛石,要用较大石块。尽量掌握大石在外,小石在内的原则。主流顶冲之处,尽量加抛大块石。要求坡度一致,大体平顺,不得有过高过低的现象。

(3)乱石抛筑及根石单元工程质量检测、检查内容和标准应符合表13-14、表13-15规定。

(4)乱石抛筑工程及根石工程单元工程质量检查:按每10m长为一检查单元,检查单元中的每一项至少检查3个点次。

(5)乱石抛筑工程及根石工程单元工程的质量评定应采用以下规定:质量检查项目基本符合质量标准且质量检测合格率不小

表 13-14　乱石抛筑工程及根石工段检测项目及标准

项次	检查项目	质量标准
1	石料	质地坚硬,单块重不小于 25kg
2	坡度	大致平顺,无明显凸肚凹坑现象
3	坦面排拣	无游石、孤石、小石

表 13-15　乱石抛筑工程筑砌误差　　　（单位:mm）

项次	检测项目	允许误差	
		水上	水下
1	铺底高程	100	200
2	抛石总高	100	250
3	铺底宽	100	200
4	砌体顶宽	100	

于 70％的评为合格;质量检查达到质量标准且质量检测合格率不小于 90％的评为优良。

十一、水中进占工程

(1)水中进占工程应按每道丁坝(垛)为一单元工程。

(2)水中进占工程应符合以下原则和要求:

①水中进占工程所采用的桩、绳等材料应符合设计的直径、长度和强度要求,进占料物应准备充足。

②捆厢船必须满足设计需要的吨位和作业的场地要求。

③捆厢作业应按照传统的程序进行,根据作业需要应选用不同的桩绳拴系方法。

④搂厢的软料、土或软料、石的比例应符合设计要求,应做到一层软料一层土(石)。

⑤占体应按设计尺寸施工,占体轴线应经常检测,占体在河底稳固石(土)后,应及时在迎水面抛枕抛石、背水面填筑土坝基。土坝基填筑应滞后于占体5～10m,防止回溜淘刷。

(3)水中进占单元工程质量检查或检测应分坯进行。

①工程质量检查项目和标准应符合设计及施工的要求。

②工程质量检测项目和标准应符合表13-16的要求。

表13-16　水中进占检测项目及标准

项次	检测项目	质量标准
1	占体材料	软料与土(石)的比例(重量)误差不小于设计比例的10%
2	占顶宽度	不小于设计宽度,也不应大于设计宽度1.0m
3	坝轴线偏差	允许误差0.5～1.0m

③检测点次按每一坯1～2个点次进行。

(4)水中进占单元工程质量评定应在检查项目基本达到要求,占体的材料、占顶宽度合格率不小于70%的前提下,轴线偏差不大于1.0m评为合格,不大于0.5m评为优良。

十二、工程质量检验

(1)工程质量检验方法,应符合《单元工程质量评定标准》(以下简称《评定标准》)的规定,以及国家和水利行业现行技术标准的有关规定。

(2)检测人员应熟悉检测业务,了解被检测对象和所用仪器设备性能。参与中间产品质量资料复核的人员应具备初级以上工程系列技术职称。

(3)施工单位应建立完善的质量保证体系,要有专门的质量管理机构和健全的管理制度,并具备与工程相适应的质量检验、测试仪器设备。建设(监理)单位应有相应的质量检查机构和健全的管理制度。

(4)工程质量检验项目的名称和数量应符合《评定标准》的规定。量的名称、单位、符号采用国家法定计量单位。

(5)对于小型及零星工程,工程质量检验的有关规定可适当简化。

十三、质量检验职责范围

(1)施工单位应按照《评定标准》规定的检验项目及数量全面进行自检,并做好施工记录,如实填写《施工质量评定表》。

(2)建设(监理)单位应根据《评定标准》复核工程质量。

(3)质量监督机构实行以抽查为主要方式的监督制度,抽查结果应及时公布。

(4)对于采用新材料、新工艺、新技术的工程项目,施工质量检验项目及评定标准,应按设计要求或由建设(监理)、设计及施工单位共同研究决定,并报相应的质量监督机构核备。

(5)质量检验程序。①工程质量检验包括施工准备检查、中间产品与原材料质量检验、单元工程质量检验、质量事故检查及工程质量外观检验等程序。②施工准备检查。主体工程开工前,施工单位应组织人员对施工准备工作进行全面检查,并经建设(监理)单位确认合格后才能进行主体工程施工。③中间产品与原材料质量检验。施工单位应按有关技术标准对中间产品与水泥、钢材等原材料进行全面检验,不合格产品,不得使用。④单元工程质量检验。施工单位应严格按《评定标准》进行评定后报监理工程师审核。

第十四章　江河堤防工程质量评定表 （试行）操作说明

本章是根据水利电力部颁发的《水利水电基本建设工程单元工程质量等级评定标准》SDJ 249.1—88（以下简称《标准1》及水利水电行业现行施工规范编制的。《标准1》是评定水工建筑物单元工程质量等级的统一尺度，包括单元工程质量标准，单元工程质量的施工工艺要求，以及为质量评定使用的中间产品的质量标准。

根据《标准1》，"合格"单元工程质量等级评定标准为：主要检查、检测项目全部符合质量标准。其他检查项目基本符合质量标准。其他检测项目中，土建工程合格率达到70％，金属结构合格率达到80％。"优良"单元工程质量等级评定标准：主要检查、检测项目全部符合质量标准，其他检测项目中，土建工程合格率达到90％，金属结构合格率达到95％。机电设备安装工程各检查项目全部符合质量标准，实测点的偏差符合规定者，评为"合格"；重要部位实测点的偏差小于规定者评为优良。

单元工程质量检查项目应按《标准1》执行，如需更改或增加，应报请上级主管部门认可，如因特殊情况，部分项目不能及时检查，可先进行缺项暂评，待日后补项再评。

单元工程或工序质量检验按《水利水电工程施工质量评定表》中所列内容由施工单位填写，检测数量及等级按每个表对应的填表说明执行。

《水利水电工程施工质量评定表》中加"三角符号"的项目为主要检查（检测）项目；工序名称前加"三角符号"者为主要工序。表中的"基本符合要求"系指虽与《标准1》有出入，但不影响安全运行和设计效益。

"质量标准"栏中凡写有"应符合设计要求"或"设计规定"的项目,应注明设计的具体要求或规定。

一、高压喷射灌浆单元工程质量评定表

(1)单元工程划分:以同序相邻的 10～20 孔为一个单元工程。

(2)检查数量:逐孔进行检查。

(3)质量评定:凡单个灌浆孔的主要检查项目符合标准,其他检查项目基本符合标准,即评为合格灌浆孔。

灌浆单元工程的质量评定:凡单元内灌浆孔全部合格,其中优良灌浆孔占 70% 及其以上的,即评为优良;优良灌浆孔不足 70% 的,即评为合格。

二、基本排水单元工程质量评定表

(1)单元工程划分:按施工质量考核要求划分的基础排水区确定,每一区为一单元工程。

(2)检查数量:逐孔(槽)进行检查。

(3)质量评定:①凡单个排水孔(槽)的主要检查项目符合标准,其他检查项目基本符合标准,即评为合格孔(槽);全部符合标准的,即评为优良孔(槽)。②凡排水孔(槽)单元工程内,排水孔(槽)全部合格,其中优良排水孔(槽)占 70% 及其以上的,即评为优良;不足 70% 的,即评为合格。

三、混凝土防渗墙单元工程质量评定表

(1)单元工程划分:每一槽孔为一个单元工程。

(2)凡有数据要求的,将检测结果填入质量情况栏;无数据的,用文字说明。

(3)检查数量:每个槽孔按标准逐项检查。

(4)质量评定。在槽孔的主要检查(测)项目符合标准的前提

下,凡其他检查项目基本符合标准,且其他检测项目有 70% 及其以上符合标准,即评为合格;凡其他检查项目符合标准,且其他检测项目有 90% 及其以上符合标准,即评为优良。

四、振冲地基加固单元工程质量评定表

(1)本标准适用于水利水电振冲地基加固工程(工民建可参照执行)。

(2)单元工程划分。按独立建筑地基或同一建筑物地基范围内不同振冲要求的区划分,每一独立建筑物地基或不同要求区的振冲工程为一个单元工程。

(3)检查数量。对单元内的振冲孔进行抽样检查,抽样孔数不少于总孔数的 20%。

(4)质量评定。凡单个抽样振冲孔的主要项目符合标准,其他检查项目基本符合标准的,即评为合格孔;其他检查项日也都符合标准的,即评为优良孔。

单元工程质量评定:凡单元内抽样振冲孔全部合格,其中优良孔占抽样总数的 70% 及其以上的,即评为优良;优良孔不足 70% 的,即评为合格。

五、造孔灌注桩基础单元工程质量评定表

(1)单元工程划分。按柱(墩)基础划分,每一柱(墩)下的灌注桩基础为一个单元工程。

(2)检查数量。每根桩按要求逐项检查。

(3)质量评定。在单根灌注桩的主要检查项目符合标准的前提下,凡其他检查项目基本符合标准的,即评为合格桩;其他检测项目也符合标准的,即评为优良桩。

在混凝土抗压强度保证率达到 80% 及其以上和灌注桩全部合格的前提下,凡灌注桩单元内优良灌注桩占 70% 及其以上的,

即评为优良;优良灌注桩不足 70%的,即评为合格。

六、河道疏浚单元工程质量评定表

(1)单元工程划分。按设计、施工控制质量要求的段划分,每一疏浚河段为一个单元工程。

(2)质量检查内容和质量标准。

①开挖横断面每边最大允许超宽值以及最大允许超深值如表14-1 所示:

表 14-1 最大允许超宽及超深值

类型	机具规格	允许超宽 (m)	允许超深 (m)
绞吸式 绞刀直径	2m 以上	1.5	0.6
	1.5~2m	1.0	0.5
	1.5m 以下	0.5	0.4
链斗式 斗容量	0.5m³ 以上	1.5	0.4
	0.5m³ 及以下	1.0	0.3
铲扬式 斗容量	2m³ 以上	1.5	0.5
	2m³ 及以下	1.0	0.4
抓斗式 斗容量	4m³ 以上	1.5	0.8
	2~4m³	1.0	0.6
	2m³ 以下	0.5	0.4

②欠挖极限值:未达到设计深度的欠挖点,如不能满足下列各条规定时,应进行返工处理。欠挖值小于设计水深的 5%,不大于30cm;横向浅埂长度小于挖槽设计底宽的 5%,不大于 2m;纵向浅埂长度小于 2.5m。

(3)检查数量。以检查疏浚的横断面为主,横断面间距宜为50m,检测点间距宜为 2~5m,必要时可检测河道纵断面,以进行复核。

(4)质量评定。检测点不欠挖,超宽、超深值在规定允许范围内,即为合格点;凡单元工程范围内,检测合格点占总检测数的90%及其以上的,即评为优良。

七、砂料质量评定表

(1)砂料应质地坚硬、清洁、级配良好。使用山砂、特细砂,应经过试验论证。砂的细度模数宜在 2.4～2.8。天然砂料宜按粒径分级,人工砂可不分级。

(2)检查数量。按月或按季进行抽样检查分析,一般每生产 $500m^3$,在净料堆放场取样一组,总抽样数量,按月检查分析,不少于 10 组;按季检查分析,不少于 20 组。

(3)质量评定。综合分析抽样检查成果时,应分规格评定质量。凡抽样检查中主要检查项目全部符合标准,任一种规格的其他检查项目中有 90%及其以上检查点符合标准,即评为优良;有70%及其以上的检查点符合标准,即评为合格。

八、粗骨料质量评定表

(1)检查数量。按月或按季进行抽样检查分析,一般每生产 $500m^3$,在净料堆放场取样一组。总抽样数量:按月检查分析,不少于 10 组;按季检查分析,不少于 20 组。

(2)质量评定。综合分析抽样检查成果时,应分规格评定质量。凡抽样检查中主要检查项目全部符合标准,任一种规格的其他检查项目有 90%及其以上检查点符合标准,即评为优良;有70%及其以上的检查点符合标准,即评为合格。

九、混凝土拌和质量评定表

(1)混凝土拌和质量标准由混凝土拌和物和混凝土试块等质

量标准组成。

(2)质量评定。在同一月(或同季)内任一标号混凝土:凡混凝土拌和质量优良或合格,混凝土试块质量优良,即评为优良;凡混凝土拌和、混凝土试块质量均合格,即评为合格。

十、混凝土拌和物质量评定表

(1)检查数量。

混凝土拌和检查项目、检测次数,按施工规范或设计要求确定,但月内每项检测次数不得少于 30 次。

(2)质量评定。一般按月(或按季)进行质量评定。凡主要检查项目符合优良标准,其他检查项目符合合格标准的,即评为优良;凡主要检查项目符合合格标准,其他检查项目基本符合合格标准,即评为合格。

十一、混凝土试块质量评定表

(1)同一标号混凝土取样(包括机口和仓面)数量如表 14-2 所示。

表 14-2　混凝土取样数量指标

项　目	28d 龄期	设计龄期
大体积混凝土抗压	每 500m³ 取试件 3 个	每 1 000m³ 取试件 3 个
非大体积混凝土抗渗	每 100m³ 取试件 3 个	每 200 m³ 取试件 3 个
抗压强度	每 2 000m³ 取试件 3 个	

注:3 个试件应取自同一盘混凝土;主体工程混凝土超过 100 万 m³ 时,试件数量由建设(监理)、设计、施工单位商定。

(2)质量评定。一般按月(或季)分标号评定混凝土试块质量:凡主要检查项目符合优良标准,其他检查项目符合合格标准的,即评为优良;凡主要检查项目与其他检查项目均符合合格标准的,即评为合格。

十二、混凝土预制构件、制件质量评定表

(1)检查数量。按月或按季进行抽样检查分析。按构件各种类型的件数,各抽查10%,但月检查不少于3件,季检查不少于5件。

(2)质量评定。综合分析抽样检查结果时,一般按构件类型分别评定质量;每一类构件抽样的模板、钢筋和外型尺寸的检查点数,分别有70%及其以上符合质量标准的,即评为合格;凡模板、钢筋和外型尺寸的检查点数,分别有90%及其以上符合质量标准的,即评为优良。

十三、平面闸门安装工程

本部分通常与启闭机械安装组成 ·个分部工程,使用单元工程质量评定表。

(一)埋件安装的一般规定和要求

(1)埋件应在制造厂进行整体组装,经检查合格,方可出厂。

(2)除安装焊缝两侧外,埋件防腐蚀工作在制造厂完成,如设计另有规定,则应按设计要求进行。

(3)埋件运到现场后应对单件或整体进行复测,各项尺寸应符合规范和图纸规定。

(4)埋件安装后,应用加固钢筋将其与埋件螺栓或插筋焊牢,以防浇筑二期混凝土时发生位移。

(5)二期混凝土拆模后,应进行复测,同时拆除遗留的钢筋头等杂物。

(二)门体安装一般要求和规定

(1)门体应在制造厂进行整体组装,经检查合格,方可出厂。

(2)除安装焊缝两侧外,门体防腐工作应在制造厂完成,如设

计另有规定,则应按设计要求执行。

(3)门体运到现场后,应对门体作单件或整体复测,各项尺寸应符合规范或设计图纸规定。

(4)门体如分节到货,节间系焊接的,则焊接前应编制焊接工艺措施,焊接时应监视变形,焊接后门体尺寸应符合规范和图纸规定。

(三)检验方法

对各评定表项次检验工具、检验位置及方法如下:①平面闸门底槛、门楣安装质量评定表;②平面闸门主轨、侧轨安装质量评定表;③平面闸门侧止水座板、反轨安装质量评定表;④平面闸门胸墙、护角安装质量评定表。

以上四个工序评定表中:L 为闸门宽度;B 为底槛、主轨、侧轨、反轨的工作面宽度。构件每米至少应测 1 点。胸墙下部指和门楣组合处。门槽工作范围高度:静水启闭闸门至孔中高度,动水启动闸门至承压主轨高度。侧轮如为预压式弹性装置,则侧轨偏差按图纸规定。组合处错位应磨成缓坡。测量工具有钢丝绳、垂球、钢板尺、水准仪、经纬仪。

十四、平面闸门工作台范围内各埋件距离及金属喷镀质量评定表

项次(1)用自制定尺直接测量或通过计算求得,每米至少测 1 点;项次(2)、(3)、(5)用钢尺直接测量,每米至少测 1 点;项次(4)直接测量或通过计算求得,每米至少测 1 点;项次(6)用钢尺直接测量,两端各测 1 点,中间测 2～3 点。检验项目(1)金属防腐蚀金属喷镀:外观用肉眼检查或用 5 倍放大镜检查,喷镀层厚度用电磁或磁力测厚计检测,用锋利刀切划网格。每 $10m^2$ 喷镀面积抽测 $0.01m^2$ 面积,在这 $0.01m^2$ 面积内测 10 点的厚度求其算术平均值。附着力检验,当镀层厚度在 $200\mu m$ 以下,在 $25mm \times 25mm$ 面

积内按 5mm 间距,当镀层厚度在 $200\mu m$ 以下,在 15mm×15mm 面积内按 3mm 间距,用刀切划网格,切割深度应从镀层至母材,再用负荷为 500g 的辊子把一条合适的胶带粘在网格部位,而后沿垂直表面方向迅速扯开胶带。

十五、平面闸门门体止水橡皮、反向滑块安装质量评定表

项次(1)用钢丝线、钢板尺检查,通过止水橡皮顶面拉线测量,每 0.5m 测 1 点;项次(2)用钢丝线、钢板尺检查,通过滚轮顶面或通过滑道面(每段滑道至少在两端各测 1 点)拉线测量;项次(3)用钢丝线和钢板检查,通过反向滑块面、滚轮面或滑道面拉钢丝线测量;项次(4)用钢尺检查,每米测 1 点。

质量评定:主要项目全部符合本标准,一般项目检查的实测点有 90% 及其以上符合本标准,被评为合格;在合格的基础上,优良项目占全部项目的 50% 及其以上的,被评为优良。

十六、弧形闸门安装工程

(1)本部分一般同启闭机安装工程一起组成一个分部工程,使用单元工程评定表。

(2)埋件安装的一般规定和要求:

优良:在合格的基础上,优良项目占全部项目的 50% 及其以上,试运转符合要求。

十七、门式启闭机安装

本部分一般同闸门安装一起组成一个分部工程,使用单元工程质量评定表。

(一)一般规定和要求

(1)出厂前应进行整体组装和试运转,经检查合格方可出厂;

运到现场后,应对开式齿轮的侧、顶间隙、齿轮啮合接触斑点百分值和轴瓦、轴颈的顶、侧间隙以及主梁的上拱度、旁弯度等进行复测,其结果应符合规范规定。

(2)门式启闭机电气设备安装试验质量评定见《发电电气设备安装工程(试行)》(SDJ 249.5—88)第十六章有关规定。

(二)检验方法

门式启闭机检验方法如下:

①按门式启闭机门腿安装质量评定表中的要求检验;

②检验工具为钢尺、垂球及钢板尺;

③按表中要求填写检验记录。

(三)质量评定

合格:主要项目全部符合本标准;一般项目检查的实测点有90%及其以上符合本标准,优良项目占全部项目的50%及其以上的,试运转符合要求。

优良:在合格的基础上,优良项目占全部项目的50%及其以上,试运转符合要求。

十八、固定卷扬式启闭机安装工程

本部分一般同闸门安装工程一起组成一个分部工程,使用单元工程评定表。

(一)一般规定的要求

(1)出厂前应进行整体组装和试运转,经检查合格方可出厂;运到现场后,应对开式齿轮的侧、顶间隙、齿轮啮合接触斑点百分值、轴瓦与轴颈间的顶、侧间隙等进行复测,其结果应符合规范规定,必要时,应对设备进行分解、清扫、检查。

(2)卷扬式启闭机电气设备安装、试验质量等级评定见能源部、水利部颁发的水利水电基本建设工程单元工程质量等级评定标准《发电电气设备安装工程(试行)》(SDJ 249.5—88)第十六章中有关规定。

(二)检验方法

对应各评定表项次检验工具、检验位置及方法如下:①固定式卷扬式启闭机中心、高程和水平安装质量评定表;②检验工具为经纬仪、水准仪、垂球及钢板尺;③固定式卷扬式启闭机试运转质量评定表;④按表中要求填写检查记录。

(三)质量评定

合格:主要项目全部符合标准,一般项目检查的实测点有90%及其以上符合标准,其余基本符合标准;试运转符合要求。

优良:在合格的基础上,优良项目占全部项目90%及其以上;试运转符合要求。

十九、主变压器安装单元工程质量评定表

对应评定表项次质量标准和检验方法如下:

(1)项次(5),变压器油应符合下列要求:符合绝缘油试验标准;油中溶解气体的色谱分析:110kV 及以上,且容量在 8 000kVA 以上的变压器,应在升压或冲击合闸前及启动试运行 24 小时后,各进行一次变压器器身内绝缘油中溶解气体的色谱分析。两次测得的氢乙炔及总烃含量应无明显差别。

(2)项次(8),整体密封检查,按下列要求进行,应无渗漏:用油压或气压,其压力为 0.03MPa。试验持续时间:35~63kV 级为 24 小时;110kV 级及以上者为 36 小时。

(3)项次(9),测量绕组连同套管一起的直流电阻,应符合下列要求:相同应小于 2%;线间(无中性点引出时)应小于 1%。三相变压器的直流电阻,如由于结构等原因超过相应规定值时,可与同温度下产品出厂实测值比较,变化范围亦小于 2%。

(4)项次(12),测量绕组连同套管一起的绝缘电阻和吸收比,应符合表 14-3 要求:绝缘电阻值应大于产品出厂试验值的 70%,

或小于表 14-3 中的允许值。

表 14-3 绝缘电阻值

高压绕组电压等级(kV)	温度(℃)							
	10	20	30	40	50	60	70	80
	绝缘电阻(MΩ)							
35	600	400	270	180	120	80	50	35
63～220	1 200	800	540	360	240	160	100	70
330	2 000	1 340	890	600	400	270	170	120

吸收比应符合以下要求:10～30℃ 时,35kV 电压级的变压器吸收比应大于 1.2;60～330kV 电压级的变压器吸收比应大于或等于 1.3。

(5)项次(13),测量绕组连同套管一起的介损正切值应符合下列要求:电压等级在 35kV 以上,且容量在 1 250kV 以上的变压器被绕组的正切值应小于出厂试验数据的 130%,或不超过表14-4 的允许值。

表 14-4 介损正切值

高压绕组电压等级 35kV 以上	温度(℃)						
	10	20	30	40	50	60	70
	tgα(%)						
	1	1.5	2	3	4	6	8
	1.5	2	3	4	6	8	11

(6)项次(14),测量绕组连同套管一起的直流泄漏电流应符合下列要求:直流试验电压为 40kV,读取 1 分钟的泄漏电流值。

二十、反滤工程单元工程质量评定表

(1)单元工程划分。按反滤工程的施工区段划分;每一区段为一单元工程。

(2)检验方法和检测数量。

保证项目:通过现场观察,查阅施工试验记录、料场验收报告、验收合格证、施工记录,如实填写检验记录。

基本项目:项次(1)检验试验报告;按每 500~1 000m³ 检测一次,每个取样断面每层所取的样品不得少于 4 次(应均匀分布于断面不同部位),各层间的取样位置应彼此相对应。单元工程取样次数少于 20 次时,应以数个单元累计评定;项次(2)检查反滤料试验和验收报告,每 200~400m³ 取样一组。

允许偏差项目:检查施工试验记录,每 100~200m² 检测一组或每 10 延米取 组试样。

(3)质量评定。

合格:保证项目符合相应的质量标准;基本项目符合相应的合格质量标准。允许偏差项目每项应有≥70%的测点在相应的允许偏差质量标准范围内。

优良:保证项目符合相应的质量标准;基本项目中的干密度必须符合优良质量标准,含泥量合格(或优良);允许偏差项目每项须有≥90%的测点在相应的允许偏差质量标准范围内。

二十一、垫层工程单元工程质量评定表

(1)单元工程划分。按垫层工程施工区、段划分;每一区、段为一单元工程。

(2)本表主要适用于面板堆石坝的垫层工程;排水体的垫层可适当降低标准。

(3)检验方法和检测数量。

保证项目:通过现场观察,查阅验收文件、施工试验报告、施工记录,如实填写检验记录。

基本项目:项次(1)检测数量水平一次/(500~1 500m³),斜坡一次/(1 500~3 000m³);项次(2)通过现场观察,如实填写检验记录。

允许偏差项目:项次(1)、(2)用拉线测量,沿坡面20m×20m网络布置测点;项次(3)、(4)、(5)用尺量,项次(3)每10m×10m不少于4点,项次(4)、(5)不少于10点。

(4)质量评定。

合格:保证项目符合相应的质量标准;基本项目符合相应的合格质量标准。允许偏差项目每项应有≥70%的测点在相应的允许偏差质量标准范围内。

优良:保证项目符合相应的质量标准;基本项目必须符合相应的优良质量标准;允许偏差项目每项须有≥90%的测点在相应的允许偏差质量标准范围内。

二十二、护坡工程单元工程质量评定表

(1)单元工程划分。按护坡工程的施工检查验收区、段划分,每一区、段为一个单元工程。

(2)检验方法和检测数量。

保证项目:通过现场观察与查阅施工记录,如实填写检验记录。

基本项目:项次(1)现场观察,翻撬或铁钎插检,以25m×25m网络布置测点;项次(2)用坡度尺及垂线测量。

允许偏差项目:项次(1)用2m靠尺量,总检测数不少于25~30点;项次(2)用尺量,每100m²测3点。

(3)质量评定。

合格:保证项目符合相应的质量标准;基本项目符合相应的合格质量标准。允许偏差项目每项应有≥70%的测点在相应的允许

偏差质量标准范围内。

优良:保证项目符合相应的质量标准;基本项目两项中有一项必须符合优良质量标准,另一项须合格;允许偏差项目中每项须有≥90%的测点在相应的允许偏差质量标准范围内。

二十三、排水工程单元工程质量评定表

(1)单元工程划分。按排水工程的施工检查验收区、段划分,每一区、段为一个单元工程,减压(排水)井为一个单元工程。

(2)检验方法和检测数量。

保证项目:通过现场观察、查阅施工试验报告、施工记录,如实填写检验记录。

基本项目:项次(1)通过现场观察和查阅施工记录,如实填写检验记录;贴场排水、棱体排水和褥垫排水等按 100m² 检查一处,每处检查面积不大于 10m²,减压井应逐个检查;反滤料的粒径、级配、层次、层间系数、位置、厚度、渗透系数符合设计要求。

允许偏差项目:项次(1)用 2m 靠尺量,每单元工程不少于 10点;项次(2)用水准仪测量,每 50 延米测 3 点,

(3)质量评定。

合格:保证项目符合相应的质量标准;基本项目符合相应的合格质量标准。允许偏差项目每项应有≥70%的测点在相应的允许偏差质量标准范围内。

优良:保证项目符合相应的质量标准;基本项目除干密度必须符合优良质量标准外,其余两项中任一项须符合优良标准,另一项亦须合格(或优良);允许偏差项目每项须有≥90%的测点在相应的允许偏差质量标准范围内。

二十四、浆砌石体基岩连接工程单元工程质量评定表

(1)浆砌石坝基础,岸坡开挖和处理按《标准1》执行。

(2)单元工程划分。按施工检查验收的区、段划分,每一区、段为一单元工程。

(3)检验方法。

保证项目:项次(1)现场观察和用尺量;项次(2)现场观察和用尺量;项次(3)现场观察和检验施工记录。

(4)质量评定。

合格:保证项目符合相应质量标准;基本项目基本符合质量标准。

优良:保证项目符合相应质量标准;基本项目必须有≥50%的项目达到优良质量标准,余项亦须合格(或优良)。

二十五、水泥砂浆石体单元工程质量评定表

(1)单元工程划分。根据施工安排,按段、块划分;以每段或块砌筑3~5m为一单元工程;全断面砌升者,以2~3m高为一单元工程。

(2)单元工程质量标准由浆砌石体层面处理、砌筑两个工序质量标准组成。

(3)质量评定。

合格:各工序质量评定均合格。

优良:砌筑质量必须优良,层面处理合格或优良。

二十六、水泥砂浆砌石体浆砌石体层面处理工序质量评定表

(1)检验方法。

保证项目:通过观察检查,如实填写检验记录。

基本项目:项次(1)观察检查;项次(2)现场观察、测量毛面面积。

(2)质量评定。

合格:保证项目符合质量标准,基本项目合格。

优良:保证项目符合质量标准,基本项目至少一项优良。

二十七、水泥砂浆砌石体砌筑工序质量评定表

(1)检验方法和检测数量。

保证项目:项次(1)、(2)、(3)通过现场观察,检查施工记录与试验报告,如实填写检验记录;项次(4)在砂浆初凝前,用翻撬的办法观察砌缝的密度,有抗渗要求的,应进行压水试验,检测单位吸水率 ω;翻撬抽检,每砌筑层不少于 3 块;每砌筑 4~5m 高,进行一次钻孔压水试验,每 $100m^2$ 坝面钻孔 3 个,每次试验不少于 3 孔;项次(5)砌缝灌浆如有抗渗要求,其单位吸水率 ω 值应符合下列质量要求:

坝前水头 $H \geqslant 70m$, $\omega \leqslant 0.01L/(min \cdot m \cdot m)$

$$70m > H \geqslant 30m, \omega \leqslant 0.03L/(min \cdot m \cdot m)$$

$$H > 30m, \omega \leqslant 0.05L/(min \cdot m \cdot m)$$

坝高 1/3 以下部分,每砌筑 10m 高挖试坑一组;坝高 1/3 以上部分,砌体试坑组数由设计、施工单位共同商定。

基本项目:项次(2)现场抽检,每班不少于 3m;项次(2)现场观察,并辅以尺量。每砌筑 $10m^3$ 抽检一处,每单元工程不少于 10 处,每处检查缝长不少于 1m。

允许偏差项目:重力坝,沿坝轴线方向每 10~20m 校核一点,每单元工程不少于 10 点;拱坝、支墩坝,沿坝轴线方向每 3~5m 校核一点,每单元工程不少于 20 点。

(2)质量评定。

合格:保证项目符合相应的质量标准;基本项目符合相应的合格质量标准。允许偏差项目每项应有 $\geqslant 70\%$ 的测点在相应的允许偏差质量标准范围内。

优良:保证项目符合相应的质量标准;基本项目两项中有一项必须符合优良质量标准,另一项合格(或优良);允许偏差项目每项

须有≥90％的测点在相应的允许偏差质量标准范围内。

二十八、浆砌石坝水泥勾缝单元工程质量评定表

(1)适用于浆砌石坝的迎水面水泥砂浆防渗体勾缝。

(2)单元工程划分。按勾缝的砌面积或相应的砌体分段、分块划分单元工程。

(3)检验方法和检测数量。

保证项目:通过现场观察,检查试验报告、施工记录,如实填写检验记录。

基本项目:项次(1),现场观察,尺量检查,每 $10m^2$ 砌体表面抽验不少于 5 处,每处不少于 1m 缝长;项次(2),砂浆初凝前通过压触对比抽检勾缝的密实度,每 $100m^2$ 砌体表面至少抽检 10 点;项次(3),现场观察,检查施工记录。

(4)质量评定。

合格:保证项目符合相应质量标准,其他项目合格。

优良:保证项目符合相应质量标准,基本项目中除勾缝密实度检查必须优良外,其他项目中任一项须为优良,其余为合格(或优良)。

二十九、浆砌石溢洪道溢流面单元工程质量评定表

(1)单元工程划分。按设计的伸缩缝划分成若干个溢流坝段,每个溢流坝段为一个单元工程。

(2)浆砌石层面处理。

保证项目:前一层砌体表面无松动石块,符合设计要求。

基本项目:①前一层砌体表面。合格:浮渣基本清除干净,无积水和积渣。优良:浮渣全部清除干净,无积水、积渣。②局部光滑的砂浆表面。合格:凿毛面>80％,优良:凿毛面≥95％。

(3)质量评定。

合格:各工序质量评定均为合格。

优良:砌筑质量必须优良,层面处理合格或优良。

三十、浆砌石溢洪道溢流面砌筑工序质量评定表

(1)检验方法和检测数量。

保证项目:项次(1)、(2)、(3)通过现场观察,检查施工记录与试验报告,如实填写检验记录;项次(4)在砂浆初凝前,用撬翻的办法观察砌缝的密度,每层不少于3块;项次(5)墙高1/3以下部分,每砌筑10m长检查一组。

基本项目:项次(1)现场抽检,每班不少于3次;项次(2)现场观察,并用尺量,每砌筑10m³抽检一次,每单元工程不少于10处,每处检查缝长不少于1m。

允许偏差项目:每单元工程不少于10点。用经纬仪、水平仪和2m靠尺检查。

(2)质量评定。

合格:保证项目符合相应的质量评定标准;基本项目符合相应的合格质量标准。允许偏差项目每项应有≥70%测点在相应的允许偏差标准范围内。

优良:保证项目符合相应的质量评定标准;基本项目必须符合相应的优良质量标准;允许偏差项目每项须有≥90%测点在相应的允许偏差标准范围内。

三十一、浆砌石墩(墙)砌筑工序质量评定表

(1)浆砌石墩(墙)单元工程:每一个(道)墩、墙为一个单元工程或每一个施工段、块,每砌筑若干层为一个单元工程。

(2)检验方法和检测数量。

保证项目:通过现场观察检查、查阅试验报告,如实填写检验记录。

基本项目:现场观察检查,项次(2)按墩、墙长度每20m抽查1

处,每处 3 延米长,每个野外工程不得少于 3 处。

允许偏差项目:用经纬仪、拉线、水准仪或尺测量检查;按墩、墙长度每 20 延米抽查 1 处,测 5 点,每个单元工程不少于 3 处。

(3)质量评定。

合格:保证项目符合相应的质量评定标准;基本项目符合相应的合格质量标准。允许偏差项目每项应有≥70%的测点在相应的允许偏差质量标准范围内。

优良:保证项目符合相应的质量评定标准;基本项目必须符合相应的优良质量标准;其中第二项必须优良;允许偏差项目每项须有≥90%的测点在相应的允许偏差质量标准范围内。

三十二、石料质量评定表

(1)本表属中间产品质量评定,它适用于浆砌石坝工程,必须经检验合格后才能交付使用。

(2)检验方法和检测数量。

保证项目:检查料场勘测阶段的试验报告和上坝石料和抽样试验报告。

基本项目:项次(1)、(2)现场观察和用尺量,砌筑前每 10m³ 左右抽检一组(3 块);项次(3)现场观察、检查。

(3)质量评定。

合格:保证项目符合质量标准;基本项目合格。

优良:保证项目符合质量标准;基本项目必须优良,另一项合格(或优良)。

三十三、水泥砂浆质量评定表

(1)检验方法和检测数量。

保证项目:检验出厂合格证,查阅试验报告、施工记录,并统计分析资料。

基本项目:项次(1)查阅抗压强度试验报告及统计数据。同一标号混凝土:28 天龄期每 100m³ 砌体取成型试件一组 3 个;设计龄期强度每 200m³ 取成型试件一组 3 个。试件至少累计 30 组后再进行统计评定;项次(2)每台班抽检 2~3 次。

允许偏差项目:每台班进行 1~2 次抽样复检。

(2)质量评定。

合格:保证项目符合相应的质量评定标准;基本项目符合相应的合格质量标准。允许偏差项目每项应有≥90%的测点在相应的允许偏差质量标准范围内。

优良:保证项目,符合相应的质量评定标准;基本项目,水泥砂浆强度离差系数须为优良质量标准;余项为合格(或优良);允许偏差项目每项须有≥90%的测点在相应的允许偏差质量标准范围内。

三十四、混凝土预制块质量评定表

(1)本表属中间产品质量评定,适用于混凝土预制块,主要代替粗料石用于砌坝表面。一般在现场按设计要求定型浇筑。

(2)混凝土必须合格,其质量标准应符合设计和规范要求。在重要工程中,当单元工程评定为优良时,混凝土预制块质量必须优良。

(3)检验方法。通过现场观察、检查施工记录,如实填写检验记录。

(4)混凝土预制块质量评定。

按预制块的 2%抽检,每 1 000 块进行一次质量评定。

合格:混凝土符合合格质量标准,基本项目合格。

优良:混凝土符合优良质量标准,基本项目须有 2 项以上优良,余项为合格(或优良)。

三十五、江河堤防施工建设中所涉及的各种表格范本

现将在江河堤防施工建设中所涉及到的各种表格汇编如下:

压实度自检原始记录表(核子仪法)

施工单位：　　　　　　　　　　　　　　　　工段桩号：
代 表 值：　　　　　　　　　　　　　　　　极　值：

序号	桩号	位置	层次	最大干密度 (g/cm³)	控制干密度 (g/cm³)	检测值				检查频率、评定方法
						湿密度 (g/cm³)	干密度 (g/cm³)	含水量(%)	压实度(%)	
1										每50m检
2										查1个点
3										次,检测点
4										次不得少
5										于6个。
6										评定方
7										法参见《公
8										路工程质
9										量评定标
10										准》附录B
11										
12										
13										
14										
15										
16										
17										
18										
19										
20										
21										
22										
23										
24										
25										
26										
27										
28										

初检：　　　　复检：　　　　终检：　　　　日期：　　年　月　日

河道开挖(疏浚)单元工程质量评定表

单位工程名称			单元工程量		
分部工程名称			检验日期		
单元工程名称、部位			评定日期		
项次	项目名称	质量标准	检验结果		
检测项目	1 横向浅埂或围堰残留	≤2.0m	总测点数	合格点数	合格率
	2 纵向浅埂或围堰残留	≤2.5m	总测点数	合格点数	
	3 中线偏位	允许误偏差≤1.0m	总测点数	合格点数	
	4 底宽	每边超挖≤1.0m	总测点数	合格点数	
	5 开挖高程	−0.4～+0.3m	总测点数	合格点数	
	6 开挖坡度	开挖边坡1:5;允许范围1:4～1:6	总测点数	合格点数	
合计			总测点数	合格点数	

施工单位自评意见	质量等级	监理单位复核意见	核定质量等级

施工单位名称			监理单位名称	
测量员	初检负责人	终检负责人	核定人	

333

压实干密度(核子仪法)检测表

合 同 段：＿＿＿＿＿＿＿＿＿

施工部位：＿＿＿＿＿＿＿＿

核子仪编号：　　　　　坯土次：

土场编号：　　　　　　控制干密度：

最大干密度：　　　　湿密度修正值：　　　　　　　绝对含水量修正值：

日期	桩号	湿密度 （t/m³）	干密度 （t/m³）	百分含水量 （%）	压实度 （%）	绝对含水量 （g/m³）
测量 范围		累计点次：		点		点
		合格率		%		%

检验人员：　　　　　　　　　　　　　　　　　校核：

挖河固堤工程
淤背区包边盖顶工程抽检原始记录

监理单位：　　　　　　　　　　　　　　　　　　　　工段桩号：

桩号、位置	盖顶厚度			包边厚度			备注
	设计 (m)	允许误差 (m)	实测 (m)	设计 (m)	允许误差 (m)	实测 (m)	
		-0.03			-0.03		

检查点次：　　　　　　　合格点次：　　　　　　　合格率：

监理工程师：　　　　　　　　　　　　　　　检测日期：

挖河固堤工程
淤背区基面清理抽检原始记录(一)

监理单位：　　　　　　　　　　　　　　工段桩号：

项次	检查项目	质量标准	处理情况说明	是否合格
1	基面清理	清基符合设计要求,堤基表层杂物全部清除		
2	堤坡清理	符合设计要求,表层草皮、树根等全部清除		

监理工程师意见：

监理工程师：　　　　　　　　　　日期：

挖河固堤工程
淤背区基面清理抽检原始记录（二）

监理单位：　　　　　　　　　　　　　　　　　工段桩号：

工程桩号	清基范围				备注
	宽度(m)		清基长度(m)		
	设计	实测	设计	实测	
					超清基宽度 0.3m，超清基长度 0.3m
合计	检测点次	合格点次	检测点次	合格点次	

监理工程师：　　　　　　　　　　　　　　　　　　日期：

挖河固堤工程
淤背区排水沟砌筑抽检记录

监理单位：　　　　　　　　　　　　　　　　工段桩号：

桩号、位置	口宽度			深度			砌体厚度		
	设计(cm)	允许误差(cm)	实测(cm)	设计(cm)	允许误差(cm)	实测(cm)	设计(cm)	允许误差(cm)	实测(cm)
		≥设计值			≥设计值			≥设计值	

检查点次：　　　　　　　合格点次：　　　　　　　合格率：

监理工程师：　　　　　　　　　　　　　　检测日期：

挖河固堤工程
淤背区围(格)堰抽检原始记录(一)

监理单位： 工段桩号：

项次	检查项目	质量标准	处理情况说明	是否合格
1	围(格)堰土质	符合设计要求		
2	位置数量	围(格)堰的位置和数量均符合设计要求		
3	围(格)堰质量	符合设计要求,无严重溃堤塌方事故		

监理工程师意见：

监理工程师： 日期：

挖河固堤工程
淤背区围(格)堰抽检原始记录(二)

监理单位：　　　　　　　　　　　　　　工段桩号：

桩号、位置	围(格)堰顶高程			围(格)堰顶宽			围(格)堰坡度		
	设计(m)	允许偏差(m)	实测(m)	设计(m)	允许偏差(m)	实测(m)	设计	允许偏差	实测
		±0~0.15		2	±0~0.1		内1:2.5 外1:3	±0~0.05	内　外

检查点次：　　　　　　　合格点次：　　　　　　　合格率：

监理工程师：　　　　　　　　　　　　　　日期：

挖河固堤工程
淤背区围(格)堰自检原始记录(三)

监理单位：　　　　　　　　　　　　　　　　　工段桩号：

桩号	坯次	坯土厚度(cm)	压实遍数	备注

监理工程师：　　　　　　　　　　　　　　　　　　日期：

挖河固堤工程
淤背区淤沙工程抽检原始记录(一)

监理单位：　　　　　　　　　　　　　　　工段桩号：

项次	检查项目	质量标准	处理情况说明	是否合格
1	淤填土质	符合设计要求		
2	围堰质量	符合设计要求,无严重溃堤塌方事故		
3	泥沙颗粒分布	淤填区沿程沉积泥沙颗粒级配无明显差异		
4	尾水排放	退水渠道无明显淤积		

监理工程师意见：

监理工程师：　　　　　　　　日期：

挖河固堤工程
淤背区淤沙工程抽检原始记录(二)

监理单位: 　　　　　　　　　　　　　　　　工段桩号:

桩号、位置	淤沙高程			淤区宽度			淤区平整度		
	设计 (m)	允许偏差 (m)	实测 (m)	设计 (m)	允许偏差 (m)	实测 (m)	设计 (m)	允许偏差 (m)	实测 (m)
		+0.05～ +0.2			±0.5～ ±1.0			<0.3	

检查点次: 　　　　　　　合格点次: 　　　　　　　合格率:

监理工程师: 　　　　　　　　　　　　　　　检测日期:

堤防道路工程
横坡自检原始记录

施工单位：　　　　　　　　　　　　　　工段桩号：

序号	桩号	层次	规定值或允许偏差	设计值（%）	实测值（%）	检查方法和频率
1			±0.5			水准仪 每 200m
2						测 4 个断面
3						
4						
5						
6						
7						
8						
9						
10						
11						
12						
13						
14						
15						
16						
17						
18						
19						
20						
21						
22						
23						
24						
25						

检查点次：　　　　　　　合格点次：　　　　　　合格率：

初检：　　　　复检：　　　终检：　　　　日期：　　年　月　日

堤防道路工程
宽度自检原始记录

施工单位：　　　　　　　　　　　　　　　　工段桩号：

序号	桩号	层次	规定值或允许偏差(mm)	设计值(mm)	实测值(mm)	检查方法和频率
1			不小于 6.5	6.5		每 200m 测
2						4 处
3						
4						
5						
6						
7						
8						
9						
10						
11						
12						
13						
14						
15						
16						
17						
18						
19						
20						
21						
22						
23						
24						
25						

检查点次：　　　　　合格点次：　　　　　合格率：

初检：　　　复检：　　　终检：　　　日期：　　年　月　日

堤防单位工程外部尺寸质量检测评定表

单位工程名称				施工单位		
主要工程量				评定时间		

分部工程名称	序号	检测项目	允许偏差	检测结果			评定结果
				测点数	合格点数	合格率	
堤身填筑工程	1	堤轴线	±15cm				
	2	堤顶高程	0～15cm				
	3	堤顶宽度	−5～15cm				
	4	戗台高程	−10～15cm				
	5	戗台宽度	−10～15cm				
	6	堤坡坡度 m 值	0～0.05				
护坡工程	1	护坡轴线	±4cm				
	2	砌筑高程	干砌 0～+5cm 浆砌 0～+4cm 散抛 0～+10cm				
	3	砌体顶部厚度	设计厚度±10%				
	4	护坡坡度 m 值	0～0.05				
总测点数			合格点总数		合格率		

施工单位名称：

检测人：		记录人：		检测审核人：	
监理单位评定人			质量监督员		

闸沉陷观测报表

上次观测日期	年　月　日		本次观测日期		年　月　日	间隔时间
测点	上次观测高程（m）	本次观测高程（m）	间隔沉陷量（mm）	累计沉陷量（mm）	备注	
部位　编号						
1					一、本表为黄海高程系。	
2					二、引据点为：	
3					其高程为：　　m	
4						
5						
6						
7						
8						
9						
10						
11						
12						
13						
14						
15						
16						
17						
18						
19						
20						
21						

观测：　　　记录：　　　计算：　　　校核：　　　审定：

水泥土截渗墙单元工程质量评定表

编号：

单位工程名称				单元工程量				
分部工程名称				检验日期				
单元工程名称				评定日期				

项次	项目名称		质量标准	检验结果			评定
检查项目	1	钻孔	孔位	≤2cm			
	2		垂直度	≤3.0‰			
	3		提升速度	0.3～1.8m/min			
	4	水泥品种标号		符合规范和设计要求			
	5	超过临界搭接时间的桩间处理		截渗墙墙体连续,且符合设计指标要求			
检测项目	1	钻孔	孔深	符合设计要求	总测点数	合格点数	合格率
	2	喷浆	水灰比	1.7±0.1	总测点数	合格点数	合格率
	3		水泥掺入比	12%	总测点数	合格点数	合格率
	4	墙顶高程		符合设计要求	总测点数	合格点数	合格率
	5	钻头直径		290～310mm	总测点数	合格点数	合格率
	6	墙体最小厚度		符合设计要求（≥220mm）	总测点数	合格点数	合格率

施工单位自评意见	质量等级	监理单位复核意见	核定质量等级

施工单位名称			监理单位名称	
初检负责人	终检负责人			
			核定人	

截渗墙施工班报表

工程名称：　　　　　　　　　　　　　　　　施工班组：

水泥品种标号				水灰比		孔深		
日期	墙号	序号	来浆时间	停浆时间	喷浆总时（分）	喷浆量（L）		备注
		Ⅰ						
		Ⅱ						
		Ⅲ						
		Ⅰ						
		Ⅱ						
		Ⅲ						
		Ⅰ						
		Ⅱ						
		Ⅲ						
		Ⅰ						
		Ⅱ						
		Ⅲ						
		Ⅰ						
		Ⅱ						
		Ⅲ						

初检：

截渗墙施工对位调平偏差班报表

工程名称：　　　　　　　　施工班组：　　　　　　　　日期：

墙号	序号	桩位偏差(mm)		调平偏差(mm)			墙号	序号	桩位偏差(mm)		调平偏差(mm)		
		轴线	对位	左	右	后			轴线	对位	左	右	后
	Ⅰ							Ⅰ					
	Ⅱ							Ⅱ					
	Ⅲ							Ⅲ					
	Ⅰ							Ⅰ					
	Ⅱ							Ⅱ					
	Ⅲ							Ⅲ					
	Ⅰ							Ⅰ					
	Ⅱ							Ⅱ					
	Ⅲ							Ⅲ					
	Ⅰ							Ⅰ					
	Ⅱ							Ⅱ					
	Ⅲ							Ⅲ					
	Ⅰ							Ⅰ					
	Ⅱ							Ⅱ					
	Ⅲ							Ⅲ					
	Ⅰ							Ⅰ					
	Ⅱ							Ⅱ					
	Ⅲ							Ⅲ					

初检：

截渗墙施工制浆班报表

工程名称： 施工班组： 日期：

水泥标号		水灰比		加水量		加灰量	
接班余浆量			交班余浆量			本班消耗水泥	
序号	开始	结束	浆量	序号	开始	结束	浆量

合计用浆量：

初检：

隐蔽工程验收合格证

工程名称：　　　　　　　　　　　　　　施工单位：

单位工程名称		设计图纸名称	
分部工程名称	险工根石加固	设计修改通知	
单元工程名称	险工坝	试验检测结果	

隐蔽工程部位检查项目：

检查、检测部位：基面、基坡。

检查、检测项目：清基、清坡、宽度、长度、高度；
　　　　　　　　清除基面、基坡落淤、杂草等。

检查结果：	处理意见：

参加人员	建设单位	质量监督	监理单位	施工单位

　　　　　　　　　　　　　　　　　　检测日期：　　年　月　日

监理单位：　　　　　　　　　　　　　　　　　　　　　　工段桩号：

河道开挖(疏浚)单元工程抽检表

桩号、位置	河底宽度					河槽边坡					中线偏位					河底高程					横向浅埂或围堰残留				纵向浅埂或围堰残留			
	设计(m)	实测(m)	允许偏差(m)	检测点次	合格点次	设计	实测	允许偏差	检测点次	合格点次	设计(m)	实测(m)	允许偏差(cm)	检测点次	合格点次	设计(m)	实测(m)	允许偏差(m)	检测点次	合格点次	实测长度(m)	允许长度(m)	检测点次	合格点次	实测长度(m)	允许长度(m)	检测点次	合格点次
			每边超挖≤1.0			1:5		1:4~1:6					61.0					超深 −0.4 +0.3				≤2.0				≤2.5		
合计																												

监理工程师：　　　　　　　　　　　　　　　　　　　　　日期：

河道开挖(疏浚)单位工程检测表

桩号、位置	河底宽度				河槽边坡				中线偏位				河底高程			
	设计(m)	实测(m)	允许偏差(m)	合格点次	设计	实测	允许偏差	合格点次	设计(m)	实测(m)	允许偏差(cm)	合格点次	设计(m)	实测(m)	允许偏差(m)	合格点次
			每边超挖≤1.0		1:5		1:4~1:6				61.0				超深 -0.4 +0.3	
合计	检测点次		合格点次		检测点次		合格点次		检测点次		合格点次		检测点次		合格点次	

建设单位:　　　　质量监督:　　　　监理单位:　　　　施工单位:　　　　日期:

堤防工程外部成型尺寸检测表

施工单位：
监理单位：

项目名称：
合同段：
工段桩号：

桩号、位置	堤轴线		堤顶高程			堤顶宽度			戗台高程			戗台宽度			堤坡坡度 m 值		
	允许偏差	实测偏差	设计	允许偏差	实测	设计	允许偏差	实测	设计	允许偏差	实测	设计	允许偏差	实测	设计	允许偏差	实测

检查点次：　　　　　　合格点次：　　　　　　合格率：

自检说明：

监理意见：

检测人：　　　　　　年　月　日

监理工程师：　　　　　　年　月　日

老堤顶清理单元工程质量评定表

承建单位：　　　　　　　合同编号：　　　　　No：

单位工程名称				单元工程量		
分部工程名称				检验日期		
单元工程名称、部位				评定日期		

项次		项目名称	质量标准	检验结果		评定
检查项目	1	基面清理	表层无不合格土，杂物全部清除			
	2	防汛路铺设层清除	水平清除到边、垂直清除到底，无石屑，无杂物			
	3	表面耙松	均匀耙松20~30cm			
	4	整平碾压	耙松后洒水，将土块打碎，整平碾压			
检测项目	1	堤基清理范围	干密度不小于____t/m³	总测点数	合格点数	合格率

承建单位自评意见	评定质量等级	监理单位复核意见	核定质量等级

承建单位名称				监理单位名称	
初检人	复检负责人	终检负责人			
				核定人	

· 356 ·

堤基清理单元工程质量评定表

承建单位：　　　　　合同编号：　　　　　No:

单位工程名称				单元工程量		
分部工程名称				检验日期		
单元工程名称、部位				评定日期		
项次	项目名称		质量标准	检验结果		评定
检查项目	1	基面清理	堤基表面无不合格土,杂物全部清除			
	2	一般地基处理	堤基上的坑塘洞穴已按要求处理			
	3	堤基平整压实	表面无显著凹凸,无松土,无弹簧土			
	4	特殊地基处理	符合设计要求			
检测项目	1	堤基清理范围	清理边界超出设计基面边线0.3m	总测点数	合格点数	合格率
	2	堤基表面压实	干密度不小于____ t/m³	总测点数	合格点数	合格率

承建单位自评意见	评定质量等级	监理单位复核意见	核定质量等级

承建单位名称			监理单位名称	
初检人	复检负责人	终检负责人		
			核定人	

钢筋工序质量检验评定表

承建单位：　　　　　　　　合同编号：　　　　　　　　No：

| 单位工程名称 | | | | 检验日期 | | | | | | | | | |
| 施工部位 | | | | 评定日期 | | | | | | | | | |

项次	主要和非主要检查项目			质量标准				质量情况						
1	△钢筋的数量、规格尺寸、安装位置			符合设计图纸										
2	焊接表面和焊接缝中			不允许有裂缝										
3	△脱焊点和漏焊点			无										

项次	主要和非主要检测项目			允许偏差(mm)	质量情况									
1	帮条对焊接头中心线的纵向偏移			$0.5d$	1	2	3	4	5	6	7	8	9	10
2	接头处钢筋轴线的曲折			4°										
△3	点焊及弧焊	焊缝	长　度	$-0.5d$										
			高　度	$-0.05d$										
			宽　度	$-0.1d$										
			咬边深度	$0.05d$,不大于1										
			表面气孔夹渣 (1)在$2d$长度上	不多于2个										
			(2)气孔夹渣直径	不大于3										
△4		对焊及槽深焊	焊接接头根部未焊透深度 (1)ø25～ø40 钢筋	$0.15d$										
			(2)ø40～ø70 钢筋	$0.15d$										
5			接头处钢筋中心线位移	$0.01d$,不大于2										
			焊接表面(长为$2d$)和焊缝	$0.05d$,不大于1										
6			截面上蜂窝、气孔、非金属杂质	3个										

注：△者为主要检查或检测项目，下同。

钢筋工序质量检验评定表(续)

承建单位：   合同编号：   No:

项次	检测项目	允许偏差(mm)	质量情况									
			1	2	3	4	5	6	7	8	9	10
7	钢筋长度方向的偏差	±1/2 净保护层厚										
8	同一排受力钢筋的局部偏差	±0.5d										
9	同一排中分布筋间距偏差	±0.1 间距										
10	双排钢筋,排与排间局部偏差	±0.1 排距										
11	梁与柱中钢箍间距偏差	0.1 箍筋间距										
12	保护层厚度的局部偏差	±1/4 净保护层厚										

主要检查项目：

共检测　　点,　　合格　　点,　　合格率　　%

承建单位自评意见	评定质量等级	监理单位复核意见	核定质量等级

承建单位名称				监理单位名称	
初检人	复检负责人	终检负责人			
				核定人	

说明

说明：

1. "d"是钢筋直径。

2. 检查数量：

先进行宏观检查,没有发现有明显不合格处,即可进行抽样检查,对梁、板、柱等小型构件,总检查点数不小于 30 个,其余总检查点数不小于 50 个。

3. 质量评定：

在主要检查、检测项目符合本标准的前提下,凡检查总数中有 70% 及其以上符合标准者,即评为合格;凡有 90% 及其以上符合标准者,即评为优良。

混凝土拌和质量评定表

承建单位：　　　　　　　　合同编号：　　　　　　　No：

单位工程名称				数　量		
分部工程名称				检验日期		
产地				评定日期		

项次	检查项目	质量标准		检验结果	
1	水泥、外加剂	符合国家标准			
2	混凝土拌和时间	符合规定			
3	混凝土保证率 P	≥80%			
4	混凝土抗冻、抗渗标号	符合设计要求			

项次	基本项目		质量标准		检验记录	质量等级	
			合格	优良		合格	优良
1	混凝土坍落度		合格率≥70%	合格率≥80%			
2	拌和物均匀性		合格率≥70%	合格率≥80%			
3	抗压强度最小值		≥0.85倍设计值	≥0.90倍设计值			
4	混凝土离差系数	<200#	<0.22	≤0.18			
		≥200#	<0.18	<0.14			

项次	允许偏差项目		设计值(kg)	允许偏差(%)	实测值	合格数(点)	合格率(%)
1	砂浆配合比称重	水泥		防渗体：±1 砌体：±2			
2		混合材料		防渗体：±1 砌体：±2			
3		砂		防渗体：±2 砌体：±3			
4		砂(碎)石		防渗体：±2 砌体：±3			
5		水		±1			
6		外加剂溶液		±1			

承建单位自评意见	评定质量等级	监理单位复核意见	核定质量等级

承建单位名称				监理单位名称	
初检人	复检负责人	终检负责人		核定人	

注：1. 混凝土28天龄期抗压强度，每100m砌体取一组试验，混凝土面板每个单元至少取一组试块，基础、趾板每一个仓号至少取一组试块。

2. 混凝土抗渗、抗冻标号取样数量，每个分部工程至少各取2组试块。

混凝土试块质量检验评定表

承建单位：　　　　　　　　合同编号：　　　　　　　No：

单位工程名称				检验日期									
施工部位				评定日期									

项次	项目	质量标准		质量情况									
		优良	合格	1	2	3	4	5	6	7	8	9	10
1	任何一组试块抗压强度最低不得低于设计标号的	90%	85%										
2	△无筋(或少筋)混凝土强度保证率	85%	80%										
3	△配筋混凝土强度保证率	90%	85%										
4	混凝土抗拉、抗渗、抗冻指标	不低于设计标号	不低丁设计标号										
5	混凝土抗压强度的离差系数	<200# <0.18 ≥200# <0.14	<0.20 <0.10										

承建单位自评意见	评定质量等级	监理单位复核意见	核定质量等级

承建单位名称				监理单位名称	
初检人	复检负责人	终检负责人			
				核定人	

粗骨料(石子)质量检验评定表

承建单位：　　　　　　　　　合同编号：　　　　　　　　No：

| 单位工程名称 | | | 检验日期 | | | | | | | | | |
| 施工部位 | | | 评定日期 | | | | | | | | | |

项次	项目	质量标准	质量情况									
			1	2	3	4	5	6	7	8	9	10
1	超径	圆孔筛检验<5%										
		超逊径筛检验0										
2	逊径	圆孔筛检验<10%										
		超逊径筛检验<2%										
3	含泥量	<3%										
4	泥团	不允许										
5	软弱颗粒	<5%										
6	硫化物折成 SO_3(%)	<0.5										
7	有机质含量	浅于标准色										
8	密度(t/m³)	>2.55										
9	吸水率(%)	D20、D40<2.5										
		D80、D150<1.5										
10	针片状颗粒含量	<15%										

| 主要检验项目 | 共检　　　项，　　　符合设计要求　　　项 | | | | |
| 其他检验项目 | 共检　　　次，　　　合格　　　次，　　　合格率　　　% | | | | |

承建单位自评意见	评定质量等级	监理单位复核意见	核定质量等级

承建单位名称				监理单位名称	
初检人	复检负责人	终检负责人			
				核定人	

二期混凝土单元工程质量评定表

承建单位：　　　　　　　合同编号：　　　　　No：

单位工程名称			单元工程量	
分部工程名称			检验日期	
单元工程名称、部位			评定日期	

项次		项目名称	质量标准	检验结果			评定
检查项目	1	墙体凿毛冲洗	墙顶凿毛合格，无浮浆，无积水等杂物，石子明显裸露				
	2	模板支护	稳定、严密、平整				
	3	混凝土浇筑、振捣	符合规范要求				
	4	与前期墙体连接情况	接触严密、坚实				
	5	二期墙表面平整度情况	表面光滑、无高低起伏情况				
	6	混凝土养护情况	符合规范要求				
检测项目	1	墙厚	22cm	总测点数	合格点数	合格率	
	2	埋设螺栓间距	符合设计要求	总测点数	合格点数	合格率	
	3	浇筑顶高程	符合设计要求	总测点数	合格点数	合格率	

承建单位自评意见	评定质量等级	监理单位复核意见	核定质量等级

承建单位名称			监理单位名称	
初检人	复检负责人	终检负责人		
			核定人	

・363・

干丁扣坦石(腹石)单元工程质量评定表

承建单位： 合同编号： No：

单位工程名称		单元工程量	
分部工程名称		检验日期	
单元工程名称、部位		评定日期	

项次		项目名称	质量标准	检验结果			评定
检查项目	1	上下坯结合	每 $2m^2$ 内设一立石				
	2	密实情况	空隙直径不大于 110mm				
	3	腹石牢固情况	无活石				
	4	面石与腹石结构	咬茬严密,连接牢固				
检测项目	1	铺底高程	$-50\sim100$mm	总测点数	合格点数	合格率	
	2	砌体顶高程	$0\sim100$mm	总测点数	合格点数	合格率	
	3	铺底宽	$-100\sim100$mm	总测点数	合格点数	合格率	
	4	砌体顶宽	$-50\sim50$mm	总测点数	合格点数	合格率	

承建单位自评意见	评定质量等级	监理单位复核意见	核定质量等级

承建单位名称			监理单位名称	
初检人	复检负责人	终检负责人		
			核定人	

干丁扣坦石(面石)单元工程质量评定表

承建单位：　　　　　　合同编号：　　　　　No：

单位工程名称				单元工程量			
分部工程名称				检验日期			
单元工程名称、部位				评定日期			

项次		项目名称	质量标准	检验结果			评定
检查项目	1	石　料	质地坚硬、单块重量不小于25kg，厚度不小于200mm				
	2	基层砌筑	无淤泥杂质，乱石铺底大石排紧，小石填严				
	3	面石砌筑	禁止使用小石、重垫子，不得出现通天缝、对缝、虚棱石、燕子窝				
检测项目	1	铺底高程	−50～100mm	总测点数	合格点数	合格率	
	2	砌体顶高程	0～100mm	总测点数	合格点数	合格率	
	3	铺底度	−100～100mm	总测点数	合格点数	合格率	
	4	砌体顶宽	−50～50mm	总测点数	合格点数	合格率	
	5	坡度	±3%	总测点数	合格点数	合格率	
	6	缝宽	要求10mm，最大15mm，在2m² 内缝宽15mm的缝不得超过总缝长30%	总测点数	合格点数	合格率	
	7	咬牙缝	在2m² 内不得超过一条	总测点数	合格点数	合格率	
	8	坝面洞	严禁出现面积大于0.003m² 坝面洞，面积在0.002 5～0.003m² 的坝面洞在2m² 内不得超过3个	总测点数	合格点数	合格率	
	9	悬石	每2m² 不得超过一块	总测点数	合格点数	合格率	

承建单位自评意见	评定质量等级	监理单位复核意见	核定质量等级

承建单位名称				监理单位名称	
初检人	复检负责人	终检负责人			
				核定人	

散抛乱石护坡(根石)单元工程质量评定表

承建单位：　　　　　　　　　合同编号：　　　　　　　No：

单位工程名称				单元工程量		
分部工程名称				检验日期		
单元工程名称、部位				评定日期		

项次		项目名称	质量标准	检验结果			评定
检查项目	1	石　料	质地坚硬、单块重量不小于25kg				
	2	坡　度	大致平顺、无明显凸肚凹坑现象				
	3	坦石排拣	无游石、孤石、小石				
检测项目	1	铺底高程	水上100mm，水下200mm	总测点数	合格点数	合格率	
	2	抛石总高	水上100mm，水下250mm	总测点数	合格点数	合格率	
	3	铺底宽	−100～100mm	总测点数	合格点数	合格率	
	4	砌体顶宽	−50～50mm	总测点数	合格点数	合格率	

承建单位自评意见	评定质量等级	监理单位复核意见	核定质量等级

承建单位名称				监理单位名称	
初检人	复检负责人	终检负责人			
				核定人	

乱石粗排坦石单元工程质量评定表

承建单位：　　　　　　　　合同编号：　　　　　　　No:

单位工程名称				单元工程量			
分部工程名称				检验日期			
单元工程名称、部位				评定日期			
项次		项目名称	质量标准	检验结果			评定
检查项目	1	石　料	质地坚硬、单块重量不小于 25kg，厚度不小于 150mm				
	2	基层砌筑	无淤泥杂质，乱石铺底大石排紧，小石填严				
	3	面石砌筑	禁止使用小石、平石，不得出现通天缝				
检测项目	1	铺底高程	-50～100mm	总测点数	合格点数	合格率	
	2	砌休总高	-100～100mm	总测点数	合格点数	合格率	
	3	铺底度	-100～100mm	总测点数	合格点数	合格率	
	4	砌体顶宽	-50～50mm	总测点数	合格点数	合格率	
	5	坡度	坦面坡度平顺，在 2m² 内凹凸不大于 100mm	总测点数	合格点数	合格率	
	6	缝宽	要求 20mm，最大 30mm 在 2m² 内缝宽 30mm 的缝不得超过总缝长 30%	总测点数	合格点数	合格率	
	7	坦面	严禁出现面积大于 0.01m² 坝面洞，面积在 0.08～0.01m² 的坝面洞在 2m² 内不得超过 3 个	总测点数	合格点数	合格率	
承建单位自评意见			评定质量等级	监理单位复核意见			核定质量等级

承建单位名称				监理单位名称	
初检人	复检负责人		终检负责人		
				核定人	

基础开挖单元工程质量评定表

承建单位：　　　　　　　　合同编号：　　　　　　　　No：

单位工程名称				单元工程量			
分部工程名称				检验日期			
单元工程名称、部位				评定日期			

项次		项目名称	质量标准	检验结果			评定
检查项目	1	开挖过程	应用合适的机具，不得扰动地基、损坏相邻建筑物				
	2	基坑外观	坡面平顺、基础面平整，基坑内无杂物				
检测项目	1	开挖高程	允许偏差 -30mm	总测点数	合格点数	合格率	
	2	基坑长、宽尺寸	允许误差 ±50mm	总测点数	合格点数	合格率	
	3	边坡坡度	允许误差 3%	总测点数	合格点数	合格率	

承建单位自评意见	评定质量等级	监理单位复核意见	核定质量等级

承建单位名称			监理单位名称	
初检人	复检负责人	终检负责人		
			核定人	

水中进占单元工程质量评定表

承建单位：　　　　　　　　　合同编号：　　　　　　　　No：

单位工程名称				单元工程量			
分部工程名称				检验日期			
单元工程名称、部位				评定日期			
项次	项目名称	质量标准	检验结果				评定
检查项目 1	进占料物	符合设计要求					
检查项目 2	捆厢作业程序	按照传统程序进行，根据作业需要选用不同的桩绳拴系方法					
检查项目 3	坝基填筑	及时在迎水面抛枕抛石、背水面填筑土坝基。土坝基填筑应滞后于占体5～10m，防止回溜淘刷					
检测项目 1	占体材料	软料与土(石)的比例(重量)误差不大于设计比例10％	总测点数	合格点数	合格率		
检测项目 2	占体宽度	不小于设计宽度、也不应大于设计宽度1m	总测点数	合格点数	合格率		
检测项目 3	坝轴线偏差	允许误差0.5～1.0m	总测点数	合格点数	合格率		

承建单位自评意见	评定质量等级	监理单位复核意见	核定质量等级

承建单位名称				监理单位名称	
初检人	复检负责人	终检负责人			
				核定人	

堤防工程外观质量评定表

承建单位：　　　　　　　　合同编号：　　　　　　　　No：

单位工程名称			主持单位			
主要工程量			评定时间		年　月　日	
项次	项目	标准分	评定得分	得分率	备注	
1	外部尺寸	30				
2	轮廓线顺直	10				
3	表面平整度	10				
4	曲面、平面连接平顺	5				
5	排水	5				
6	上堤辅道	3				
7	堤顶附属设施	5				
8	备料整齐程度	5				
9	草皮	8				
10	植树	4				
11	砌体排列	5				
12	砌缝质量	10				
合　计						

评定人员签名

工　作　单　位	姓　名	职　称	签　名

堤防单位工程外部尺寸质量检测评定表

承建单位：　　　　　　　合同编号：　　　　　　　No：

| 单位工程名称 | | | | | 检测时间 | | 年　月　日 | |
| 主要工程量 | | | | | 评定时间 | | 年　月　日 | |

分部工程名称	序号	检测项目	允许偏差	检测结果			评定结果
				测点数	合格点数	合格率	
堤身填筑工程	1	堤轴线	±15cm				
	2	堤顶高程	0～15cm				
	3	堤顶宽度	−5～15cm				
	4	戗台高程	−10～15cm				
	5	戗台宽度	−10～15cm				
	6	堤坡坡度 m 值	0～0.05				
护坡工程	1	护坡轴线	±4cm				
	2	砌筑高程	干砌 0～+5cm 浆砌 0～+4cm 散抛 0～+10cm				
	3	砌体顶部厚度	设计厚度±10%				
	4	护坡坡度 m 值	0～0.05				

总测点数		合格点总数		合格率	

承建单位名称				
检测人		记录人		检测审核人
监理单位评定人			质量监督员	

植树防护单元工程质量评定表

承建单位：   合同编号：   No：

单位工程名称			单元工程量		
分部工程名称			检验日期		
单元工程名称、部位			评定日期		

项次		项目名称	质量标准	检验结果			评定
检查项目	1	树种类	符合设计要求				
	2	成活率	符合设计要求				
检测项目	1	株距	符合设计要求	总测点数	合格点数	合格率	
	2	行距	符合设计要求	总测点数	合格点数	合格率	

承建单位自评意见	评定质量等级	监理单位复核意见	核定质量等级

承建单位名称			监理单位名称	
初检人	复检负责人	终检负责人		
			核定人	

植草防护单元工程质量评定表

承建单位：　　　　　　　　合同编号：　　　　　　　No：

单位工程名称			单元工程量		
分部工程名称			检验日期		
单元工程名称、部位			评定日期		

项次		项目名称	质量标准	检验结果			评定
检查项目	1	草种类	符合设计要求				
	2	成活率	符合设计要求				
检测项目	1	植草密度	每平方米不少于9墩	总测点数	合格点数	合格率	

承建单位自评意见			评定质量等级	监理单位复核意见	核定质量等级

承建单位名称				监理单位名称	
初检人	复检负责人		终检负责人		
				核定人	

土方填筑单元工程质量评定表

承建单位：　　　　　　　　　合同编号：　　　　　　　　No：

单位工程名称				单元工程量		
分部工程名称				检验日期		
单元工程名称、部位				评定日期		

项次		项目名称	质量标准	检验结果		评定
检查项目	1	土堤土料土质、含水量	无不合格土,含水量适中			
	2	土块粒径	根据压实机具,土块限制在_____cm以内			
	3	作业段划分、搭接	机械作业不小于100m,人工作业不小于50m,搭界无界沟			
	4	碾压作业程序	碾压机械行走平行于堤轴线,碾迹及搭接碾压符合要求			
检测项目	1	铺料厚度	允许偏差:0～-5cm (设计铺料厚度____cm)	总测点数　合格点数　合格率		
	2	铺料边线	允许偏差 人工>+10cm 机械>+30cm	总测点数　合格点数　合格率		
	3	压实度	干密度不小于 _____ t/m³	总测点数　合格点数　合格率		

承建单位自评意见	评定质量等级	监理单位复核意见	核定质量等级

承建单位名称				监理单位名称	
初检人	复检负责人	终检负责人			
				核定人	

铭牌标志单元工程质量评定表

承建单位：　　　　　　合同编号：　　　　　　No：

单位工程名称			单元工程量	
分部工程名称			检验日期	
单元工程名称、部位			评定日期	

项次		项目名称	质量标准	检验结果	评定
检查项目	1	公里桩、百米桩	符合设计及工程管理相关要求		
	2	分界桩	符合设计及工程管理相关要求		
	3	其他各类标志铭牌	符合设计及工程管理相关要求		

承建单位自评意见	评定质量等级	监理单位复核意见	核定质量等级

承建单位名称				监理单位名称	
初检人	复检负责人	终检负责人			
				核定人	

灰土填筑单元工程质量评定表

承建单位： 合同编号： No：

单位工程名称					单元工程量		
分部工程名称					检验日期		
单元工程名称、部位					评定日期		
项次	项目名称		质量标准		检验结果		评定
检查项目	1	原材料（土、石灰）	符合规范要求				
	2	灰土拌和	符合设计要求				
	3	灰土碾压	按设计规定的施工程序进行				
检测项目	1	灰剂量	±1%	总测点数	合格点数	合格率	
	2	密实度	干密度不小于____ t/m³	总测点数	合格点数	合格率	
	3	无侧限抗压强度	不小于0.5MPa	总测点数	合格点数	合格率	
	4	平整度	符合设计要求	总测点数	合格点数	合格率	
	5	厚度	符合设计要求	总测点数	合格点数	合格率	
	6	宽度	符合设计要求	总测点数	合格点数	合格率	
	7	横坡度	符合设计要求	总测点数	合格点数	合格率	
	8	纵断高程	符合设计要求	总测点数	合格点数	合格率	
承建单位自评意见			评定质量等级		监理单位复核意见		核定质量等级
承建单位名称				监理单位名称			
初检人	复检负责人		终检负责人				
				核定人			

淤区包边盖顶单元工程质量评定表

承建单位：　　　　　　　　合同编号：　　　　　　　No：

单位工程名称				单元工程量			
分部工程名称				检验日期			
单元工程名称、部位				评定日期			

项次		项目名称	质量标准	检验结果			评定
检查项目	1	土质	符合设计要求				
检测项目	1	包边厚度	符合设计要求，允许误差 0～+3cm	总测点数	合格点数	合格率	
	2	盖顶厚度	符合设计要求，允许误差 0～+5cm	总测点数	合格点数	合格率	
	3	包边压实度	干密度不小于 ＿＿＿ t/m³	总测点数	合格点数	合格率	

承建单位自评意见	评定质量等级	监理单位复核意见	核定质量等级

承建单位名称				监理单位名称	
初检人	复检负责人	终检负责人			
				核定人	

・377・

堤顶处理单元工程质量评定表

承建单位：　　　　　　　　　合同编号：　　　　　　　　No：

单位工程名称				单元工程量		
分部工程名称				检验日期		
单元工程名称、部位				评定日期		

项次		项目名称	质量标准	检验结果			评定
检查项目	1	基面清理	堤基表层无不合格土，杂物全部清除				
	2	堤顶刨毛	符合设计要求				
检测项目	1	路基清理范围	清理深度、宽度、坡度符合设计要求	总测点数	合格点数	合格率	
	2	路基表面压实	干密度不小于＿＿＿ t/m³	总测点数	合格点数	合格率	

承建单位自评意见	评定质量等级	监理单位复核意见	核定质量等级

承建单位名称				监理单位名称	
初检人	复检负责人	终检负责人			
				核定人	

放淤固堤围格堤单元工程质量评定表

承建单位：　　　　　　　　合同编号：　　　　　　No：

单位工程名称				单元工程量			
分部工程名称				检验日期			
单元工程名称、部位				评定日期			

项次		项目名称	质量标准	检验结果			评定
检查项目	1	土质	符合设计要求				
	2	围、格堤位置	围格堤的位置和数量符合设计要求				
	3	围堤质量	符合设计要求，无严重溃堤塌方事故				
检测项目	1	围堤尺寸	符合设计要求	总测点数	合格点数	合格率	
	2	格堤尺寸	符合设计要求	总测点数	合格点数	合格率	

承建单位自评意见	评定质量等级	监理单位复核意见	核定质量等级

承建单位名称				监理单位名称	
初检人	复检负责人	终检负责人			
				核定人	

·379·

淤沙单元工程质量评定表

承建单位：　　　　　　　　　合同编号：　　　　　　　　No：

单位工程名称				单元工程量		
分部工程名称				检验日期		
单元工程名称、部位				评定日期		
项次	项目名称	质量标准		检验结果		评定
检查项目	1　淤填土质	符合设计要求				
	2　淤填区围堰	符合设计要求,无严重溃堤塌方事故				
	3　泥沙颗粒分布	淤填区沿程沉积泥沙颗粒级配无明显差异				
	4　尾水排放	退水渠道无明显淤积				
检测项目	1　淤填高程	不低于设计高程,允许偏差 0～0.3m	总测点数	合格点数	合格率	
	2　淤区宽度	小于 50m 允许偏差 ±0.5m,大于 50m 允许偏差±1.0m	总测点数	合格点数	合格率	
	3　淤区平整度	在 500m² 范围内高差 <0.3m	总测点数	合格点数	合格率	

承建单位自评意见	评定质量等级	监理单位复核意见	核定质量等级

承建单位名称				监理单位名称	
初检人	复检负责人	终检负责人		核定人	

放淤固堤基础清理单元工程质量评定表

承建单位：　　　　　　　　合同编号：　　　　　　　No：

单位工程名称				单元工程量	
分部工程名称				检验日期	
单元工程名称、部位				评定日期	

项次		检查项目	质量标准	检验结果	结论
检查项目	1	基面清理	堤基表层无草、树根等杂物		
	2	堤坡处理	堤坡表层无草、树根等杂物		
检测项目	1	清理范围	大于淤沙宽度的0.3m		

承建单位自评意见	评定质量等级	监理单位复核意见	核定质量等级

承建单位名称			监理单位名称	
初检人	复检负责人	终检负责人		
			核定人	

避雷器安装单元工程质量评定表

承建单位：　　　　　　　　合同编号：　　　　　　No：

单位工程名称				单元工程量	
分部工程名称				检验日期	
单元工程名称、部位				评定日期	

项次	检查项目		质量标准			检验记录	结论
外观检查	密封		完好，型号与设计相符				
	瓷件		无裂纹，破损，瓷套与铁法兰粘合牢固				
	位置		各节位置与出厂标志编号相符				
△安装质量检查	连接		连接处的金属接触表面无氧化膜油膝				
	安装		垂直，每一元件中心线与安装起点中心线垂直偏差≤单元高度的1.5%，偏差超出标准，经校正能保证其导电性能良好				
	放电器记录		密封良好，动作可靠，基座绝缘良好，接触可靠				
3	测量绝缘电阻		PS型避雷器绝缘电阻＞2 500MΩ				
4	△测量电导电流并检查组合元件的非线性系数		电导电流试验标准应符合产品技术规定。同一相内串联组合元件的非线性系数差值≤0.04				
5	测量工频放电电压	FS型避雷器工频放电电压范围					
		额定电压 kV	3	6	10		
		放电电压 kV	9～11	16～19	26～31		

承建单位自评意见	评定质量等级	监理单位复核意见	核定质量等级

承建单位名称				监理单位名称	
初检人	复检负责人		终检负责人		
				核定人	

户外式避雷器安装单元工程质量评定表

承建单位：　　　　　　合同编号：　　　　　No：

单位工程名称		单元工程量	
分部工程名称		检验日期	
单元工程名称、部位		评定日期	

项次	检查项目	质量标准	检验记录	结论
1	外观评定	外部完整、无缺陷，封口密封应良好，法兰连接处应无缝隙。瓷件应无裂纹、破损，瓷套与铁法兰粘合牢固。组合原件应经试验合格，底座和拉紧绝缘子的绝缘应良好		
2	△安装	固定应牢固、垂直，每个元件中心线与安装中心线的垂直偏差应小于元件高度的1.5%。△拉紧绝缘子串必须紧固，弹簧伸缩自如，同相各绝缘串的拉力应均匀。均压环安装应水平。磁吹网型避雷器组装的上下节位置应与制造厂产品出厂标志编号相符。放电记录器应密封良好，动作可靠，安装位置一致。避雷器油漆完整，相色正确，接地良好		
3	测量绝缘电阻	限值不作规定		
4	△测量电导电流并检查组合元件的非线形系数	电导电流值应符合产品技术规定。同一相内串联组合元件的非线形系数差值≤0.04		
5	检查放电记录器动作情况及基座绝缘	动作应可靠，基座绝缘良好		

承建单位自评意见	评定质量等级	监理单位复核意见	核定质量等级

承建单位名称				监理单位名称	
初检人	复检负责人	终检负责人			
				核定人	

固定卷扬式启闭机中心、高程和水平安装质量评定表

承建单位：　　　　　　　　合同编号：　　　　　　　No：

单位工程名称				单元工程量		
分部工程名称				检验日期		
单元工程名称、部位				评定日期		

项次	项　目	允许偏差		实测值（mm）	合格数（点）	合格率（%）
		合格	优良			
1	△纵、横向中心线	3mm	2.5mm			
2	高程	±5mm	±4mm			
3	△水平	0.5mm/m	0.4mm/m			
检查结果		主要项目共测　　点,合格　　点,合格率　　%				
		一般项目共测　　点,合格　　点,合格率　　%				

承建单位自评意见	评定质量等级	监理单位复核意见	核定质量等级

承建单位名称				监理单位名称	
初检人	复检负责人	终检负责人			
			核定人		

固定卷扬式启闭机试运行质量评定表

承建单位： 合同编号： No：

单位工程名称		单元工程量	
分部工程名称		检验日期	
单元工程名称、部位		评定日期	

项次	项目	质量标准	检验记录
1	电动机	运转平稳、三相电流平衡	
2	电气设备	无异常发热现象	
3	控制器接头	无烧损现象	
4	限位开关	动作准确可靠	
5	高度指示器	指示正确，主令装置动作准确可靠	
6	机械部件	运转时，无冲击声和异常声音	
7	构件连接处	无裂纹、松动或损坏现象，机箱无渗油	
8	制动闸瓦	运行时全部离开制动轮，无任何摩擦	
9	钢丝绳	无碰刮，定、动滑轮转动灵活，无卡阻	
10	1.25 倍额定负荷时	电气、机械部分正常，制动器能制动 1.25 倍额定负荷的升降，动作平稳、可靠	
11	闸门无水压及有水压全行程启闭时	电气与机械部分正常，制动器能制动闸门升降动作平稳、可靠。负荷控制器动作准确、可靠	

承建单位自评意见	评定质量等级	监理单位复核意见	核定质量等级

承建单位名称				监理单位名称	
初检人	复检负责人	终检负责人			
				核定人	

平面闸门门体止水橡皮、反向滑块安装质量评定表

承建单位：　　　　　　　　　合同编号：　　　　　　　No：

单位工程名称					单元工程量		
分部工程名称					检验日期		
单元工程名称、部位					评定日期		
项次	项　目	设计值（mm）	允许偏差(mm)		实测值（mm）	合格数（点）	合格率（％）
			合格	优良			
1	△止水橡皮顶面平度		2				
2	△止水橡皮与滚轮或滑道面距离		+2 −1	±1			
3	△反向滑块至滑块或滚轮的距离（反向滑块自由状态）		±2	+2 −1			
4	阀侧止水中心线距离和顶止水至底止水边缘距离		±3				
承建单位自评意见				评定质量等级	监理单位复核意见		核定质量等级
承建单位名称					监理单位名称		
初检人		复检负责人		终检负责人		核定人	

平面闸门门体安装单元工程质量评定表

承建单位：　　　　　　　　　合同编号：　　　　　　No：

单位工程名称		单元工程量	
分部工程名称		检验日期	
单元工程名称、部位		评定日期	

项次	项　　目	主要项目(个)		一般项目(个)	
		合格	优良	合格	优良
1	止水橡皮、反向滑块安装				
2	一、二类焊缝内部焊接、门体表面清除和局部凹坑焊补				
3	焊缝外观质量				
4	门体防腐蚀表面处理、涂料涂装				
合　计					

承建单位自评意见	评定质量等级	监理单位复核意见	核定质量等级

承建单位名称				监理单位名称	
初检人	复检负责人	终检负责人			
				核定人	

平面闸门胸墙、护角安装质量评定表

承建单位：　　　　　　　　合同编号：　　　　　　　　No：

单位工程名称							单元工程量			
分部工程名称							检验日期			
单元工程名称、部位							评定日期			

项次	项目		设计值(mm)	允许误差(mm)				实测值(mm)	合格点(点)	合格率(%)
				兼作止水		不兼作止水				
				上部	下部	上部	下部			
1	胸墙	△对门槽中心线 a（工作范围内）		+5 -0	+2 -1	+8 -0	+2 -1			
2		△工作表面波状不平度（工作范围内）		2	2	4	4			
3		△工作表面组合处的错位（工作范围内）		1	1	1	1			
1	护角	对门槽中心线 a	△工作范围内	+5						
			工作范围外	+5						
2		对孔口中心线 b	△工作范围内	+5						
			工作范围外	+5						
3		△工作表面组合处的错位	工作范围内	1						
			工作范围外	2						
4		工作面扭曲 f	△工作范围内表面宽度 B	B<100	2					
				B=100~200	2.5					
				B>200	3					
			工作范围外允许增加值	2						

承建单位自评意见	评定质量等级	监理单位复核意见	核定质量等级

承建单位名称			监理单位名称	
初检人	复检负责人	终检负责人		
			核定人	

平面闸门工作范围内各埋件距离及金属喷镀质量评定表

承建单位：　　　　　　　　　合同编号：　　　　　　No:

单位工程名称				单元工程量			
分部工程名称				检验日期			
单元工程名称、部位				评定日期			
项次	项目	设计值(mm)	允许偏差量标(mm)	实测值(mm)		合格点(点)	合格率(%)
1	主轨(加工)与反轨工作面间的距离		+4 −1				
2	主轨中心距		+4				
3	反轨中心距		±5				
4	侧止水座板中心距		±4				
5	主轨(加工)与侧止水座板面间的距离(指上游封水的闸门)		+3 −1				
6	门楣中心线和底槛面的距离		±2				

检测项目	质量标准		检验记录
	合格	优良	
埋件防腐蚀金属喷镀	经外观检查，喷镀金属表面应均匀，无气泡，无秃斑	外观质量达到合格标准：喷镀层厚度符合设计要求，用切划网格法检验附着力时，镀层不应和母材分离，如果每网格中，有少许镀层黏附在胶带上，但部分仍黏附在母材上，而且分离发生在喷镀金属层处，不是在结合面上，则附着力亦满足要求	

承建单位自评意见	评定质量等级	监理单位复核意见	核定质量等级

承建单位名称				监理单位名称	
初检人	复检负责人	终检负责人		核定人	

389

平面闸门主轨、侧轨安装质量评定表

承建单位：　　　　　　　合同编号：　　　　　　　No：

单位工程名称				单元工程量				
分部工程名称				检验日期				
单元工程名称、部位				评定日期				

项次	设计值			设计值(mm)	允许偏差(mm)		实测值(mm)		合格点(点)	合格率(%)
					加工	未加工	左	右		
1	主轨	对门楣中心线 a	△工作范围内		$+2,-1$	$+3,-1$				
			工作范围外		$+3,-1$	$+5,-2$				
2		对孔口中心线 b	△工作范围内		±3	±3				
			工作范围外		±4	±4				
3		△工作表面组合处的错位	工作范围内		0.5	1				
			工作范围外		1	2				
4		工作面扭曲 f △工作范围内表面宽度 B	$B<100$		0.5	1				
			$B=100\sim200$		1	2				
			$B>200$		1	2				
		工作范围外允许增加值			2	2				
1	侧轨	对门楣中心线 a	△工作范围内		±5					
			工作范围外		±5					
2		对孔口中心线 b	△工作范围内		±5					
			工作范围外		±5					
3		△工作表面组合处的错位	△工作范围内		1					
			工作范围外		2					
4		工作面扭曲 f △工作范围内表面宽度 B	$B<100$		2					
			$B=100\sim200$		2.5					
			$B>200$		3					
		工作范围外允许增加值			2					

承建单位自评意见	评定质量等级	监理单位复核意见	核定质量等级

承建单位名称			监理单位名称	
初检人	复检负责人	终检负责人		
			核定人	

平面闸门侧止水座板、反轨安装质量评定表

承建单位：　　　　　　　合同编号：　　　　　　　No：

单位工程名称				
分部工程名称			单元工程量	
单元工程名称、部位			检验日期	
			评定日期	

项次	项目			设计值（mm）	允许误差（mm）	允许偏差（mm）左	右	合格点（点）	合格率（%）
1	侧止水座板	△对门楣中心线 a（工作范围内）			+2，-1				
2		△对孔口中心线 b（工作范围内）			±3				
3		△工作表面波状不平度（工作范围内）			2				
4		△工作表面组合处的错位（工作范围内）			0.5				
5		工作面扭曲 f	△工作范围内表面宽度 B	$B<100$	1				
				$B=100\sim200$	1.5				
1	反轨	对门楣中心线 a	△工作范围内		+3，-1				
			工作范围外		+5，-2				
2		对孔口中心线 b	△工作范围内		±3				
			工作范围外		±5				
3		△工作表面组合处的错位	工作范围内		1				
			工作范围外		2				
4		工作面扭曲 f	△工作范围内表面宽度 B	$B<100$	2				
				$B=100\sim200$	2.5				
				$B>200$	3				
		工作范围外允许增加值			2				

承建单位自评意见	评定质量等级	监理单位复核意见	核定质量等级

承建单位名称				监理单位名称	
初检人	复检负责人	终检负责人			
				核定人	

闸门埋件安装单元工程质量评定表

承建单位：　　　　　　　合同编号：　　　　　　No:

单位工程名称				单元工程量			
分部工程名称				检验日期			
单元工程名称、部位				评定日期			

项次	项目	主要项目(个)		一般项目(个)	
		合　格	优　良	合　格	优　良
1	底槛、门楣安装				
2	主轨、侧轨安装				
3	反轨、侧止水座板安装				
4	护角、胸墙安装				
5	各埋件距离及金属喷镀				
6	防腐蚀表面处理				
7	防腐蚀涂料涂装				

承建单位自评意见	评定质量等级	监理单位复核意见	核定质量等级

承建单位名称			监理单位名称	
初检人	复检负责人	终检负责人		
			核定人	

平面闸门底槛、门楣安装质量评定表

承建单位：　　　　　　　合同编号：　　　　　　　No:

单位工程名称		单元工程量	
分部工程名称		检验日期	
单元工程名称、部位		评定日期	

项次	项　目			设计值(mm)	允许偏差(mm)	实测值(mm)	合格点(点)	合格率(%)
1	底槛	△对门楣中心线 a			±5			
2		△对孔口中心线 b			±5			
3		高程			±5			
4		△工作表面一端对另一端的高差	L≥10 000		3			
			L<10 000		8			
5		工作表面波状不平度(工作范围内)			2			
6		△工作表面组合处的错位(工作范围内)			1			
7		工作表面扭曲 f	△工作范围内表面宽度 B	B<100		1			
			B=100~200		1.5			
			B>200		2			
1	门楣	△对门楣中心线 a(工作范围内)			+8 −2			
2		工作表面波状不平度(工作范围内)			8			
3		△工作表面组合处的错位(工作范围内)			0.5			
4		工作表面扭曲 f	△工作范围内表面宽度 B	B<100		1			
			B=100~200		1.5			

承建单位自评意见	评定质量等级	监理单位复核意见	核定质量等级

承建单位名称				监理单位名称	
初检人	复检负责人	终检负责人			
				核定人	

混凝土单元工程质量评定表

承建单位：　　　　　　　　　合同编号：　　　　　　No:

单位工程名称		单元工程量	
分部工程名称		检验日期	
单元工程名称、部位		评定日期	

项次	工序名称	工序质量等级
1	基础面或混凝土施工缝处理	
2	模板	
3	△钢筋	
4	止水、伸缩缝和排水管安装	
5	△混凝土浇筑	

承建单位自评意见	评定质量等级	监理单位复核意见	核定质量等级

承建单位名称				监理单位名称	
初检人	复检负责人	终检负责人		核定人	

394 ·

混凝土模板工序质量评定表

承建单位：　　　　　　　　合同编号：　　　　　　　No:

单位工程名称		单元工程量	
分部工程名称		检验日期	
单元工程名称、部位		评定日期	

项次	检查项目	质量标准	检验记事
1	稳定性、刚度和强度	符合设计要求	
2	樘板表面	光洁、无污染	

项次	基本项目	设计值	允许偏差(mm)			实测值	合格数（点）	合格率（%）
			外露表面		隐蔽内面			
			钢模	木模				
	板面平整度:相临两板面高差		2	3	5			
	局部不平（用 2m 直尺检查）		2	5	10			
	板面缝隙		1	2	2			
	结构物边线与设计边线		10		15			
	结构物水平断面内部尺寸		±20					
	承重模板标高		±5					
	预留孔、洞尺寸及位置		±10					

承建单位自评意见	评定质量等级	监理单位复核意见	核定质量等级

承建单位名称			监理单位名称	
初检人	复检负责人	终检负责人		
			核定人	

闸门模板工序质量检查评定表

承建单位：　　　　　　　　　合同编号：　　　　　　　　No：

单位工程名称			单元工程量			
分部工程名称			检验日期			
单元工程名称、部位			评定日期			

检查项目	设计、规范		检查记录	检查点次	合格点次	合格率（%）
稳定性、刚度和强度	符合设计要求					
模板表面	光洁、无污染					

检查项目	设计值（mm）	允许偏差(mm)				
		外露表面		隐蔽内面		
		钢模	木模			
板面平整度；相临板面高差		2	3	5		
局部不平		2	5	10		
板面缝隙		1	2	2		
闸门外形尺寸	高度 3 150	±5				
	宽度 3 700	−10～+5				
	厚度 1 060	±5				
各预埋件、预留孔、洞尺寸及位置						

承建单位自评意见			评定质量等级	监理单位复核意见	核定质量等级

承建单位名称				监理单位名称	
初检人	复检负责人		终检负责人		
				核定人	

·396·

沥青上封层单元工程质量评定表

承建单位：　　　　　　　　　合同编号：　　　　　　No:

单位工程名称				单元工程量		
分部工程名称				检验日期		
单元工程名称、部位				评定日期		

项次		项目名称	质量标准	检验结果	评定
检查项目	1	熔化沥青	符合设计要求		
	2	石屑	粒径 3~5mm 的石灰岩石屑，泥尘含量不得超过 3%		
	3	液体沥青	符合本工程技术规范		
	4	洒布情况	洒布均匀,无漏洒现象		

承建单位白评意见	评定质量等级	监理单位复核意见	核定质量等级

承建单位名称				监理单位名称	
初检人	复检负责人	终检负责人			
				核定人	

路缘石单元工程质量评定表

承建单位：　　　　　　　　　合同编号：　　　　　　No：

单位工程名称				单元工程量			
分部工程名称				检验日期			
单元工程名称、部位				评定日期			
项次	项目名称		质量标准	检验结果			评定
检查项目	1	外观	表面光滑、不得有掉角、破皮、麻面,外表美观				
检测项目	1	单块宽度	+5mm	总测点数	合格点数	合格率	
	2	单块高度	+5mm	总测点数	合格点数	合格率	
	3	单块长度	±5mm	总测点数	合格点数	合格率	
	4	混凝土抗压强度	不小于设计强度	总测点数	合格点数	合格率	
	5	砂浆抗压强度	不小于设计强度	总测点数	合格点数	合格率	
	6	直顺度	150mm(20m)拉线测	总测点数	合格点数	合格率	
	7	相邻块高差	3mm(3m 直尺测)	总测点数	合格点数	合格率	
	8	高程	+10m	总测点数	合格点数	合格率	
承建单位自评意见			评定质量等级	监理单位复核意见			核定质量等级
承建单位名称				监理单位名称			
初检人		复检负责人	终检负责人				
				核定人			

沥青碎石路面单元工程质量评定表

承建单位：　　　　　　　　　　合同编号：　　　　　　　No：

单位工程名称				单元工程量		
分部工程名称				检验日期		
单元工程名称、部位				评定日期		

项次		项目名称	质量标准	检验结果			评定
检查项目	1	混合料	符合设计和规范要求				
	2	下层质量	按规定洒布透层、黏层、下封层				
	3	运输、摊铺、碾压	按设计规定的施工程序进行				
检测项目	1	密实度	不小于＿＿＿＿%	总测点数	合格点数	合格率	
	2	平整度	符合设计要求	总测点数	合格点数	合格率	
	3	厚度	符合设计要求	总测点数	合格点数	合格率	
	4	宽度	符合设计要求	总测点数	合格点数	合格率	
	5	横坡度	符合设计要求	总测点数	合格点数	合格率	
	6	纵断高程	符合设计要求	总测点数	合格点数	合格率	

承建单位自评意见			评定质量等级	监理单位复核意见	核定质量等级

承建单位名称				监理单位名称	
初检人	复检负责人		终检负责人	核定人	

沥青透层、封层、下封层单元工程质量评定表

承建单位：　　　　　　　　　合同编号：　　　　　　　No：

单位工程名称				单元工程量	
分部工程名称				检验日期	
单元工程名称、部位				评定日期	
项次	项目名称		质量标准	检验结果	评定
检查项目	1	熔化沥青	符合设计要求		
	2	石屑	粒径3～5mm的石灰岩石屑，泥尘含量不得超过3%		
	3	液体沥青	符合本工程技术规范		
	4	路面基层	清除基层上的松散材料，保持清洁		
	5	洒布情况	洒布均匀，无漏洒现象		
	6	黏层	在路缘石与沥青面层接触面上均匀涂刷一层沥青黏层		

承建单位自评意见			评定质量等级	监理单位复核意见	核定质量等级
承建单位名称				监理单位名称	
初检人	复检负责人		终检负责人		
				核定人	

·400·

土料碾压筑堤单元工程质量评定表

单位工程名称				单元工程量			
分部工程名称				检验日期		年 月	日
单元工程名称、部位				评定日期		年 月	日

项次	项目名称	质量标准	检验结果			评定
检查项目	1	△上堤土料土质、含水率	无不合格土,含水率适中			
	2	土块粒径	根据压实机具,土块限制在_____cm以内			
	3	作业段划分、搭接	机械作业不小于100m,人工作业不小于50m,搭接无界沟			
	4	碾压作业程序	碾压机械行走平行于堤轴线,碾迹及搭接碾压符合要求			
检测项目	1	铺料厚度	允许偏差:0~-5cm(设计铺料厚度_____cm)	总测点数	合格点数	合格率
	2	铺料边线	允许偏差:人工+10~+20cm,机械+10~+30cm	总测点数	合格点数	合格率
	3	△压实指标	设计干密度不小于_____t/m³	总测点数	合格点数	合格率

施工单位自评意见	质量等级	项目法人(监理单位)复核意见	核定质量等级

施工单位名称				项目法人(监理单位)名称	
测量员	初检负责人	终检负责人			
				核定人	

注:1.检验日期为终检日期,由施工单位负责填写;

2.评定日期由项目法人(监理单位)负责填写;

3.△者为主要检查或检测项目。

土料吹填堤单元工程质量评定表

单位工程名称			单元工程量		
分部工程名称			检验日期		年　月　日
单元工程名称、部位			评定日期		年　月　日

项次	项目名称	质量标准	检验结果			评定
检查项目	1 吹堤土质	符合设计要求				
	2 吹填区围堰	符合设计要求,无严重溃堤塌方事故				
	3 泥沙颗粒分布	吹填区沿程沉积泥沙颗粒级配无显著差异				
检测项目	1 吹填高程	允许偏差:0～+0.3m	总测点数	合格点数	合格率	
	2 吹填区宽度	区宽小于50m,允许偏差±0.5m,区宽大于50m允许偏差1.0m	总测点数	合格点数	合格率	
	3 吹填平整度	细粒土0.5～1.2m,粗粒土0.8～1.6m	总测点数	合格点数	合格率	
	4 吹填干宽度	设计干密度不小于_____t/m³	总测点数	合格点数	合格率	

施工单位自评意见	质量等级	项目法人(监理单位)复核意见	核定质量等级

施工单位名称				项目法人(监理单位)名称	
测量员	初检负责人		终检负责人		
				核定人	

注:1.检验日期为终检日期,由施工单位负责填写;

　　2.评定日期由项目法人(监理单位)负责填写。

土料吹填压渗平台单元工程质量评定表

单位工程名称			单元工程量		
分部工程名称			检验日期		年　月　日
单元工程名称、部位			评定日期		年　月　日

项次		项目名称	质量标准	检验结果			评定
检查项目	1	吹堤土质	符合设计要求				
	2	吹填区围堰	符合设计要求,无严重溃堤塌方事故				
	3	泥沙颗粒分布	吹填区沿程沉积泥沙颗粒级配无显著差异				
检测项目	1	吹填高程	允许偏差:0～+0.3m	总测点数	合格点数	合格率	
	2	吹填区宽度	区宽小于50m,允许偏差±0.5m,区宽大于50m允许偏差1.0m	总测点数	合格点数	合格率	
	3	吹填平整度	细粒土0.5～1.2m,粗粒土0.8～1.6m	总测点数	合格点数	合格率	

施工单位自评意见	质量等级	项目法人(监理单位)复核意见	核定质量等级

施工单位名称				项目法人(监理单位)名称	
测量员	初检负责人	终检负责人			
				核定人	

注:1.检验日期为终检日期,由施工单位负责填写;

　　2.评定日期由项目法人(监理单位)负责填写。

黏土防渗体填筑单元工程质量评定表

单位工程名称				单元工程量			
分部工程名称				检验日期		年　月　日	
单元工程名称、部位				评定日期		年　月　日	

项次		项目名称	质量标准	检验结果			评定
检查项目	1	△上堤土料土质、含水率	无不合格土,含水率适中				
	2	土块粒径	根据压实机具,土块限制在_____cm以内				
	3	作业段划分、搭接	机械作业不小于100m,人工作业不小于50m,搭接无界沟				
	4	碾压作业程序	碾压机械行走平行于堤轴线,碾迹及搭接碾压符合要求				
检测项目	1	铺料厚度	允许偏差:0～-5cm	总测点数	合格点数	合格率	
	2	铺填宽度	允许偏差:0～10cm	总测点数	合格点数	合格率	
	3	△压实指标	设计干密度不小于_____t/m³	总测点数	合格点数	合格率	

施工单位自评意见			质量等级	项目法人(监理单位)复核意见		核定质量等级

施工单位名称				项目法人(监理单位)名称	
测量员	初检负责人		终检负责人		
				核定人	

注:1.检验日期为终检日期,由施工单位负责填写;

　　2.评定日期由项目法人(监理单位)负责填写;

　　3.△者为主要检查或检测项目。

砂质土堤堤坡堤顶填筑单元工程质量评定表

单位工程名称		单元工程量		
分部工程名称		检验日期		年　月　日
单元工程名称、部位		评定日期		年　月　日

项次		项目名称	质量标准	检验结果			评定
检查项目	1	△上堤土料土质、含水率	无不合格土,含水率适中				
	2	土块粒径	根据压实机具,土块限制在_____ cm以内				
	3	作业段划分、搭接	机械作业不小于100m,人工作业不小于50m,搭接无界沟				
	4	碾压作业程序	碾压机械行走平行于堤轴线,碾迹及搭接碾压符合要求				
检测项目	1	铺料厚度	允许偏差:0～-5cm	总测点数	合格点数	合格率	
	2	砂质土堤堤坡堤顶宽度或厚度	人工、机械运土碾压筑堤允许偏差:-3cm,吹填筑堤允许偏差:-5cm	总测点数	合格点数	合格率	
	3	△压实指标	设计干密度不小于_____ t/m³	总测点数	合格点数	合格率	

施工单位自评意见		质量等级	项目法人(监理单位)复核意见	核定质量等级

施工单位名称				项目法人(监理单位)名称	
测量员	初检负责人	终检负责人			
				核定人	

注:1.检验日期为终检日期,由施工单位负责填写;

　　2.评定日期由项目法人(监理单位)负责填写;

　　3.△者为主要检查或检测项目。

护坡垫层单元工程质量评定表

单位工程名称				单元工程量			
分部工程名称				检验日期		年 月 日	
单元工程名称、部位				评定日期		年 月 日	

项次		项目名称	质量标准	检验结果			评定
检查项目	1	基面	按规范验收合格				
	2	垫层材料	符合设计要求				
	3	垫层施工方法和程序	符合施工规范要求				
检测项目	1	垫层厚度	偏小值不大于设计厚度的15%（设计垫层厚度_____cm）	总测点数	合格点数	合格率	

施工单位自评意见	质量等级	项目法人（监理单位）复核意见	核定质量等级

施工单位名称				项目法人（监理单位）名称	
测量员	初检负责人	终检负责人			
				核定人	

注:1.检验日期为终检日期,由施工单位负责填写;

2.评定日期由项目法人(监理单位)负责填写。

毛石粗排护坡单元工程质量评定表

单位工程名称				单元工程量			
分部工程名称				检验日期		年　月　日	
单元工程名称、部位				评定日期		年　月　日	

项次		项目名称	质量标准	检验结果			评定
检查项目	1	石料	质地坚硬无风化,单块重≥25kg,最小边长≥15cm				
	2	石料排砌	禁用小石、片石,不得有通缝				
	3	缝宽	无宽度在 3cm 以上、长度在 0.5m 以上的连续缝				
检测项目	1	砌体厚度	允许偏差为设计厚度的±10%	总测点数	合格点数	合格率	
	2	坡面平整度	2m 靠尺检测凹凸不超过10cm	总测点数	合格点数	合格率	

施工单位自评意见	质量等级	项目法人(监理单位)复核意见	核定质量等级

施工单位名称				项目法人(监理单位)名称	
测量员	初检负责人	终检负责人			
				核定人	

注:1.检验日期为终检日期,由施工单位负责填写;
　　2.评定日期由项目法人(监理单位)负责填写。

干砌石护坡单元工程质量评定表

单位工程名称				单元工程量				
分部工程名称				检验日期		年	月	日
单元工程名称、部位				评定日期		年	月	日

项次		项目名称	质量标准	检验结果				评定
检查项目	1	面石用料	质地坚硬无风化,单块重≥25kg,最小边长≥20cm					
	2	腹石砌筑	排紧填严,无淤泥杂质					
	3	面石砌筑	禁止使用小块石,不得有通缝、对缝、浮石、空洞					
	4	缝宽	无宽度在1.5cm以上、长度在0.5cm以上的连续缝					
检测项目	1	砌体厚度	允许偏差为设计厚度的±10%	总测点数	合格点数	合格率		
	2	坡面平整度	2m靠尺检测凹凸不超过5cm	总测点数	合格点数	合格率		

施工单位自评意见	质量等级	项目法人(监理单位)复核意见	核定质量等级

施工单位名称				项目法人(监理单位)名称	
测量员	初检负责人	终检负责人			
				核定人	

注:1.检验日期为终检日期,由施工单位负责填写;
   2.评定日期由项目法人(监理单位)负责填写。

浆砌石护坡单元工程质量评定表

单位工程名称			单元工程量			
分部工程名称			检验日期		年 月 日	
单元工程名称、部位			评定日期		年 月 日	

项次		项目名称	质量标准	检验结果			评定
检查项目	1	石料、水泥、砂	符合规范要求				
	2	砂浆配合比	符合设计要求				
	3	浆砌	空隙用小石填塞，不得用砂浆充填，坐浆饱满，无空隙				
	4	勾缝	无裂缝、脱皮现象				
检测项目	1	砌体厚度	允许偏差为设计厚度的±10%	总测点数	合格点数	合格率	
	2	坡面平整度	2m靠尺检测凹凸不超过5cm	总测点数	合格点数	合格率	

施工单位自评意见			质量等级	项目法人(监理单位)复核意见			核定质量等级

施工单位名称				项目法人(监理单位)名称		
测量员	初检负责人	终检负责人				
				核定人		

注:1.检验日期为终检日期，由施工单位负责填写；

2.评定日期由项目法人(监理单位)负责填写。

混凝土预制块护坡单元工程质量评定表

单位工程名称				单元工程量			
分部工程名称				检验日期		年　月　日	
单元工程名称、部位				评定日期		年　月　日	

项次		项目名称	质量标准	检验结果			评定
检查项目	1	预制块外观	尺寸准确、整齐统一，表面清洁平整				
	2	预制块铺砌	平整、稳定、缝线规则				
检测项目	1	坡面平整度	2m靠尺检测凹凸不超过1m	总测点数	合格点数	合格率	

施工单位自评意见	质量等级	项目法人(监理单位)复核意见	核定质量等级

施工单位名称				项目法人(监理单位)名称	
测量员	初检负责人	终检负责人			
				核定人	

注：1. 检验日期为终检日期,由施工单位负责填写；

2. 评定日期由项目法人(监理单位)负责填写。

堤脚防护单元工程质量评定表

单位工程名称				单元工程量			
分部工程名称				检验日期		年 月 日	
单元工程名称、部位				评定日期		年 月 日	

项次		项目名称	质量标准	检验结果			评定
检查项目	1	抗冲体结构、质量、强度	符合规范要求				
	2	抛投程序	符合设计要求				
	3	抛投位置和数量	符合设计要求				
检测项目	1	各种抗冲体体积	体积允许偏差 + 10 % ,但不得偏小	总测点数	合格点数	合格率	
	2	护脚坡面相应位置高程	允许偏差 ± 0.3m	总测点数	合格点数	合格率	

施工单位自评意见	质量等级	项目法人(监理单位)复核意见	核定质量等级

施工单位名称				项目法人(监理单位)名称	
测量员	初检负责人	终检负责人			
				核定人	

注:1.检验日期为终检日期,由施工单位负责填写;
　　2.评定日期由项目法人(监理单位)负责填写。

堤防工程外观质量评定表

单位工程名称			施工单位		
主要工程量			评定日期	年　　月　　日	

项次	项目	标准分	评定得分	得分率	备注
1	外部尺寸	30			
2	轮廓线顺直	10			
3	表面平整度	10			
4	曲面、平面连接平顺	5			
5	排水	5			
6	上堤马道	3			
7	堤顶附属设施	5			
8	备料整齐程度	5			
9	草皮	8			
10	植树	4			
11	砌体排列	5			
12	砌缝质量	10			
合计					

评定人员签名

工作单位	姓名	职称	签名

说明：

1. 堤防连接建筑物的外观质量评定参照《水利水电工程施工质量评定表(试行)》(建地〔1995〕3号)中《水工建筑物外观质量评定表》执行；

2. 表中第1项按本规程表外部尺寸质量检测评定表中的评定结果进行评分；其他各项得分为各评定成员在检查工程现场后对相应项的外部观感质量进行打分后的算术平均值；

3. 实际评定时，仅对实际存在的项目进行评定打分，其标准分累计为应得分，评定打分合计为实得分，得分率＝实得分/应得分。

隐蔽工程验收记录

承建单位：　　　　　　　合同编号：　　　　　　　　　No：

单位工程名称		设计图纸	设计图纸名称	
单位工程代号			设计图纸编号	
分部分项工程名称		材料质量	变更通知单	
			材质合格证书	
分部分项工程代号			试验报告编号	

隐蔽内容及施工情况说明：

检查意见		处理意见	
	年　月　日		年　月　日

参加人员名单	承建单位代表	监理单位代表	质量监督站代表	项目法人

注: 项目法人、承建单位、监理单位、质量监督站各执一份。

分部工程质量评定表

承建单位：　　　　　　　　　合同编号：　　　　　　　　　　　No:

单位工程名称		主要工程量(万 m³)		
分部工程名称		评定日期		
序号	单元工程名称	质量等级		备注
		优良	合格	
1				
2				
3				
4				
5				
6				
7				
8				
9				
10				
11				
12				
13				
14				

单元工程共＿＿＿＿个,其中优良＿＿＿＿个,优良率＿＿＿＿%

承建单位自评意见	质量等级	监理单位复核意见	核定质量等级

承建单位名称				
初检负责人	复检负责人	终检负责人	监理单位名称	
			核定人	

注:评定后监理单位、承建单位各执1份。

单位工程质量评定表

承建单位：　　　　　　合同编号：　　　　　　　　No：

单位工程名称		主要工程量(万 m³)	
分部工程名称		评定日期	

序号	单元工程名称	质量等级		备注
		优良	合格	
1				
2				
3				
4				
5				
6				
7				
8				
9				
10				
11				
12				
13				
14				

分部工程共_____个,其中优良_____个,优良率_____%

承建单位自评意见	质量等级	监理单位复核意见	核定质量等级

承建单位名称				
初检人	复检负责人	终检负责人	监理单位名称	
			核定人	

注:评定后监理单位、承建单位各执 1 份。

交工验收证书

承建单位：　　　　　　　　合同编号：　　　　　　No：

工程地点		工程总造价	
施工日期	年　月　日起 年　月　日止	交工日期	年　月　日
工程质量评定			

交工简要说明	
验收意见	

监理单位	验收负责人： （公章） 职务：	承建单位	交工负责人： （公章） 职务：
签收人			
检验人			

二期混凝土单元工程质量评定表

承建单位： 合同编号： No:

单位工程名称			单元工程量			
分部工程名称			检验日期			
单元工程名称、部位			评定日期			

项次		项目名称	质量标准	检验结果			评定
检查项目	1	墙体凿毛冲洗	墙顶凿毛合格，无浮浆、无积水等杂物，石子明显裸露				
	2	模板支护	稳定、严密、平整				
	3	混凝土浇筑、振捣	符合规范要求				
	4	与前期墙体连接情况	接触严密、坚实				
	5	二期墙表面平整度情况	表面光滑、无高低起伏情况				
	6	混凝土养护情况	符合规范要求				
检测项目	1	墙厚	22cm	总测点数	合格点数	合格率	
	2	埋设螺栓间距	符合设计要求	总测点数	合格点数	合格率	
	3	浇筑顶高程	符合设计要求	总测点数	合格点数	合格率	

承建单位自评意见	评定质量等级	监理单位复核意见	核定质量等级

承建单位名称				监理单位名称	
初检人	复检负责人	终检负责人			
				核定人	

417

土工膜铺设单元工程质量评定表

承建单位：　　　　　　　合同编号：　　　　　No:

单位工程名称				单元工程量			
分部工程名称				检验日期			
单元工程名称、部位				评定日期			

项次	项目名称		质量标准	检验结果			评定
检查项目	1	铺设前复合土工膜检验	要求复合土工膜无损坏、无搭接漏焊				
	2	场地	要求场地平整开阔、无树桩、砖石等				
	3	铺膜平整度	要求顺直、无撕裂				
	4	螺栓固定	符合施工规范要求				
检测项目	1	铺膜顶高程	符合设计要求	总测点数	合格点数	合格率	
	2	复合土工膜横向搭接	采取热焊措施、搭接宽度不小于10cm	总测点数	合格点数	合格率	
	3	复合土工膜纵向搭接	采取热焊措施、搭接宽度不小于10cm，搭接长度不小于150cm	总测点数	合格点数	合格率	

承建单位自评意见	评定质量等级	监理单位复核意见	核定质量等级

承建单位名称				监理单位名称	
初检人	复检负责人	终检负责人			
				核定人	

砂料质量检验评定表

承建单位：　　　　　　　　合同编号：　　　　　　　　No:

单位工程名称			检验日期									
施工部位			评定日期									

项次	项　目	质量标准	质量情况									
			1	2	3	4	5	6	7	8	9	10
1	天然砂中含泥量(％)	＜3,其中黏土含量＜1										
2	△天然料中泥团含量	不允许										
3	坚固性云母含量	＜10										
4	△云母含量(％)	＜2										
5	密度(t/m³)	＞2.5										
6	轻物质含量(％)	＜1										
7	硫化物及硫酸盐含量(SO_3)(％)	＜1										
8	△有机质含量	浅于标准色										

主要检验项目	共检　　　项，　符合设计要求　　　项
其他检验项目	共检　　次，　合格　　次,合格率　　％

承建单位自评意见	评定质量等级	监理单位复核意见	核定质量等级

承建单位名称				监理单位名称	
初检人	复检负责人	终检负责人			
				核定人	

水泥砂浆质量评定表

承建单位：　　　　　　　合同编号：　　　　　　　No：

单位工程名称					数量			
分部工程名称					检验日期			
产地					评定日期			

项次	保证项目	质量标准			检验结果			
1	水泥、砂料、水及掺合料、外加剂	品种、质量必须符合国家有关标准						
2	标号和相应的配合比、拌和时间	符合设计及规定要求						
3	28天抗压强度保证率	≥80%						

项次	基本项目	质量标准		检验记录	质量等级	
		合格	优良		合格	优良
1	水泥砂浆强度离差系数	$C_v \leqslant 0.22$	$C_v \leqslant 0.18$			
2	砂浆沉入度	检测总数中有≥70%测次，符合《规定》要求	检测总数中有≥70%测次，符合《规定》要求			

项次	允许偏差项目		设计值(kg)	允许偏差(%)	实测值	合格数(点)	合格率(%)
1	砂浆配合比称重	水泥		±2			
2		砂		±3			
3		掺合料		±2			
4		水、外加剂溶液		±1			

承建单位自评意见	评定质量等级	监理单位复核意见	核定质量等级

承建单位名称				监理单位名称	
初检人	复检负责人	终检负责人			
				核定人	

混凝土浇筑工序质量检查评定表

承建单位：　　　　　　　　　　　合同编号：　　　　　　　　No：

单位工程名称		单元工程量	
分部工程名称		检验日期	
单元工程名称、部位		评定日期	

项次	检查项目	质量标准		检验记录
		优良	合格	
1	砂浆铺筑	厚度不大于 3cm,均匀平整无混铺	厚度不大于 3cm,局部稍差	
2	△入仓混凝土振捣	无不合格料入仓	少量不合格料入仓,经处理尚能基本满足设计要求	
3	△平仓分层	厚度不大于 50cm,铺设均匀,分层清楚,无骨料集中现象	局部稍差	
4	△混凝土振捣	垂直插入,下层 5cm,有次序,无漏振	无架空和漏振	
5	△铺料间歇时间	符合要求,无初凝现象	上游迎水面 15m 内无初凝现象,其他部位初凝累计面积不超过 1%,并经处理合格	
6	积水和泌水	无外部水流入,泌水排除及时	无外部水流入,有少量泌水,排除不够及时	
7	插筋、管路等埋设件保护	保护好,符合要求	有少量位移,但不影响使用	
8	混凝土养护	混凝土表面保护湿润,无时干时湿现象	混凝土表面保护湿润,但局部有时干时湿现象	
9	△有表面平整要求的部位	符合设计要求	局部稍超出规定,但累计面积不超过 0.5%	
10	麻面	无	少量麻面,但累计面积不超过 0.5%	
11	蜂窝狗洞	无	轻微、少量、不连续,单个面积不超过 0.1m²,深度不超过骨料最大粒径,已按要求处理	
12	△露筋	无	无主筋外露,箍、副箍个别微露,已按要求处理	
13	碰损掉角	无	重要部分不允许,其他部位轻微少量,已按要求处理	
14	表面裂缝	无	有短小、不跨层的表面裂缝,已按要求处理	
15	△深层及贯穿裂缝	无	无	

承建单位自评意见	评定质量等级	监理单位复核意见	核定质量等级

承建单位名称				监理单位名称	
初检人	复检负责人	终检负责人		核定人	

混凝土止水、伸缩缝和排水管安装工序质量评定表

承建单位：　　　　　　　　合同编号：　　　　　　　No：

单位工程名称				单元工程量		
分部工程名称				施工单位		
单元工程名称、部位				检验日期		

项次	检查项目		质量标准		检验记录	
1	伸缩缝制作及安装	涂敷沥青料	混凝土表面洁净干燥,涂刷均匀平整,与混凝土粘接紧密,无气泡及隆起现象			
2		粘贴沥青油毛毡	混凝土表面洁净干燥,蜂窝麻面已处理并填平,外露施工铁件割除,铺设厚度均匀平整,搭接紧密			
3		铺设预制油毡板	混凝土表面洁净,蜂窝麻面处理并填平,外露施工铁件割除,铺设厚度均匀平整、牢固,相临块安装搭接紧密平整无缝			
4		△沥青井、柱安装	电热原件及绝缘材料置放准确牢固、不短路,沥青填塞密实,安装位置准确稳固,上下层衔接好			

项次	检查项目		设计值	允许偏差 (mm)	实测值	合格数 (数)	合格率 (%)
1	金属、塑料、橡胶止水	金属止水片的几何尺寸 宽		±5			
2		高(牛鼻子)		±2			
		长		±5			
3		△金属止水片搭接长度		不小于30 双面焊			
4		安装偏差 大体积混凝土		±30			
		细部结构		±20			
		△插入基岩部分		符合设计要求			
1	坝体排水管安装	拔管 平面位置		≤100			
2		排水管 倾斜度		≤4%			
3		多孔性 平面位置		≤100			
4		排水管 倾斜度		≤4%			
		△排水管通畅性		通畅			

承建单位自评意见	评定质量等级	监理单位复核意见	核定质量等级

承建单位名称				监理单位名称	
初检人	复检负责人		终检负责人		
				核定人	

第十五章 江河堤防工程
《强制性条文》规定

第一节 施工准备阶段的质量控制要求

《强制性条文》根据《堤防工程施工规范》SL 260—98 第 2.2.3 条和第 2.3.3 条的规定,着重对堤防工程准备阶段提出以下两个方面的要求:

(1)堤防基线永久标石、标架埋设必须牢固,施工中须严加保护,并及时检查维护,定时核查校正。

(2)应根据设计文件要求划定取土区,并设立标志。严禁在堤身两侧设计规定的保护区内取土。

第二节 堤基施工的质量控制要求

《强制性条文》根据 SL 260—98 第 5.1.3 条和第 5.2.2 条的规定:

(1)当堤基冻结后有明显夹层和冻胀现象时,未经处理,不得在其上施工。

(2)堤基表层不合格土、杂物等必须清除,地基范围内的坑、槽、沟等,应按堤身填筑要求进行回填处理。

一、对筑堤材料的选择

《强制性条文》引用 GB 50286—98 第 6.2.1 条第一款:均质土堤宜选用亚黏土,黏粒含量宜为 15% ~ 30%,塑性指数宜为 10~20,且不得含植物根基、砖瓦、垃圾等杂质,填筑土料含水量与最优含水率的允许偏差为±3%,铺盖、心墙、斜墙等防渗体宜选用黏性较大的土,堤后盖重宜选用砂性土。黏性土的压实度:1级堤防不应小于0.94。2级堤防和超过6m的3级堤防不应小于0.92,3级以下及低于6m的3级堤防不应小于0.90。相对密度试验按GB 5123—88规定的方法进行,《强制性条文》引用GB 50286—98第6.2.6条规定无黏性土相对密度标准为:1、2级和高度超过6m的3级堤防不应小于0.65,低于6m的3级及3级以下堤防不应小于0.60。

二、与堤交叉连接的建筑物

(1)为了保证堤防工程防洪安全,《强制性条文》引用GB 50286—98第9.1.3条规定,与堤交叉连接的各类建筑物、构筑物不得影响堤防的管理和防汛运用,不得影响防汛安全。

(2)《强制性条文》的GB 50286—98第9.2.1条规定:压力管道必须在设计洪水位以上穿越。

(3)对于堤防扩建加高时,与堤防交叉的建筑物和构筑物的处理:在《强制性条文》引用的GB 50286—98第9.2.2条中规定:当堤防工程扩建加高时,原有的涵闸、管道等穿堤建筑物、构筑物,在施工前必须查清其情况,按新的设计条件进行验算。当原有的建筑物、构筑物需要保留利用时,必须符合下列要求:①能满足防洪要求;②运用工况良好;③能满足结构强度要求;④外围的覆盖土层达到设计要求的厚度和密实度;⑤穿堤管道的接头良好;⑥穿堤管道外围与堤防连接处能满足渗透稳定要求;⑦当不能满足上述要求时,应加固、改建或拆除重建。

三、堤基施工的质量控制要求

《强制性条文》根据SL 260—98第6.1.1条的规定,着重对堤基施工提出了以下两项要求。

（1）地面起伏不平时,应按水平分层,由低处开始逐层填筑,不得顺坡铺填;堤防横断面上的地面坡度陡于 1:5 时,应将地面坡度削至缓于 1:5。

（2）作业面应分层统一铺土,统一碾压,并配备人员或平土机具参与整平作业,严禁出现界沟。

（3）用光面碾碾压实黏性土填筑层,在新层铺料前,应对压光面作刨毛处理。填筑层检验合格后,因搁置较久或经过雨淋、干湿交替使表面产生疏松层时,复工前应进行复压处理。

（4）若发现局部"弹簧土"层间光面,层间中空,松土层或剪切破坏等质量问题时,应及时进行处理,并经检验合格后,方准铺填新土。

四、土堤碾压施工铺料作业质量控制要求

《强制性条文》根据 SL 260—98 第 6.1.2 条的规定,着重对碾压土堤铺料作业提出了以下两项要求。

（1）应按设计要求将土料铺至规定部位,严禁将砂(砾)料或其他透水料与黏性土料混杂,上堤土料中的杂质应予以清除。

（2）铺料厚度和土块直径的限制尺寸,宜通过碾压试验确定,在缺乏试验资料时,可参照表 15-1 中的规定取值。

表 15-1 铺料厚度和土块直径限制尺寸

压实功能类型	压实机具种类	铺料厚度 （cm）	土块限制 直径（cm）
轻型	人工夯、机械夯 5~10t 平碾	15~20 25~20	≤5 ≤8
中型	12~15t 平碾,斗容 2.5m³ 铲运机,5~8t 振动碾	25~30	≤10
重型	斗容大于 7m³ 铲运机,10~16t 振动碾、加载气胎碾	30~50	≤15

五、土堤碾压施工压实作业质量控制要求

《强制性条文》根据 SL 260—98 第 6.1.3 条的规定,着重对碾压土堤压实作业提出以下三项要求:

(1)施工前应先做碾压试验,验证碾压质量能否达到设计干密度值。

(2)分段填筑。各段应设立标志,以防漏压、欠压和过压,上下层分段接缝位置应错开。

(3)碾压施工应符合下列规定:①碾压机械走向应平行于堤轴线;②分段、分片碾压,相邻作业面的搭接碾压宽度,平行堤轴线方向不应小于 0.5m,垂直堤轴线方向不应小于 3m。

六、土堤碾压单元工程压实质量控制要求

《强制性条文》根据 SL 260—98 第 10.4.1 条的规定,着重对碾压土堤单元工程的压实质量控制提出了以下要求。

碾压土堤单元工程的压实质量总体评价合格标准,应按表 15-2 中的规定执行。

表 15-2　土堤压实质量评定

堤型		筑堤材料	干密度值合格率(%)	
			1、2 级土堤	3 级土堤
均质堤	新筑堤	黏性土	≥85	≥80
		少黏性土	≥90	≥85
	老堤加高培厚	黏性土	≥85	≥80
		少黏性土	≥85	≥80
非均质堤	防渗体	黏性土	≥90	≥85
	非防渗体	少黏性土	≥85	≥80

七、涵闸工程《强制性条文》的规定

(1)水闸工程施工准备阶段的质量控制要求:

《强制性条文》根据《水闸施工规范》SL 27—91 第 4.2.1 条和第 4.2.2 条的规定,对水闸工程施工准备阶段的质量控制提出以下两条要求:①场区排水系统的规划和设置应根据地形、施工工期的径流量和基坑渗水量等情况确定,并应与场区外的排水系统相适应。②基坑的排水设施,应根据基坑内的积水量、地下渗流量、围堰渗流量、降雨量等计算确定。抽水时,应适当限制水位下降速率。

(2)对地基处理的质量控制要求:《强制性条文》根据《水闸施工规范》SL 27—91 第 5.1.2 条的规定,对水闸工程地基处理的质量控制提出以下要求:

对已确定的地基处理方法应作现场试验,并编制专项施工措施设计。在处理过程中,如遇地质情况与设计不符时应及时修改施工措施设计。

(3)对砂垫层施工质量的控制要求:《强制性条文》根据《水闸施工规范》SL 27—91 第 5.2.1 条的规定,对砂垫层施工质量控制提出以下要求:

砂垫层的砂料,应符合设计要求并通过试验确定。如用混合砂料,应按优选的比例拌和均匀,砂料的含泥量不应大于 5%。

(4)对软弱地基进行加固时的质量控制要求:《强制性条文》根据《水闸施工规范》SL 27—91 第 5.3.1 条的规定,对振冲法适用于砂土或砂壤土地基的加固软弱黏性土地基必须经过论证方可使用。

(5)对灌注桩钻孔的质量控制要求:《强制性条文》根据《水闸施工规范》SL 27—91 第 5.4.7 条的规定,对灌注桩钻孔的质量控制应符合表 15-3 的要求:

表 15-3　灌注桩钻孔的质量标准

项次	项目	质量标准
1	孔的中心位置偏差	单排桩不大于 100mm 群桩不大于 150mm
2	孔径偏差	−50mm～+100mm
3	孔斜率	<1%
4	孔深	不得小于设计孔深

(6)对沉井施工质量控制要求:《强制性条文》根据《水闸施工规范》SL 27—91 第 5.5.1 条、第 5.5.11 条和第 5.5.19 条的规定,对沉井施工的质量控制提出以下三项要求:

①沉井施工前,应根据地质资料编制沉井施工措施设计。选定下沉方式,计算沉井各阶段的下沉系数,再确定制作、下沉等施工方案。

②沉井施工的安全过程应按时观测,下沉时,每班至少观测两次,及时掌握和纠正沉井中的位移和倾斜。

③沉井下沉完毕后的允许偏差应符合下列规定:脚平均高程的偏差不得超过 100mm;沉井四角中任何两个角的脚底面高程不得超过该两个角间水平距离的 0.5%,且不得超过 150mm,如其间的水平距离小于 10m,其高差可为 100mm;沉井顶面中心的水平位移不得超过下沉总深度(下沉前后脚高差)的 1%,下降总深度小于 10m 时,不宜大于 100mm。上述偏差在沉井封顶时,根据水闸上部尺寸的要求,予以调整补助。

(7)水闸混凝土施工时的质量控制要求:《强制性条文》根据《水闸施工规范》SL 27—91 第 6.1.2 条的规定,对水闸混凝土施工时的质量控制提出以下要求:水闸混凝土必须根据其所在部位的工作条件分别满足强度、抗冻、抗渗、抗侵蚀、抗冲刷、抗磨损等性能及施工和易性的要求。

(8)对板桩施工的质量控制要求:

《强制性条文》根据《水闸施工规范》SL 27—91 第 9.2.6 条的规定,对板桩施工的质量控制提出以下要求:打入板桩的允许偏差应符合表 15-4 的规定。

表 15-4　板桩位置的允许偏差

项次	项目		允许偏差
1	木板桩	桩轴线(mm)	20
		垂直度(%)	1
		桩顶高程(mm)	50
		最大间隙(mm)	10
2	混凝土板桩	桩轴线(mm)	20
		垂直度(%)	1
		桩顶高程(m)	−50～＋100
		最大间隙(mm)	15

(9)钢筋混凝土铺盖施工质量控制要求:《强制性条文》根据《水闸施工规范》SL 27—91 第 9.3.1 条的规定,对钢筋混凝土铺盖施工的质量控制提出以下要求:

钢筋混凝土铺盖应按分块间隔填筑。在荷载相差过大的邻近部位应等沉降基本稳定后,再浇筑交接处的分块或预留的二次浇筑带。

在混凝土铺盖上行驶重型机械或堆放重物,必须经过验算。

附录：江河堤防施工监理有关文件

中华人民共和国行业标准

堤防工程施工质量评定与验收规程
（试行）

SL 239—1999

第一章　总　则

1. 为使堤防工程施工质量评定和验收标准化、规范化，特制定本规程。

2. 本规程适用于 1、2、3 级堤防工程，4、5 级堤防工程可参照执行。

3. 堤防工程施工质量评定和验收应以相关法律、法规、技术标准、批准的设计文件、施工合同、施工图纸等为依据。

4. 堤防工程施工质量等级分为"合格"和"优良"两级。

5. 工程中采用现有标准未涉及的新技术、新材料、新工艺、新设备时，应制定相应的质量评定标准和验收办法，并由项目法人报项目主管部门批准。

6. 堤防工程施工质量评定和验收除应执行本规程外，还应符合国家现行其他有关标准和规定的要求。

第二章　工程项目划分

一、一般规定

1.堤防工程划分为单位工程、分部工程和单元工程。项目划分见 P453 附表 5-1《堤防工程项目划分表》。

2.项目划分由项目法人或委托监理单位,组织设计及施工等单位共同商定,同时确定主要单位工程、主要分部工程,并将划分结果报相应工程质量监督机构认定。

二、单位工程划分

1.单位工程根据设计及施工部署和便于质量管理等原则进行划分。

2.堤防工程项目一般划分为堤身、堤岸防护、交叉连接建筑物和管理设施等单位工程。在仅有单项加高加固或基础防渗处理等项目时,也可单独划分为单位工程。

3.根据实际情况按下述原则划分单位工程:

(1)一个工程项目由若干项目法人负责组织建设时,每一项目法人所负责的工程可划为一个单位工程。

(2)一个项目法人所负责组织建设的工程,可视规模按照堤段划分为若干个单位工程。

(3)较大交叉连接建筑物可以每一独立建筑物划为一个单位工程。

(4)堤岸防护和管理设施工程可以每一独立发挥作用的项目划为一个单位工程。

三、分部工程划分

1. 分部工程应按功能进行划分。同一单位工程中,同类型的各个分部工程的工程量不宜相差太大,不同类型的各个分部工程的投资也不宜相差太大。

2. 堤身单位工程可划分为堤基处理、堤身填(浇、砌)筑、堤身防渗、压浸平台、填塘固基、堤身防护、堤脚防护等分部工程。

3. 堤岸防护单位工程可划分为护脚和护坡等分部工程。

4. 交叉连接建筑物单位工程按 SL 176—96《水利水电工程施工质量评定规程》划分分部工程。

5. 管理设施单位工程可划分为观测设施、生产生活设施、交通、通讯等分部工程。当交通、通讯工程投资规模较大并单独列项时也可将其划分为一个单位工程。

四、单元工程划分

1. 单元工程按照施工方法、部署,以及便于进行质量控制和考核的原则划分。

2. 不同工程按下述原则划分单元工程:

(1) 土方填筑按层、段划分。

(2) 吹填工程按围堰仓、段划分。

(3) 防护工程按施工段划分。

(4) 混凝土工程按 SDJ 249.1—88《水利水电基本建设工程单元工程质量等级评定标准》(试行)划分。

(5) 砌石堤按 SL 49—94《水利水电基本建设工程单元工程质量等级评定标准(七)》划分。

(6) 交叉连接建筑物和管理设施等工程按相关标准划分。

第三章　单元工程质量等级评定标准

一、堤基清理

1.堤基清理应符合以下要求:

(1)堤基清理的范围应包括堤身、戗台、铺盖、压载的基面,其边界应在设计基面边线外0.3-0.5m。老堤加高培厚,其清理范围尚应包括堤顶及堤坡。

(2)堤基表层的淤泥、腐殖土、泥炭等不合格土及草皮、树根、建筑垃圾等杂物必须清除。

(3堤基内的井窖、墓穴、树坑、坑塘及动物巢穴,应按堤身填筑要求进行回填处理。

(4)堤基清理后,应在第一次铺填前进行平整,除了深厚的软弱堤基需另行处理外,还应进行压实,压实后的质量应符合设计要求。

(5)新老堤结合部的清理、刨毛,应符合SL 260—98《堤防工程施工规范》的要求。

2.堤基清理单元工程质量检查的项目与标准应符合附表3-1的规定。

附表3-1　堤基清理单元工程质量检查项目与标准

项次	检查项目	质量标准
1	基面清理	堤基表层不合格土、杂物全部清除
2	一般堤基处理	堤基上的坑塘洞穴已按要求处理
3	堤基平整压实	表面无显著凹凸,无松土、弹簧土

3.堤基清理单元工程质量检测项目与标准应符合附表3-2的

规定。

附表 3-2　堤基清理单元工程质量检测项目与标准

项次	检查项目	质量标准
1	堤基清理范围	清理边界超过设计基面边线 0.3m
2	堤基表层压实	符合设计要求

4.堤基清理范围应根据堤防工程级别,按施工堤线长度每20～50m测量一次;压实质量检测取样应按清理面积平均每400～800m^{2}取样一个。

5.堤基清理单元工程质量评定标准应符合以下规定:

(1)合格标准:检查项目达到标准,清理范围检测合格率不小于70%、压实质量检测合格率不小于80%。

(2)优良标准:检查项目达到标准,清理范围与压实质量检测合格率不小于90%。

二、土料碾压筑堤

1.土料碾压筑堤应符合以下要求:

(1)上堤土料的土质及其含水率应符合设计和碾压试验确定的要求。

(2)填筑作业应按水平层次铺填,不得顺坡填筑。分段作业面的最小长度,机械作业不应小于100m,人工作业不应小于50m。应分层统一铺土,统一碾压,严禁出现界沟。当相邻作业面之间不可避免出现高差时,应按照 SL 260—98 的规定施工。

(3)堤身土体必须分层填筑。铺料厚度和土块直径的限制尺寸应符合附表 3-3 的规定。

(4)碾压机械行走方向应平行于堤轴线,相邻作业面的碾迹必须搭接。搭接碾压宽度,平行堤轴线方向不应小于0.5m,垂直堤

附表 3-3　铺料厚度和土块直径限制尺寸表

压实功能类型	压实机具种类	铺料厚度（cm）	土块限制直径（cm）
轻型	人工夯、机械夯	15~20	≤5
	5~10t 平碾	20~25	≤8
中型	12~15t 平碾、斗容 2.5m³ 铲运机、5~8t 振动碾	25~30	≤10
重型	斗容大于 7m³ 铲运机、10~16t 振动碾、加载气胎碾	30~50	≤15

轴线方向不应小于 1.5m。机械碾压不到的部位应采用人工或机械夯实，夯击应连环套打，双向套压，夯迹搭压宽度不应小于 1/3 夯径。

（5）土料的压实指标应根据试验成果和 GB 50286—98《堤防工程设计规范》的设计压实度要求，确定设计干密度值进行控制；砂料和砂砾料的压实指标按设计相对密度值控制。

2. 土料碾压筑堤单元工程质量检查项目与标准应符合附表 3-4 的规定。

附表 3-4　土料碾压筑堤单元工程质量检查项目与标准

项次	检查项目	质量标准
1	上堤土料土质、含水率	土质符合设计要求，含水率不宜过大或过小
2	作业工段划分、搭接	符合本规程第三章第二项第 1 条第 2 款
3	土块粒径	符合本规程第三章第二项第 1 条第 3 款
4	碾压作业程序	符合本规程第三章第二项第 1 条第 4 款

3. 土料碾压筑堤单元工程质量检测项目与标准应符合附表

3-5 的规定。

附表 3-5　土料碾压筑堤单元工程质量检测项目与标准

项次	检测项目	质量标准
1	铺料厚度	允许偏差 0～ -5cm
2	铺填边线	允许偏差:人工作业 +10～ +20cm;机械作业 +10～ +30cm
3	压实指标	符合设计要求

4.铺料厚度检测应按作业面积大小每 100～200m² 取一个测点。铺填边线应按堤轴线长度每 20～50m 取一个测点。压实质量检测的工具、方法和检测部位应符合 SL 260—98 的要求。

每层取样数量:自检时可控制在填筑量 100～150m³ 取样一个。堤防加固的狭长作业面,取样可按每 20～30m 取样一个。

5.土料碾压筑堤单元工程压实质量合格标准,按附表 3-6 的规定执行。

附表 3-6　土料碾压筑堤单元工程压实质量合格标准

项次	填筑类型	筑堤材料	压实干密度合格率下限(%)	
			1、2级土堤	3级土堤
1	新填筑堤	黏性土	85	80
		少黏性土	90	85
2	老堤加高培厚	黏性土	85	80
		少黏性土	85	80

注:1.不合格样干密度值不得低于设计干密度值的 96%。

　　2.不合格样不得集中在局部范围内。

6.堤身土体填筑单元工程质量评定标准应符合以下规定:

(1)合格标准:检查项目达到标准,铺料厚度和铺填边线偏差

合格率不小于70％,检测土体压实干密度合格率达到本规程附表
3-6要求。

(2)优良标准:检查项目达到标准,铺料厚度和铺填边线偏差
合格率不小于90％,检测土体压实干密度合格率超过本规程附表
3-6中数值的5％以上。

三、土料吹填筑堤

1.土料吹填筑堤应符合以下要求:

(1)根据填筑部位的吹填土质,应选用不同的船、泵及其冲、
挖、抽方式。

(2)吹填区基础围堰应按设计修筑,单元工程质量评定与土料
碾压筑堤相同。逐次抬高的围堰高度不宜超过1.2m(黏土团吹填
筑堰高度可为?m),顶宽宜采用1～2m,土料吹填筑堤的单元工程
质量评定可参照土料碾压筑堤相应的附表3-6的规定执行。

(3)输泥管出口的位置应合理安放、适时调整,采取措施减缓
吹填区沉积比降。

2.土料吹填筑堤单元工程质量检查项目与标准应符合附表
3-7的规定。

附表3-7 土料吹填筑堤质量检查项目与标准

项次	检查项目	质量标准
1	吹填土质	符合设计要求
2	吹填区围堤	符合设计要求,无严重溃堤塌方事故
3	泥沙颗粒分布	吹填区沿程沉积的泥沙颗料级配宜无显著差异

3.土料吹填筑堤单元工程质量检测项目与标准应符合附表
3-8的规定。

附表 3-8   土料吹填筑堤质量检测项目与标准

项次	检测项目	质量标准
1	吹填高度	允许偏差 0～+0.3m
2	吹填区密度	吹填区宽＜50m,允许偏差±0.5m;吹填区宽＞50m,允许偏差±1.0m
3	吹填平整度	细粒0.5～1.2m,粗粒0.8～1.6m
4	吹填干密度	符合设计要求

4.土料吹填筑堤单元工程质量检测应按吹填区长度每50～100m测一横断面,每个断面测点不应少于4个。吹填区土料固结干密度检测数量为每200～400m² 取一个土样。

5.土料吹填筑堤单元工程质量评定标准应符合以下规定:

(1)合格标准:检查项目达到标准,吹填高程、宽度、平整度合格率不小于70%;初期固结干密度合格率达到附表3-6要求,吹填高程、宽度、平整度合格率不小于90%。

(2)优良标准:检查项目达到标准,吹填高程、宽度、平整度合格率不小于90%;初期固结干密度合格率超过附表3-6中要求的5%以上。

四、土料吹填压渗平台

1.土料吹填压渗平台应符合以下要求:

(1)压渗平台吹填的土质应尽可能选用透水性较强的土料。

(2)吹填区基础围堰应按设计修筑,在吹填过程中分次抬高围堰高度。

(3)输泥管出口的位置应合理安放、适时调整,采取措施减缓吹填区沉积比降。

2.土料吹填压渗平台单元工程质量检查项目与标准应符合附

表 3-9 的规定。

附表 3-9　土料吹填压渗平台质量检查项目与标准

项次	检查项目	质量标准
1	吹填土质	符合设计要求
2	吹填区围堤	符合设计要求,无严重溃堤塌方事故
3	泥沙颗粒分布	吹填区沿程沉积的泥沙颗料级配无显著差异

3.土料吹填压渗平台单元工程质量检测项目与标准应符合附表 3-10 的规定。

附表 3-10　土料吹填压渗平台筑堤质量检测项目与标准

项次	检查项目	质量标准
1	吹填高程	允许偏差 $0 \sim +0.3m$
2	吹填区宽度	吹填区宽 $<50m$,允许偏差 $\pm 0.5m$;吹填区宽 $>50m$,允许偏差 $\pm 1.0m$
3	吹填平整度	细粒土 $0.5 \sim 1.2m$,粗粒土 $0.8 \sim 1.6m$

4.土料吹填压渗平台单元工程质量检测应按吹填区长度每 $50 \sim 100m$ 测一横断面,每个断面测点不应少于 4 个。

5.土料吹填压渗平台工程质量评定标准应符合以下规定:

(1)合格标准:检查项目达到标准,吹填高程、宽度、平整度合格率不小于 70%。

(2)优良标准:检查项目达到标准,吹填高程、宽度、平整度合格率不小于 90%。

五、黏土防渗体填筑

1.黏土防渗体填筑应符合第三章第二款第 1 条的要求。

2.黏土防渗体填筑单元工程质量检查项目与标准应符合附表
3-4 的规定。

3.黏土防渗体填筑单元工程质量检测项目与标准应符合附表
3-11 的规定。

附表 3-11　黏土防渗体填筑质量检测项目与标准

项次	检查项目	质量标准
1	铺料厚度	允许偏差 0～－5cm
2	铺填宽度	允许偏差 0～＋10cm
3	压实指标	符合设计要求

4.铺料厚度及铺填宽度检测及压实密度取样可按堤轴线长度
每 20～30m 取一个测点,或按填筑面积每 100～200m^2 取一个样
进行控制。

5.黏土防渗体单元工程质量评定标准应符合以下规定:

(1)合格标准:检查项目达到标准,铺料厚度及铺填宽度合格
率不小于 70%,土体压实干密度合格率不小于附表 3-12 规定。

(2)优良标准:检查项目达到标准,铺料厚度及铺填宽度合格
率不小于 90%,土体压实干密度合格率超过附表 3-12 的规定 5%
以上。

附表 3-12　黏土防渗体填筑压实质量合格标准

工程名称	干密度合格率下限(%)	
	1、2 级堤防工程	3 级堤防工程
黏土防渗	90	85

注:1.不合格样干密度值不得低于设计干密度值的 96%;

　　2.不合格样不得集中在局部范围内。

六、砂质土堤堤坡堤顶填筑(包边盖顶)

1.砂质土堤堤坡堤顶填筑应符合以下要求:

(1)迎水坡和堤顶应选择黏性土;背水坡包边土质应符合设计要求。

(2)砂质土堤堤坡堤顶填筑应在按分区设计尺寸整形削坡、吹填区整平以后,按设计厚度均匀铺料。土堤包边可随主体填筑一并完成。

(3)包边土料应分层填筑、压实,压实质量应符合设计干密度指标。

2.砂质土堤堤坡堤顶填筑单元工程质量检查项目,主要是检查所填土质是否符合设计要求。

3.砂质土堤堤坡堤顶填筑单元工程质量检测项目及质量标准应符合附表3-13的规定。

附表3-13　砂质土堤堤坡堤顶填筑单元工程质量检测项目与标准

项次	检测项目	质量标准
1	铺土厚度	允许偏差 0～-5cm
2	铺填宽度	允许误差 0～+10cm
3	压实干密度	符合设计要求

4.砂质土堤堤坡堤顶填筑单元工程质量检测数量应符合以下规定:铺土厚度、宽度及压实质量测点数量为:包边沿堤轴线每20～30m取一个测点;盖顶每200～400m² 取一个测点。

5.砂质土堤堤坡堤顶填筑单元工程质量评定标准应符合以下规定:

(1)合格标准:检查项目达到标准,铺筑厚度宽度检测合格率不小于70%,压实干密度合格率不小于附表3-6的要求。

· 441 ·

(2)优良标准:检查项目达到标准,铺筑厚度、宽度检测合格率不小于90%,压实干密度合格率超过附表3-6的规定5%以上。

七、护坡垫层

1.护坡垫层施工应符合以下要求:

(1)护坡垫层材料及尺寸应符合设计要求。

(2)石料的粒径、级配、坚硬度、渗透系数,土工合成材料的保土、透水、防堵性能及抗拉强度,干填石料的块径、强度和黏土的土质均应符合设计要求。

(3)削坡应符合设计要求,护坡垫层的施工方法和程序均应符合相关规范的施工要求。

2.护坡垫层单元工程质量检查项目与标准应符合附表3-14的规定。

附表3-14 垫层工程质量检查项目与标准

项次	检查项目	质量标准
1	垫层基面	符合设计要求
2	垫层材料	符合设计要求
3	垫层施工方法及程序	符合施工规范要求

3.护坡垫层单元工程检测项目与标准应符合附表3-15的规定。

附表3-15 垫层工程检测项目与标准

项次	检测项目	质量标准
1	垫层厚度	每层厚度偏小值不大于设计厚度的15%

4.垫层厚度检测为每20m²检测一个点次。

5.护坡垫层单元工程质量评定标准应符合以下规定:

（1）合格标准：检查项目达到标准，检测项目合格率不小于70％。

（2）优良标准：检查项目达到标准，检测项目合格率不小于90％。

八、毛石粗排护坡

1.毛石粗排护坡施工应符合以下要求：毛石粗排护坡工程坡面要做到丁向用石，层层压茬，结合平稳；禁用小石、片石，不得有通缝；坡面大致平顺，无明显外凸里凹现象。

2.毛石粗排护坡单元工程质量检查应符合附表 3-16 的规定。

附表 3-16　毛石粗排护坡质量检查项目与标准

项次	检查项目	质量标准
1	石料	大小均匀、质地坚硬，块重不小于 25kg，且厚度不小于 15cm
2	石料排砌	禁用小石、片石，结合应平稳
3	缝宽	无宽度在 3mm 以上、长度在 50cm 以上的连续缝

3.毛石粗排护坡单元工程质量检测项目与标准应符合附表 3-17 的规定。

附表 3-17　毛石粗排护坡质量检测项目与标准

项次	检测项目	质量标准
1	砌体厚度	允许偏差 ±5cm
2	坡面平整度	坡面坡度平顺，用 2m 靠尺检查凹凸不大于 10cm

4.毛石粗排护坡单元工程质量检测的位置和数量应符合以下要求：厚度及平整度沿堤轴线长每 20m 应不少于一个检测点次。

5.毛石粗排护坡单元工程的质量评定标准应符合以下规定：

（1）合格标准：检查项目达到标准，检测项目合格率不小于70%。

（2）优良标准：检查项目达到标准，检测项目合格率不小于90%。

九、干砌石护坡

1. 干砌石护坡施工应符合以下要求：石块要用手锤加工，打击口面。不得使用裂石和风化石。长度在30cm以下的石块，连续使用不得超过4块，且两端须加丁字石。一般长条形丁向砌筑，不得顺长使用。

2. 干砌石护坡单元工程质量检查应符合附表3-18的规定。

附表3-18　干砌石护坡质量检查项目与标准

项次	检查项目	质量标准
1	面石用料	大小均匀、质地坚硬，不得使用风化石料，单块重量不小于25kg，最小边长不小于20cm
2	腹石砌筑	排紧填严，无淤泥杂质
3	面石砌筑	禁止使用小石块，不得出现通缝、浮石、空洞
4	缝宽	无宽度在1.5cm以上、长度在0.5m以上的连续缝

3. 干砌石护坡单元工程质量检测，应符合附表3-19的规定。

附表3-19　干砌石护坡质量检测项目与标准

项次	检测项目	质量标准
1	砌石厚度	允许偏差为设计厚度的±10%
2	坡面平整度	用2m靠尺测量，凹凸不超过5cm

4. 干砌石护坡单元工程质量检测的数量应符合以下要求：厚

度及平整度沿堤轴线方向每 10~20m 应不少于一个点次。

5. 干砌石护坡单元工程质量评定标准应符合以下规定：

(1)合格标准：检查项目达到标准,检测项目合格率不小于70％。

(2)优良标准：检查项目达到标准,检测项目合格率不小于90％。

十、浆砌石护坡

1. 浆砌石护坡施工除应符合干砌石工程施工要求外,尚应符合以下要求：

(1)砌筑采用坐浆法施工。

(2)砂浆原材料、配合比、强度应符合设计要求。砂浆应随拌随用。砂浆达到初凝时,应作废料处理。

(3)浆砌石勾缝所用水泥砂浆应采用较小的水灰比。勾缝前,要先剔缝,缝深 20~40cm,用清水洗净,洒水养护不少于 3 天。

2. 浆砌石单元工程质量检查内容和标准除应符合干砌石检查项目与标准外,浆砌、勾缝检查还应符合附表 3-20 的规定。

附表 3-20 　浆砌、勾缝施工质量检查项目与标准

项次	检查项目	质量标准
1	原材料	符合规范标准
2	砂浆配合比	符合设计要求
3	勾缝	无裂缝、脱皮现象
4	砌筑	空隙用小石填塞,不得用砂浆充填

3. 浆砌石单元工程质量检测数量应符合下列要求：

浆砌石单元工程质量检测的项目、标准、检测数量除应满足第三章第九款第 3 条及第 4 条外,每单元工程砂浆取成型试件 1~2 组,进行砂浆抗压强度试验。

4.浆砌石单元工程的质量评定标准应符合以下规定：

(1)合格标准：质量检查项目达到标准，且水泥砂浆的28天抗压强度不小于设计强度的80%。

(2)优良标准：质量检查达到标准，且水泥砂浆的28天抗压强度不小于设计强度的90%。

十一、混凝土预制块护坡

1.混凝土预制块护坡施工应符合以下要求：

(1)混凝土预制板强度应符合设计要求。

(2)混凝土预制块铺砌应平整、稳定，缝隙应紧密，缝线应规则。

2.混凝土预制块护坡单元工程检查项目与标准应符合附表3-21的规定。

附表3-21　混凝土预制块护坡质量检查项目与标准

项次	检查项目	质量标准
1	预制块外观	尺寸准确、整齐统一，表面清洁平整，强度符合设计要求
2	预制块铺砌	平整、稳定，缝线规则、紧密

3.混凝土预制块护坡单元工程检测项目与标准应符合附表3-22的规定。

附表3-22　混凝土预制块护坡质量检测项目与标准

项次	检测项目	质量标准
1	坡面平整度	2m靠尺检测，凹凸不超过1cm

4.混凝土预制块护坡单元工程坡面平整度质量检测沿堤线每10～20m应不少于一个点次。

5. 混凝土预制块护坡单元工程的质量评定标准应符合以下规定：

(1)合格标准：检查项目达到标准,坡面平整度合格率不小于70%。

(2)优良标准：检查项目达到标准,坡面平整度合格率不小于90%。

十二、堤脚防护

1. 堤脚防护施工应符合以下要求：

(1)各种防冲体的型式、结构、质量、强度应符合设计要求。

(2)抛投防冲体过程中应采取措施保护堤防护坡。

(3)抛投防冲体应按设计的程序进行,不同防冲体抛投位置、数量应符合设计要求。

2. 堤脚防护单元工程质量检查项目与标准应符合附表 3-23 的规定。

附表 3-23　堤脚防护质量检查项目与标准

项次	检查项目	质量标准
1	抗冲体结构、质量、强度	符合设计要求
2	抛投程序	符合设计要求
3	抛投位置与数量	符合设计要求

3. 堤脚防护工程质量检测项目与标准应符合附表 3-24 的规定。

附表 3-24　堤脚防护质量检测项目与标准

项次	检测项目	质量标准
1	各种抗冲体	体积允许偏差 0～＋10%
2	护脚坡面相应位置高程	允许偏差 ±0.3m

4.堤脚防护工程质量检测应沿堤轴线方向每 20～50m 测量一横断面,测点的水平间距宜为 5～10m,并宜与设计横断面套绘以检查护脚坡面相应位置的高程差。每座丁坝都应检测纵断面,裹头部分的横断面应不小于 2 个。

5.堤脚防护单元工程质量评定标准应符合以下规定:

(1)合格标准:检查项目达到标准,检测项目合格率不小于 70%。

(2)优良标准:检查项目达到标准,检测项目合格率不小于 90%。

十三、砌石堤

砌石堤的砌筑质量要求和单元工程质量等级评定标准应参照 SL 38—92《水利水电基本建设工程单元工程质量等级评定标准(七)》(碾压式土石坝和浆砌石坝工程)的有关规定执行。

十四、混凝土防洪墙

混凝土防洪墙单元工程质量等级评定标准应参照 SDJ 249.1—88《水利水电基本建设工程单元工程质量等级评定标准》(水工建筑工程)的有关规定执行。

第四章 施工质量评定

一、质量评定的组织与管理

1.单元工程质量检验按照 L 176—96 及其他相关标准执行。

2.单元工程质量评定应在施工单位质检部门组织自评的基础上,由项目法人或委托监理单位核定,填写单元工程质量评定表。

3.重要隐蔽工程及工程关键部位经施工单位自评合格后,由项目法人或委托监理单位、质量监督、设计、施工、管理运行等单位组成联合小组,共同核定其质量等级。

4.分部工程质量评定应在施工单位质检部门自评的基础上,由项目法人或委托监理单位组织设计、施工、运行管理等单位评定其质量等级,报质量监督机构核备。

5.在单位工程质量评定前应进行堤防工程外观质量评定。外观质量评定由工程质量监督机构组织项目法人、监理、设计、施工及管理运行等单位具有中级及以上技术职称的有关代表共同进行,参加人员总数不宜少于5人。

6.单位工程质量评定是在施工单位自评的基础上,由项目法人或委托监理单位复核,报质量监督机构核定。

7.工程项目的施工质量等级由该项目质量监督机构进行评定。

8.质量监督机构应在工程竣工验收前提出工程质量评定报告,向工程竣工验收委员会提出工程质量等级的建议。

9.工程质量事故处理后,应按照处理方案的质量要求,重新进行工程质量检测和评定。

二、单元工程质量评定

1.单元工程质量等级评定标准按照本规程第三章执行。

2.单元工程(或工序)质量达不到合格标准时,必须及时处理。其质量等级按下列规定确定:

(1)全部返工重做的,可重新评定质量等级。

(2)经加固补强并经鉴定能达到设计要求的,其质量只能评定为合格。

(3)经鉴定达不到设计要求,但项目法人认为能基本满足安全和使用功能要求的,可不加固补强;或经加固补强后,造成外形尺寸改变或永久性缺陷的,经项目法人认为基本满足设计要求,其质量可按合格处理。

3.项目法人或监理单位在核定单元工程质量时,除应检查工程现场外,还应对该单元工程的施工原始记录、质量检验记录等资料进行查验,确认单元工程质量评定表所填写的数据、内容的真实和完整性,必要时可进行抽检。单元工程质量评定表中应明确记载项目法人或监理单位对单元工程质量等级的核定意见。

三、分部工程质量评定

1.分部工程质量评定标准如下:

(1)合格标准:①单元工程质量全部合格;②原材料及中间产品质量全部合格。

(2)优良标准:①单元工程质量全部合格,其中有50%以上达到优良,主要单元工程、重要隐蔽工程及关键位的单元工程质量优良,且未发生过质量事故;②原材料和中间产品质量全部合格。

2.进行分部工程质量评定时,应对工程原始施工记录、工程质量检验等资料进行核定。评定人员必须在质量等级评定意见后签名,如有保留意见应明确记载。

四、单位工程质量评定

1.单位工程质量评定标准如下:

(1)合格标准:①分部工程质量全部合格;②原材料及中间产品质量全部合格;③外观质量得分率达到70%以上;④施工质量检验资料齐全。

(2)优良标准:①分部工程质量全部合格,其中有50%以上达到优良,主要分部工程质量优良,且施工中未发生过较大及其以上质量事故;②原材料及中间产品质量全部合格,其中混凝土拌和物质量必须优良;③外观质量得分率达到85%以上;④施工质量检验资料齐全。

2.质量监督机构在进行单位工程质量等级核定时,应结合其对本单位工程质量的监督检查过程、质量抽检及资料检查等情况进行综合评价,按第四章第四款第1条的规定核定质量等级。

五、工程项目质量评定

1.工程项目质量评定标准如下:

(1)合格标准:单位工程质量全部合格。

(2)优良标准:单位工程质量全部合格,其中有 50% 以上的单位工程质量优良,且主要单位工程质量优良。

2.质量监督机构根据上述标准,结合施工过程中对工程质量的监督情况进行综合评价,提出质量等级评定意见,由竣工验收委员会确定工程项目质量等级。

第五章 工程验收

1.堤防工程验收包括分部工程验收、阶段验收、单位工程验收和竣工验收。

2.验收工作按照 SL 223—1999《水利水电建设工程验收规程》执行。

3.工程竣工验收前,项目法人应委托省级以上水行政主管部门认定的水利工程质量检测单位对工程质量进行一次抽检。工程质量抽检所需费用由项目法人列支。

4.工程质量检测单位应通过技术质量监督部门计量认证,不得与项目法人、监理单位、施工单位隶属同一经营实体或同一行政单位直接管辖范围,并按有关规定提交工程质量检测报告。

5.工程质量抽检项目和数量由质量监督机构确定。

(1)每 2 000m 堤长至少抽检一个断面。

(2)每个断面至少抽检 2 层,每层不少于 3 点,且不得在堤防顶层取样。

(3)每个单位工程抽检样本点总数不得少于 20 个。

6.干(浆)砌石工程质量抽检主要内容为厚度、密实程度和平整度,必要时应拍摄图像资料,并满足以下要求:

(1)每 2 000m 堤长至少抽检 3 点。

(2)每个单位工程至少抽检 3 点。

7.混凝土预制块砌筑工程质量抽检主要内容为预制块厚度、平整度和缝宽,并满足以下要求:

(1)每 2 000m 堤长至少抽检一组,每组 3 点。

(2)每个单位工程至少抽检一组。

8.垫层工程质量抽检主要内容为垫层厚度及垫层铺设情况,并满足以下要求:

(1)每 2 000m 堤长至少抽检 3 点。

(2)每个单位工程至少抽检 3 点。

9.堤脚防护工程质量抽检主要内容为断面复核,并满足以下要求:

(1)每 2 000m 堤长至少抽检 3 个断面。

(2)每个单位工程至少抽检 3 个断面。

10.混凝土防洪墙和护坡工程质量抽检主要内容为混凝土强度,并满足以下要求:

(1)每 2 000m 堤长抽检一组,每组 3 点。

(2)每个单位工程至少抽检一组。

11.堤身截渗、堤基处理及其他工程,工程质量抽检的主要内容及方法由工程质量监督机构提出方案报项目主管部门批准后实施。

12.凡抽检不合格的工程,必须按有关规定进行处理,不得进行验收。处理完毕后,由项目法人提交处理报告连同质量检测报告一并提交竣工验收委员会。

13.工程竣工验收时,竣工验收委员会可以根据需要对工程质量再次进行抽检,抽检内容和方法由验收委员会确定。

附堤防工程项目划分表(见附表 5-1)。

附表 5-1　堤防工程项目划分表

工程名称	单位工程	分部工程	单元工程
堤防工程	(一)△堤身工程	1.堤基处理工程	堤基处理与相应堤身单元工程划分应协调一致
		2△.堤基防渗工程	防渗处理按相关规程划分单元工程
		3☆.堤身防渗工程	按相关规程划分原则划分单元工程
		4△.堤身填(浇、砌)筑工程(包括碾压式土堤填筑工程、分区土质堤工程、土料吹填筑工程、混凝土防洪墙工程、砌石堤工程)	碾压式土堤按层、段划分单元工程,新筑堤按堤轴线长度 200～500m、老堤加高培厚按堤段填筑量 1 000～2 000m³ 为一个单元工程;吹填工程按一个吹填围堰区段(仓)或按堤轴线长100～150m划分为一个单元工程;混凝土防洪墙及砌石堤工程,按相关规程划分原则划分单元工程
		5.填塘固基	
		6.压浸平台	
		7☆.堤身防护	
		8.堤脚防护	按施工段划分单元工程,每个单元工程长度不宜超过 100m
	(二)堤岸防护	1.护脚工程	
		2△.护坡工程	
	(三)交叉、连接建筑工程(包括涵闸、公路桥及其他跨河工程)	根据各建筑物的设计特点并参照相关规程划分分部工程	按各建筑物相关规程划分单元工程
	(四)管理设施工程	1△.观测设施	各分部工程按各相关规程划分单元工程
		2.生产生活设施工程	
		3.交通工程	
		4.通讯工程	

注:表中"△"者为主要单位工程或主要分部工程;"☆"者视实际情况可定为主要分部工程也可定为一般分部工程。

水利工程施工质量检查评分办法

第一章　总　　则

（一）为便于开展水利工程质量检查工作，综合评价各项水利工程在建设过程中的质量管理和施工质量情况，根据国家、水利部有关质量管理法规、规定，拟定本办法。

（二）本办法适用于大、中型水利（含水电）工程施工质量监督抽查和质量检查，小型水利工程可参照使用。

（三）本办法采用百分制评分，详见《水利工程施工质量检查评分表》，将质量检查项目分解为质量管理和施工质量两大部分，各占 50 分。评分结果分优良、合格、不合格，即：实得分≥85 分为优良，≥70 分为合格，<70 分为不合格。

（四）工程建设各方面都要在工程质量检查后，针对存在的问题提出整改措施，抓紧整改。凡在下一次检查中发现有上一次检查提出的存在问题，而无特殊理由未加整改的，加倍扣分。

第二章　质量管理

一、建设、施工单位质检机构、人员及工作情况，占 10 分

1. 质检机构

建设、施工单位都应设立专门从事质量检查工作的独立机构，如质检处（科）等。凡只设立质检领导小组或将质检机构附设于其他同级管理机构内的,例如在工程科、技术科内附设质检股(组)等,均视为不是独立机构,要相应扣分。

2. 人员配备

每个单位工程,按其工程规模和施工强度,建设、施工单位都应配备有一个(或一个以上)专职质检员,凡兼职的或既是质检员又兼任现场施工员等其他工作的,均视为不是专职质检员或视为职责不明确。

质检员必须熟悉质量管埋的有关规定,了解木工程的单元、分部、单位工程划分情况,掌握《水利水电基本建设工程单元工程质量等级评定标准》、《水利水电工程施工质量评定表》,并能深入现场,掌握工程质量动态,履行质量管理职责,方可认为工作称职,否则视为工作不够深入,要相应扣分。

二、规章制度、施工要求与质量控制措施,占 15 分

1. 规章制度

建设、施工单位必须有针对本工程特点而编制的有关质量(安全)管理的规章制度,并形成正式文件,方可参加评分。凡无针对性或未形成正式文件的,该项评为"0"分。

2. 施工要求与质量控制措施

施工单位应建立完善的质量保证体系,推行全面质量管理,施工质量检查必须按班组初检、施工队复检、质检处(科)终检的"三检制"程序进行,若工程技术简单的也可简化为班组初检、质检科(股)终检,并要提交完整的质检签证表格。初检可由班组长或班组兼职质检员担任,终检必须由专职质检员担任。凡未实行班组初检和未能提交完整的三检(或二检)质量签证原始资料者,该项评为"0"分。

3. 施工单位现场测试条件

施工单位应按所承建工程的规模和建筑物的等级,配备经过

有关部门认定的相应级别的工地试验室,测试仪器必须按计量部门要求经过检验。凡达不到相应级别要求的、试验人员配备不足的或测试仪器、设备未全部按要求经过检验的,要相应扣分。未配备工地试验室,也未就近委托经过有关部门认定的能满足工程施工要求的试验室,该项评为"0"分。

三、施工记录资料,占 5 分

1. 施工大事记

建设、施工单位都应建立"大事记"制度,并备有格式简明、内容完整的大事记本。凡记录无格式、内容零乱、书写潦草的大事记,或只有一方有大事记,都要相应扣分。

2. 建设、施工单位都必须有各项施工原始记录。一般应有:①施工单位质量自检记录;②建设单位质量检查记录;③各种类型的工程质量签证,验收记录;④原材料、中间产品质量检测试验记录和设备检查试验鉴定材料;⑤质量等级评定资料;⑥设计、施工变更记录等。凡未全部具备上述各项内容者,要相应扣分。

3. 资料整理情况

凡已完成质量评定的单元工程、分部工程、单位工程的施工记录和质量签证资料,按档案管理要求,及时整理完善的评为满分,资料整理不完整的要相应扣分,未整理的评为"0"分。

四、单元、分部、单位工程划分情况,占 5 分

1. 划分情况

主体工程施工前,建设(监理)单位应商设计、施工单位将工程项目作详细的单元、分部、单位工程划分,并经相应质量监督机构认可,形成正式文件,作为工程验收的依据。凡工程划分仅有初步框架,或尚未形成正式文件的要相应扣分,未划分的评为"0"分。

2. 划分的合理性

凡工程划分符合或基本符合《水利水电基本建设工程质量管理若干规定(试行)》要求的评为满分。凡划分不详细或仅有粗线条,要相应扣分,未划分的该项评为"0"分。

五、建设单位接受质量监督情况,占 10 分

　　1.建设单位必须在规定时间内申办质量监督手续,未及时办理质量监督手续或手续不全者,要酌情扣分,未接受质量监督的,该项评为"0"分。

　　2.在接受质量监督过程中,按基建程序进行的各类工程验收,都必须有相应质量监督机构参加,并签署工程质量认定意见。凡自行组织和没有相应质量监督机构参加的工程验收,都按不认真接受质量处理,要相应扣分。

六、执行验收程序情况,占 5 分

　　隐蔽工程、分部工程、单元工程,阶段(中间)验收等,都必须按基建程序及时进行验收。凡未经正式验收即行隐蔽、覆盖或进行后续工序施工或投入运行者,均视为不执行验收程序,每违反一次扣 1 分,重要部位加倍扣分直至"0"分。

第三章　施工质量

一、施工现场管理情况,占 5 分

　　主要从以下三方面的现场考察综合评分:①施工组织安排情况;②施工现场总体、平面、立面布局情况;③施工方法合理性。凡存在施工安排有序性差、施工场面布置零乱、施工方法不合理等现象,均要相应扣分。

二、单元工程质量评定情况,占 18 分

1. 评定工作开展情况

凡已完成的单元工程,建设、施工单位及时组织质量评定,并填写相应的质量评定表,评为满分。评定量较少的或质量评定表填写不完整的,相应扣分。全部未评定的该项评为"0"分。

2. 单元工程质量情况

已评定单元工程的合格率必须达到 100%,其中优良品率≥90%者评为满分,优良品率每减少 10 个百分点扣 1 分,有不合格的单元工程评为"0"分。质量不合格的单元工程经过补强加固或返工处理,重新评定为合格的,可视为合格单元工程。

三、试验工作,占 16 分

1. 外购的构配件、金属结构、机电设备等要有出厂合格证,并按规定进行现场试验、检查验收,妥善保管的,评为满分。否则相应扣分。

2. 主体工程、重要部位使用的外购材料(钢材、水泥、止水片等)的品质,除了应有厂家产品合格证等资料外,还应做品质复检,分类存放,凡①抽样组数满足规定要求;②强度指标全部符合要求者评为满分。不能同时满足的要相应扣分。凡使用无厂家产品合格证或未经复检者评为"0"分。

3. 当地材料,凡①抽样组数满足规定要求;②分析项目全面者评为满分。两项不能同时满足者要相应扣分。未进行品质分析者评为"0"分。

4. 混凝土,按部位分批取样做混凝土强度试验,①取样组数满足规定要求;②各项技术指标全部达到设计要求。碾压土料,①检测频数达标;②各项技术指标全部达到设计要求。凡能满足以上要求者评为满分,否则相应扣分。

四、建筑物观感质量,占6分

凡存在有外明显缺陷、质量隐患和工艺不规范等现象的,要相应扣分。

五、质量事故情况,占5分

质量事故一般按当年进行考核,往年发生的质量事故如已按"三不放过"的要求进行处理,并达到设计要求者可不累计。无质量事故者评为满分。有一般质量事故者要相应扣分。有重大质量事故者评为"0"分。

水利工程施工质量检查评分表

检查项目	检查内容（标准分）	检查评分		标准分	实得分
一、质量管理(50分)	（一）建设、施工单位质检机构、人员及工作情况(10分)	1.双方都有独立的机构(4分)；有机构但不是独立的(3分)；只有一方有机构的(2分)；双方皆无的(0分)；		4	
		2.人员落实,各单位工程配备有足够的专职人员,职责明确,工作称职(6分)；人员配备不足或职责不够明确,工作不够深入,相应扣分；无专职质检员(0分)		6	
	（二）规章制度、施工要求与质量控制措施(15分)	1.建设单位有	①质量检查制度(2分),无(0分)	2	
			②主要工序有质量控制及技术要求(2分),无(0分)	2	
		2.施工单位有	①相关的施工规范、操作规程、主要工序施工方案(2分),无(0分)	2	
			②实行三检制(含二检制),推行全面质量管理(3分),无(0分)	3	
			③安全生产、文明施工规定(1分),无(0分)	1	
		3.施工单位现场测试条件	配备有相应级别的工地试验室,测试仪器、设备按计量部门要求经过检验(5分)；工地试验室达不到相应级别要求,或测试仪器、设备未全部经过检验,相应扣分；未配备工地试验室(0分)	5	
	（三）施工记录资料(5分)	有	①施工大事记(1分)	1	
			②施工原始记录(2分)；不完整(1分)；无(0分)	2	
			③资料整理完善(2分)；不完整(1分)；无(0分)	2	

续表

检查项目	检查内容（标准分）	检查评分	标准分	实得分
一、质量管理（50分）	（四）单元、分部、单位工程划分情况（5分）	1. 已进行划分,建设单位提交监督机构并经认可,形成文件(3分);有初步框架但未形成文件(2分);未划分(0分)	3	
		2. 划分比较正确合理(2分);仅有粗线条(1分);未划分(0分)	2	
	（五）建设单位接受质量监督情况(10分)	及时办理监督手续,认真接受监督,阶段(中间)验收全部有监督机构评价意见(10分);办理了监督手续,接受监督不够认真,有的阶段(中间)验收没有监督机构评价意见,相应扣分;未办理监督手续(0分)	10	
	（六）执行验收程序情况（5分）	隐蔽工程、分部工程、单位工程,阶段(中间)验收等,按基建程序进行验收(5分);没有进行验收的每次扣1分,最高扣分为5分	5	
二、施工质量（50分）	（一）施工现场管理情况（5分）	施工组织管理较好,文明施工(5分);否则相应扣分	5	
	（二）单元工程质量评定情况(18分)	1. 对已完成的单元工程能及时开展质量评定(5分)评定量较少,相应扣分;未评定(0分)	5	
		2. 已评定单元全部合格,且优良品率≥90%(13分);优良品率每减少10个百分点扣1分;有不合格的单元工程(0分)	13	

检查项目	检查内容（标准分）	检查评分	标准分	实得分
二、施工质量（50分）	（三）试验工作（16分）	1．对外购的构配件、金属结构、机电设备等按规定检查验收，妥善保管(4分)；否则相应扣分	4	
		2．对外购的材料(钢材、水泥、止水片等)按规定取样复检，分类存放(4分)；否则相应扣分	4	
		3．当地材料，试验组数符合要求(4分)；否则相应扣分	4	
		4．混凝土强度、保证率、离差系数符合要求，碾压土料试验符合要求(4分)；否则相应扣分	4	
	（四）建筑物观感质量(6分)	观感质量较好(6分)；有外观明显缺陷的相应扣分	6	
	（五）质量事故情况(5分)	无质量事故(5分)；有质量事故，相应扣分，有重大质量事故(0分)	5	
合　　　计			100	

说明：

1．实得分≥70分为合格，≥85分为优良。

2．施工单位现场测试条件一栏，如果未配备工地试验室，而是就近委托能够满足工程要求的试验室，可视为配备了工地试验室。

水利工程施工质量检查评分实施细则

第一章 总 则

（一）为更好地贯彻执行水利部《水利工程施工质量检查评分办法》（水建[1995]339号）（以下简称《评分办法》），规范质量检查的评分准则，制定本细则。

（二）本细则各条款所列分数均为最高得分，其最低得分为0分，检查项目每次扣分的最小值为0.5分。

（三）若受检工程不包含《评分办法》所列全部检查项目，在具体评分时，所缺项目的实得分和应得分均按0分计取。

第二章 质量管理

一、建设（监理）、施工单位质检机构、人员及工作情况（10分）

1. 质检机构（4分）

建设（监理）、施工单位都应经正式文件批准设立专门从事质量检查工作的独立机构（如质检处、科等）。双方都有则为4分，只有一方有的要扣2分；凡只设立质检领导小组或将质检机构附设于其他同级管理机构内的《如在工程科、技术科内附设质检组、股等），均视为无独立机构，要扣1分。

2. 人员配备（3分）（建设（监理）单位和施工单位各占1.5分）

建设（监理）单位和施工单位的专职质检员数量应能满足工程

施工质量检查需要,并且专业应配套。

每个单位工程按其工程规模和施工强度,建设(监理)、施工单位都应配备与工程所需专业相适应的专职质检员,一般是每个单位工程一人(或一人以上),凡非专职质检员从事质量检查工作。各方人员配备不足或专业不全的,每少1人或1专业扣0.5分。

3. 人员素质(3分)

质检员必须熟悉现行国家和行业有关技术标准、水利工程质量管理的有关规定和受检工程的设计要求,掌握《水利水电基本建设工程单元工程质量等级评定标准》和《水利水电工程施工质量评定表》的具体内容,熟悉受检工程的单元工程、分部工程及单位工程划分,履行质量管理职责,建设(监理)、施工单位各占1.5分,有一名质检人员不称职扣0.5分。

二、规章制度和质量控制措施(15分)

1. 规章制度(5分)(建设(监理)单位占2分,施工单位占3分)

建设(监理)、施工单位必须有针对本工程特点而编制的有关质量(安全)管理的规章制度,形成正式文件,并付诸实施。规章制度无针对性扣0.5分;未形成正式文件扣0.5分;建设(监理)、施工单位不严格执行规章制度的扣0.5~1分。施工单位无安全文明生产规定的扣1分。

2. 施工要求与质量控制措施(5分)(建设(监理)单位占2分,施工单位占3分)

建设(监理)单位应有明确的主要施工工序质量检查控制措施及有关技术要求,有关措施不明确或未按要求进行检查的每次扣0.5分。

施工单位应建立完善的质量保证体系,推行全面质量管理,未建立完善质量保证体系的扣1分;施工质量检查必须按班组初检、施工队复检、专职质检机构终检的"三检制"程序进行,若工程技术简单或规模小的工程可简化为班组初检、专职质检机构终检的"二检制",初验可由班组长或班组兼职质检员担任,终检必须由专职质检员担任,终检人员非专职的要扣1分;无班组初验的扣1分。工程质量检查要提交完整的质量签证表格,未提交完整的三检(或二检)质量签证原始资料者扣1分。

3.施工单位现场测试条件(5分)

施工单位应按所承建工程的规模和建筑物的等级,配备经过有关部门认定的相应级别的工地试验室,测试仪器、设备必须按计量部门要求通过校验。凡达不到相应级别要求的、试验人员配备不足(包括人员技术水平低、人员工作态度责任心不强)或测试仪器设备未按要求校验的要相应扣1分、1分、3分;未配备满足施工要求的工地试验室,也未就近委托经过有关部门认定的能满足施工要求的试验室承担工程项目测试的扣5分。虽委托试验,但试验成果提供不及时、仪器未经过计量认证的要相应扣2分、3分。

三、施工记录资料(5分)

1.施工大事记(1分)

建设(监理)、施工单位都应建立"大事记"制度,并备有格式简明、内容完整的大事记本。凡建设(监理)或施工单位记录无格式、内容零乱不全或书写潦草或无大事记记录的要扣分,双方各占0.5分。

2.施工原始记录(2分)

建设(监理)、施工单位都必须具有完整的各项施工原始记录(包括施工质量跟踪档案)。一般应有:(1)施工单位质量自检记录;(2)建设单位质量检查记录;(3)各种类型的工程质量签证、验收记录;(4)设计、施工变更记录及建设日记等。凡未全部具备上述各项内容者,每缺一项或某项失真扣0.5分。

3. 资料整理情况(2分)

凡已完成质量评定的单元工程、分部工程、单位工程的各项施工原始记录、质量签证、单元工程质量评定及其他有关的文件资料,不按档案管理要求及时整理的扣0.5分,不完整的扣0.5分,未整理的扣2分。

四、单元、分部、单位工程划分情况(5分)

1. 划分情况(3分)

主体工程施工前,建设(监理)单位应商设计、施工单位将工程项目进行单元工程、分部工程、单位工程的详细划分,并经相应的质监机构认可,形成正式文件,作为工程质量评定及验收依据。凡单元工程、分部工程及单位工程划分仅有初步框架,或未形成正式文件的扣1分;未全部划分的扣1分;未经质监机构认可的扣1分;未划分的扣3分。

2. 划分的合理性(2分)

工程划分应符合或基本符合水利水电工程质量管理有关规定的要求,条理清晰能满足工程质量考核控制的需要;凡划分不清晰,仅有粗线条的扣1分,未划分的扣2分。

五、建设(监理)单位接受质量监督情况(10分)

1. 办理质监手续情况(5分)

建设单位必须在规定时间内(工程开工前)到相应质监机构申办质量监督手续,未及时办理的扣1分;手续不全的扣1分,未办理质量监督手续的扣5分。

2. 接受质量监督情况(5分)

受监工程按基建程序进行的各类工程验收,都必须有相应质监机构参加,并签署工程质量监督评定意见;凡自行组织没有相应质监机构参加的工程验收,每次扣1分;不接受质监机构监督的扣

5分;工程施工过程中,对质监机构监督检查过程中提出的问题未落实处理,又未经质监机构同意的,每项问题扣1分。

六、执行验收程序情况(5分)

隐蔽工程、单位工程及阶段(中间)验收等,都必须按基建程序及时验收。凡未经正式验收即行隐蔽、覆盖或后续工序或投入运行者,均视为不执行验收程序,每违反一次扣1分,重要的程序扣2分。

第三章 施工质量

一、施工现场管理情况(5分)

1. 施工组织安排情况(2分)

施工单位应有完善的施工组织设计,工程施工在人员、设备及材料供应等方面应有与工程规模相适应,保证工程质量和进度正常进行。施工组织设计不完善扣0.5分,人员不足或专业配套不全或者上岗人员不合要求(如无证或不按章作业等)者扣0.5分;机械设备不满足工程需要者扣0.5分;材料供应准备不充分者扣0.5分。

2. 文明施工(2分)

工程施工现场总体、平面及立面布局应有序明了。主要施工材料如钢筋、水泥、砂石骨料等应堆放整齐、标志齐全清晰,设备应按有关规范和制造厂要求进行存放,否则扣0.5分;施工现场布局不合理、布置零乱者扣0.5分。有违反安全生产文明规定现象的扣1分。

3. 施工方法(1分)

各工程部位施工工艺方法应合理,避免交叉干扰、重复施工等施工工序,以保证工程质量,每发现一处或一部位不合理的扣0.5分。

二、单元工程质量评定情况(18分)

1. 评定工作开展情况(5分)

对已完成的单元工程,施工单位应及时组织质量评定,经建设单位核验,并填写相应的质量评定表。评定不及时的扣1分;评定量较少或不全的扣1分;质量评定表检测内容填写不完整的扣1分;未经建设单位核验的扣1分;全部未评定的扣5分。

2. 单元工程质量情况(13分)

已评定的单元工程合格率必须达到100%,其中优良率≥90%者评为13分;优良品率每减少10个百分点扣1分;如有不合格且未作任何处理的或经处理仍不合格的单元工程,扣13分。质量不合格的单元工程经过补强或局部返工处理,重新评定为合格的,可视为合格单元工程,但不得评为优良单元工程;全部返工重做的可重新评定其质量等级;经局部处理后合格的每个单元工程扣0.5分,直至3分。返工重做的每个单元工程扣0.5分,直至3分。质量评定结果有失实现象要扣分,每个单元工程扣1分。

三、试验工作(16分)

1. 外购配件、设备的检查试验(4分)

外购的构配件、金属结构、机电设备等应有厂内检查试验记录、出厂合格证等材料,并按规定进行现场试验、检查验收及妥善保管,无出厂合格证等资料的每件扣0.5分,扣分上限1分;需进行现场试验检查验收未做的每件扣0.5分,扣分上限1分;未妥善保管的每件扣0.5分,扣分上限2分。

2. 主要外购材料的检查试验(4分)

主体工程、重要工程部位使用的外购材料(钢材、水泥、止水片等)的品质,除了应有厂家试验记录、产品合格证等资料外,还应做品质复检,分类存放。凡未按有关的规定进行复检的每批材料扣0.5分,扣分上限1分;凡使用材料无厂家产品合格证、材质证明资料的每批材料扣0.5分,扣分上限2分。

3. 使用当地材料的试验检查(4分)

使用当地材料如砂、石料等时,均应按规定进行必要的检验。试验分析未按规定要求进行的,每批(种)材料扣0.5分,扣分上限为2分;使用当地材料未进行品质分析者扣4分。

4. 混凝土、土、砂的取样检查试验(4分)

混凝土应依工程部位按规定取样做混凝土强度试验;碾压土、砂料也应按规定取样试验。虽进行取样试验但不能满足有关规定要求的每单元工程或部位扣0.5分,扣分上限3分;未进行取样试验则扣4分。

四、工程外观观感质量(6分)

凡工程外观存在有明显缺陷和工艺不规范等现象的,要相应扣分,其中以混凝土工程、土石方工程、房建工程、机电设备安装工程以2:2:1:1比例分摊。混凝土工程(包括大体积混凝土和混凝土细部结构):尺寸偏差超过允许造成的外观缺陷,每部位扣0.5分,面积特别大的要扣1分,有较严重裂缝或蜂窝麻面或局部破坏(包括作了表面隐盖处理)的,每部位扣0.5分,扣分上限2分。

土石方工程:表面尺寸偏差过大,出现塌陷、明显不平整的,每部位扣0.5分,面积特别大的要扣1分,扣分上限2分。

房建工程:室内外土建外表、建筑细部结构(包括门窗等)及水电工程应平直整齐,尺寸偏差在设计及规范要求的范围内,水电设备应完整,否则由此造成的外观缺陷要扣0.5分。室内外装修应平顺整齐美观,否则扣0.5分。扣分上限1分。

机电设备安装工程:要求各机电设备外表面清洁,面漆完整,标志齐全,否则要扣 0.5 分;各设备如(电缆管道等)应平顺整齐,否则由此引起的外观缺陷要扣 0.5 分。扣分上限 1 分。

五、质量缺陷和事故情况(5 分)

质量事故一般按当年进行考核,往年发生的质量事故如已按"三不放过"的要求(即事故原因不查清不放过、主要事故责任者和职工未受到教育不放过、补救和防范措施不落实不放过)进行处理,并达到设计要求者可不累计扣分,未按"三不放过"处理或处理不合要求者的扣 5 分;无质量事故和往年质量事故处理完成者评为 5 分;当年有一般质量事故者每次扣 1.5 分;有重大质量事故者扣 5 分。

工程虽未发生质量事故,但存在质量缺陷或隐患时,每部位扣 0.5 分。

参考文献

1.水工混凝土施工规范 SDJ—207—82.北京:水利电力出版社,1982